woodstock

Woodstock Music and Art Fair	Woodstock Music and Art Fair	Woodstock Music and Art Fair
FRIDAY	**SATURDAY**	**SUNDAY**
August 15, 1969	August 16, 1969	August 17, 1969
10 A. M.	10 A. M.	10 A. M.
$6.00	**$6.00**	**$6.00**
Good For One Admission Only	Good For One Admission Only	Good For One Admission Only
22270 NO REFUNDS	22270 NO REFUNDS	22270 NO REFUNDS

« Woodstock, c'étaient des perles, des couleurs, des fleurs,
du soleil et des gens merveilleux. »

JOHN SEBASTIAN

woodstock

3 jours de paix et de musique

Mike Evans et Paul Kingsbury
préface Martin Scorsese

traduction Jean-François Cornu

en partenariat avec

The
Museum
at BethelWoods
CENTER FOR THE ARTS
THE STORY OF THE SIXTIES AND WOODSTOCK

Éditions
de La Martinière

Édition originale publiée en américain par Sterling Publishing Co., Inc.
387 Park Avenue South, New York, NY 10016

Conception graphique et maquette © 2019 Palazzo Editions Ltd
Texte © 2019 Mike Evans and Palazzo Editions Ltd
Préface © Martin Scorsese
Pour les photographies, voir les crédits page 287

Créé et produit par
PALAZZO EDITIONS LTD
Middle Office, 15 Church Road,
London SW13 9HE
www.palazzoeditions.com

Pour l'édition française :
Adaptation : Renaud Bezombes

© 2019 Éditions de La Martinière, une marque de la société EDLM
Retrouvez-nous sur www.editionsdelamartiniere.fr
www.facebook.com/editionsdelamartiniere

ISBN 978-2-7324-8792-2
Dépôt légal : mars 2019
Imprimé et relié en Chine

SOMMAIRE

To Cindy (with the black hair & sister) I'm sorry I was too untogether to remember to ask for your address later in the week. Please call. Dan

PRÉFACE

Mon point de vue sur Woodstock est… limité. Pourquoi limité ? Parce que, pendant la majeure partie de ce long week-end d'août 1969, j'étais confiné sur un praticable de moins de trois mètres de côté, à droite de la scène, juste au-dessous d'une batterie d'amplificateurs, où je me concentrais sur les musiciens et leurs prestations. J'allais être l'un des monteurs du film et mon boulot consistait à avoir l'œil sur les images dont nous allions avoir besoin quand le montage allait démarrer. Sept cameramen filmaient chaque groupe. Dans la mesure où j'arrivais à communiquer avec eux, j'essayais d'orienter leur attention sur ce qu'ils ne pouvaient pas voir, puisqu'ils avaient l'œil rivé sur le viseur. De temps à autre, il fallait faire face à des choses plus urgentes : par exemple, s'efforcer de rester debout parmi plein de gens dans cet espace minuscule. Si quelqu'un m'avait poussé pour passer, je serais tombé de cette plateforme, ce qui n'est jamais arrivé à aucun de nous. Il était impossible de se ravitailler ni d'aller aux toilettes. Le meilleur hamburger que j'aie sans doute mangé de ma vie, je le dois au documentariste Arthur Baron qui a réussi à nous en faire passer tout un sac pendant le concert du vendredi soir.

J'étais tellement obnubilé par ce qui se passait sur la scène que je n'ai quasiment jamais vu le public. Ce n'était qu'une présence derrière nous, agitée, potentiellement versatile. Par moments, j'apercevais Michael Wadleigh, le réalisateur – caméra au poing, le casque de travers sur les oreilles – qui tentait de rester en contact avec les autres cameramen par radio. La plupart du temps, nous captions les images que nous pouvions. Pourtant, j'ai l'impression que, bizarrement – peut-être parce que nous étions jeunes –, nous étions sûrs d'avoir de bonnes images à rapporter dans les salles de montage à New York.

C'est d'ailleurs là que l'aventure a commencé. Wadleigh et moi nous étions rencontrés à l'école de cinéma de la New York University. Il avait été chef opérateur sur mon premier long-métrage, *Who's That Knocking at My Door ?*, tourné en 16 mm noir et blanc. À la fin des années 1960, nous étions plusieurs à partager des salles de montage à Manhattan, dans la 86ᵉ Rue Ouest. Moi, je travaillais sur mon film ; à côté, il y avait Jim McBride qui montait *David Holzman's Diary*, pendant que Wadleigh et Thelma Schoonmaker – ma future monteuse – montaient différents documentaires. Naturellement, nous étions tous deux fondus de cinéma, mais Wadleigh et moi avions la même passion pour le rock. Pour beaucoup d'entre nous, le rock était la bande-son de notre existence, nos journées étaient rythmées par sa pulsation. Nous étions déjà tous deux nostalgiques des années 1950 et des pionniers de cette musique – Fats Domino, Little Richard, Jerry Lee Lewis, Chuck Berry – qu'on n'entendait plus beaucoup. Nous avions eu l'idée de monter un concert avec ces musiciens et de le filmer. Ensuite, la rumeur a circulé qu'un concert allait avoir lieu à Woodstock. On a vite compris que cet événement rassemblerait sans doute ce qui se faisait de mieux en la matière. Wadleigh est allé se renseigner sur place afin de voir si on pouvait s'en inspirer. Et puis, il nous a téléphoné plusieurs fois pour nous dire que, si nous devions faire un film, c'était sur ce festival.

Mise à part notre passion pour la musique, aucun de nous, à l'exception de Jim McBride, n'était ce qu'on appelait « un mec dans le vent », même si Wadleigh s'était laissé pousser une barbe bien fournie avant d'aller à Woodstock. La première fois que je l'ai vu, il ressemblait à un chanteur des Four Freshmen : c'était un jeune homme du Midwest aux cheveux courts, propre sur lui, la chemise boutonnée jusqu'en haut. Moi, je n'avais encore jamais porté de jean. Mon style vestimentaire, c'était celui d'un étudiant en licence quelconque. Et la campagne était pour moi un autre monde. Souffrant d'asthme, j'étais allergique à tout ce que pouvait offrir la nature. Pourtant, nous nous sommes tous retrouvés là, affamés, épuisés, en butte au fait que les organisateurs de Woodstock ne s'étaient pas donné pour priorité de faciliter la vie des cinéastes.

Ils avaient des problèmes autrement plus urgents à résoudre. J'ignore combien de personnes ils attendaient ce week-end-là, mais certainement pas un demi-million. Ils ont été submergés à tous les niveaux : ravitaillement, hygiène, premiers secours. Certaines structures auxquelles étaient fixés les projecteurs menaçaient de s'effondrer et la terre s'était transformée en un océan de boue. La raison pour laquelle cette foule gigantesque avait convergé sur Woodstock n'a rien de mystérieux ; c'était la promesse d'entendre autant de grands musiciens en un seul et même lieu et en si peu de temps. Aux yeux de certains, ce qui est mystérieux, c'est peut-être comment ce festival a pu rester de bout en bout une manifestation pacifique. Car, à chaque seconde, il aurait pu dégénérer. Parfois, je me retournais en me disant : « Et s'il arrivait un truc dingue ? Si une drogue ne marchait pas, ou marchait trop bien, et qu'ils décidaient de foncer sur la scène ? » Aujourd'hui, on idéalise l'esprit de Woodstock, mais je suis convaincu que les choses auraient pu mal tourner.

Dès le concert du vendredi soir, nous avons commencé à comprendre que nous participions à quelque chose qui dépassait le simple concert de rock, qu'il s'agissait peut-être d'un événement véritablement historique. Et cela nous a aidés. Moi, en tout cas. Le samedi soir, « le monde entier avait les yeux braqués sur nous », pour faire dans le cliché. Woodstock était sur toutes les chaînes de télévision et faisait toutes les unes de journaux. Il est possible que, dans le public, beaucoup de gens aient voulu marquer nettement la différence entre ce rassemblement pacifique et les émeutes qui avaient entaché la convention démocrate à Chicago un an auparavant.

Pourtant, nous qui réalisions ce film n'étions pas au bout de nos peines. Bien sûr, Freddie Weintraub, l'organisateur de concert new-yorkais – propriétaire du club new-yorkais The Bitter End, il avait beaucoup de relations dans le monde de la musique –, avait pris contact avec John Calley, membre de la nouvelle équipe de Steve Ross chez Warner. John avait accepté de prendre en charge les frais de location de la caméra et l'achat de la pellicule pour une somme d'environ 15 000 dollars ou encore, comme il me l'a dit, « genre un déjeuner à Las Vegas. » Il se rappelle aussi s'être dit que, si ça marchait, il pourrait amortir cette somme modeste en vendant ce qu'on aurait filmé à de futurs documentaristes sous la forme d'images brutes. Mais le financement nécessaire à l'achèvement du film n'était pas garanti. Je me souviens que notre producteur, Bob Maurice, l'oreille collée au téléphone – avec la musique qui hurlait derrière lui –, racontait à ses interlocuteurs que ce festival prenait une tournure historique et qu'ils seraient trop bêtes de ne pas faire partie de l'aventure. Je me souviens aussi que Thelma, coincée à la console d'éclairage, demandait – tantôt en hurlant, tantôt par la séduction – à Chip Monck, légendaire éclairagiste de concert, d'éclairer davantage la scène pour que nous puissions filmer des images suffisamment visibles des musiciens. Ce pionnier génial de l'éclairage n'avait aucune intention de saboter ses effets savamment calculés pour faire plaisir à une bande de jeunes filmeurs.

Si bien que *Woodstock*, le film, constituait pour beaucoup de raisons une prise de risque énorme, sur le fil du rasoir. C'est presque toujours le cas pour des tournages de ce genre, mais particulièrement à une époque où les concerts de rock n'étaient pas aussi courants qu'aujourd'hui. Dès le départ, il avait été question de recourir à de nombreuses images avec écran divisé (*split screen*). Il se passait tellement de choses à la fois à Woodstock que cette manière de faire convenait assez bien. Un grand espace vide situé au-dessus d'une salle de billard avait été loué pour projeter simultanément sur un mur les images filmées à Woodstock avec six caméras. Voir toutes ces images défiler dans les projecteurs en même temps avait quelque chose de viscéralement enthousiasmant. C'est même devenu une figure de style propre à *Woodstock*. Mais surtout, en montrant le public autant que les musiciens, Wadleigh avait ainsi la possibilité de faire vivre ou revivre le festival aux spectateurs du film. Chose impossible à recréer avec un déroulement purement linéaire.

Nous avions assez d'images utilisables pour faire un film de sept heures. C'est pourquoi *Woodstock* a changé de forme plusieurs fois au fil des ans et de ses éditions en vidéo, sans que son essence s'en trouve altérée. Cependant, en cinquante ans, il s'est produit quelque chose de plus curieux. Je pense que, sans le film, le festival de Woodstock ne serait qu'une note de bas de page dans l'histoire sociale et culturelle des années 1960, sous la forme d'une photographie dans un livre illustré, et d'une ligne ou deux dans les livres d'histoire. Le film parvenait, et parvient encore, à rendre l'essence du festival et, plus encore, à faire en sorte que Woodstock reste un événement vivant. La note de bas de page s'est transformée en étalon-or et, pour ceux de ma génération, en une manière de se souvenir de ce que nous étions à l'époque et de mesurer le chemin parcouru depuis. Bien plus encore, ce film permet aussi aux jeunes générations d'être en phase avec l'état d'esprit chaotique des années 1960. Ou plutôt à une partie de cet état d'esprit, la plus heureuse.

Quant à moi, pour différentes raisons, j'ai dû quitter le film avant qu'il soit achevé. Mais celui-ci a exercé sur moi une influence considérable. Je suis certain que Woodstock a laissé des traces dans mes films, en particulier musicales, et dans les façons dont je vois ma vie et le monde que nous partageons tous. J'imagine que c'est le cas de presque tous ceux qui étaient à Woodstock. J'espère que, comme le film, ce livre permettra à beaucoup d'autres personnes de voir ce que nous avons vu, de goûter à ce que nous avons goûté, de revivre ce « happening » devenu l'un des plus grands événements culturels et historiques de son temps.

MARTIN SCORSESE

Ci-dessous : l'équipe du film *Woodstock* (de gauche à droite) : Michael Wadleigh, le réalisateur, Martin Scorsese et Thelma Schoonmaker, monteurs.

L'histoire de la musique populaire est marquée par quelques événements majeurs – le premier enregistrement d'Elvis Presley, l'arrivée des Beatles en Amérique, le Dylan électrique –, considérés comme des moments fondateurs, des repères culturels et des catalyseurs du développement tumultueux du rock. Le festival de Woodstock est le plus important de ces moments. À la fin des années 1960, c'est l'événement déterminant de la contre-culture animée par le rock, avec l'invasion d'une petite ferme de l'État de New York par un demi-million de jeunes.

Depuis l'été 1967 et le modèle établi par le festival pop de Monterey, les festivals en plein air caractérisent de plus en plus le *flower power*. Deux festivals ont déjà réuni des publics immenses, d'environ 100 000 personnes, à Miami en 1968 et à Atlanta (Géorgie) en juillet 1969, deux semaines avant Woodstock. Ces manifestations ont programmé les groupes rock et pop les plus novateurs et séduit en majorité des jeunes Blancs des classes moyennes. Elles témoignent également d'une contre-culture dont la jeunesse est à la tête et qui remet en cause le mode de vie et les valeurs de la société américaine.

Cette société est de plus en plus divisée face à l'évolution des attitudes à l'égard des droits civiques, de la libération sexuelle, de la consommation de drogues et – pour les jeunes, surtout – de l'escalade de la guerre au Vietnam. L'opposition à ce conflit est l'un des grands facteurs de rassemblement des foules qui, à la mi-août 1969, se rendent à la ferme de Max Yasgur à Bethel. Mais nombreux sont ceux qui y vont autant pour la musique, la possibilité de s'exprimer librement et l'attrait d'une communauté spontanée de jeunes. La rumeur se répand : ce sera le plus grand rassemblement de la « société alternative », de la « *Woodstock Nation* » comme on l'appellera par la suite.

Le caractère unique de Woodstock est aussi dû aux circonstances changeantes du festival. Avant même le premier concert, les embouteillages monstres qui paralysent les routes menant au site empêchent quasiment tous les groupes d'arriver à l'heure, avec un effet de dominos qui fait s'achever le lundi matin une manifestation qui devait durer du vendredi au dimanche. Les musiciens qui ont pu arriver dès le premier jour découvrent que la zone réservée au public est occupée par des campeurs depuis plusieurs jours, alors qu'on installe encore les guichets et les clôtures. On est au bord du chaos quand les organisateurs décident en hâte de renoncer à toute considération commerciale en faveur de la « paix » annoncée sur les affiches. Ils font du festival un événement gratuit et voient la nature même du Festival musical et artistique de Woodstock se métamorphoser sous leurs yeux.

Au deuxième jour, de fortes averses orageuses ont transformé les champs en bain de boue. Les festivaliers (et, dans une moindre mesure, les musiciens) ont beaucoup de mal à sortir facilement du site, tandis que d'autres spectateurs continuent d'arriver. On attendait 150 000 personnes, mais ils sont trois fois plus déjà sur place ou en chemin. Devant ce nombre gigantesque, le ravitaillement, les installations sanitaires et les premiers secours ne sont plus du tout à la hauteur. Les autorités déclarent le site « zone sinistrée ». Tout le pays a les yeux rivés sur une catastrophe potentielle. C'est alors que se révèle « l'esprit de Woodstock ». Un sentiment tangible de solidarité et de communion transcende tous les problèmes.

La tribu ainsi rassemblée est unie par la musique – mélange de rock, de folk et même de musique classique indienne –, la liberté d'expression individuelle, une approche laxiste de la sexualité et de la consommation de drogues et l'hostilité à la guerre au Vietnam. Les témoignages oculaires de festivaliers, de musiciens, d'habitants et policiers évoquent tous l'esprit de fraternité entre des gens qui ne se connaissaient pas, l'entraide, l'absence de violence ou de tensions, le sentiment d'appartenir à une communauté, dans une ambiance musicale créée par certains des plus grands groupes de l'époque. Dans la plupart des cas, et malgré des conditions très imparfaites, chanteurs et musiciens sont à la hauteur du défi. Parmi les moments marquants, il y a Richie Havens qui ouvre le festival et galvanise le public avec son « Freedom », Melanie, alors inconnue, seule sur scène face à des milliers de briquets allumés dans l'obscurité, « Fixin'-to-Die Rag », le chant pacifiste de Country Joe, les onze minutes de « I'm Going Home » de Ten Years After et la version époustouflante de l'hymne national américain par Jimi Hendrix.

Le témoignage musical de Woodstock est passé à la postérité grâce à la décision, prise dès le départ, de filmer et d'enregistrer la plupart des concerts. Le succès commercial de l'album et du film en 1970 a prolongé l'impact et la notoriété du festival dans le monde entier. Depuis, les événements de ce week-end d'août à Bethel ont acquis un statut quasi mythique. Au fil des ans, récits et analyses sociologiques se sont multipliés.

Grâce à des entretiens exclusifs, à des coupures de presse et aux précieuses archives du Musée de Bethel Woods, ce livre hommage propose une chronique complète en mots et en images des « trois jours de paix et de musique » qui ont défini la musique et la culture de la fin des années 1960, et dont les réverbérations nous parviennent encore un demi-siècle plus tard.

MIKE EVANS

AVANT WOODSTOCK

1954 **1er mars** Premier essai américain d'une bombe H sur l'atoll de Bikini **(1)** **17 mai** La Cour suprême des États-Unis abolit la ségrégation raciale dans les écoles **5 juillet** Elvis Presley enregistre son premier disque, « That's All Right » **17-18 juillet** Premier festival de jazz de Newport **11 novembre** « Shake, Rattle, and Roll » de Bill Haley est le premier disque de rock classé dans les hit-parades (nᵒ 7)

1955 **9 juillet** « Rock Around the Clock » de Bill Haley est le premier disque de rock classé en tête d'un hit-parade américain **17 juillet** Inauguration de Disneyland à Anaheim, en Californie **30 septembre** James Dean meurt dans un accident de voiture **(2)** **27 octobre** Sortie du film *La Fureur de vivre* **22 novembre** Premier essai d'une bombe H par l'URSS **1er décembre** À la suite du refus de Rosa Parks de céder sa place dans un bus, Martin Luther King Jr organise le boycott des bus de Montgomery, dans l'Alabama, pendant 382 jours

1956 **3 mars** « Heartbreak Hotel », le premier tube d'Elvis Presley, entre dans le hit-parade des 100 meilleurs titres du magazine *Billboard* **Octobre** Parution de *Howl*, recueil de poèmes d'Allen Ginsberg **26 novembre** Sortie du film, alors controversé, *Et Dieu… créa la femme*, avec Brigitte Bardot **(3)** Elvis Presley, meilleur vendeur dans l'histoire du disque **(4)**

1957 **5 septembre** Parution de *Sur la route* de Jack Kerouac **24 septembre** Eisenhower fait appliquer la loi sur l'intégration raciale dans les écoles de Little Rock, dans l'Arkansas **26 septembre** À Broadway, première de la comédie musicale *West Side Story* **4 octobre** Lancement du premier satellite artificiel Spoutnik I par l'URSS **(5)**

1958 **24 mars** Elvis sous les drapeaux **(6)** **2 avril** Un journaliste de San Francisco invente le mot *beatnik* **10 octobre** Première marche du mouvement pour les droits civiques, en faveur des écoles intégrées, qui réunit 10 000 personnes à Washington

1959 **1er janvier** Fidel Castro prend le pouvoir après la révolution à Cuba **Janvier** Début du conflit militaire entre le Nord-Vietnam et le Sud-Vietnam **3 février** Buddy Holly meurt dans un accident d'avion **11-12 juillet** Premier festival de musique folk à Newport **Juillet** Parution à Paris du *Festin nu* de William Burroughs

1960 **23 juin** Autorisation de la vente de la pilule contraceptive aux États-Unis **Octobre** Premiers enregistrements commerciaux d'Aretha Franklin **8 novembre** John F. Kennedy devient le plus jeune président élu des États-Unis **(7)** **Décembre** Constitution du Front national de libération du Vietnam (FNL)

1961 **21 février** Première apparition des Beatles au Cavern Club de Liverpool **1er mars** Création du Corps de la paix (Peace Corps), organisation pacifiste américaine **5 avril** Premier concert payant de Bob Dylan à New York **12 avril** Le Soviétique Youri Gagarine, premier homme dans l'espace **(8)** **13 août** Intensification de la guerre froide avec la construction du mur de Berlin **(9)** **11 décembre** « Please Mr. Postman », des Marvelettes, première chanson de la Motown à devenir nᵒ 1 aux États-Unis

1962 **15 juin** Le mouvement des étudiants pour une société démocratique (SDS) publie la « déclaration de Port Huron », texte majeur du militantisme étudiant aux États-Unis **12 juillet** À Londres, premier concert des Rolling Stones au Marquee **16 juillet** Les Beach Boys signent avec Capitol Records **5 août** Marilyn Monroe meurt d'une surdose de barbituriques **Septembre** Parution de *Silent Spring*, ouvrage précurseur de Rachel Carson sur l'environnement **Octobre** Crise des missiles de Cuba **(10)**

1963 **19 février** Parution de *The Feminine Mystique* de Betty Friedan, l'un des premiers ouvrages féministes **28 août** Marche pour les droits civiques à Washington : Joan Baez et Bob Dylan chantent au Lincoln Memorial, aux côtés de Martin Luther King Jr **(11)** **10 octobre** Entrée en vigueur du traité sur l'interdiction des essais nucléaires **22 novembre** John F. Kennedy est assassiné à Dallas **(12)**

1964 **25 janvier** Avec « I Want to Hold Your Hand », les Beatles se lancent à l'assaut des hit-parades américains **(13)** **25 février** Le boxeur Cassius Clay devient champion du monde des poids lourds **2 juillet** La loi sur les droits civiques de 1964 abolit la ségrégation dans les écoles, sur les lieux de travail et dans l'espace public

1965 **21 février** Assassinat de Malcolm X **7 mars** Dimanche sanglant : des manifestants en faveur du droit de vote sont attaqués et frappés par la police en Alabama **8 mars** Arrivée des premiers soldats américains au Vietnam **Juillet** Bob Dylan s'installe dans la colonie d'artistes de Byrdcliffe, à Woodstock (État de New York) **25 juillet** Bob Dylan, version « électrique », est diversement accueilli au festival folk de Newport **11 août** Émeutes dans le ghetto noir de Watts, à Los Angeles **(14)** **5 novembre** Sortie de l'album des Who, *My Generation* **Novembre** Premières fêtes « acid test » organisées par Ken Kesey en Californie, avec la musique des Grateful Dead

1966 **4 mars** « Nous sommes plus populaires que Jésus » : cette déclaration de John Lennon paraît dans un journal londonien **(15)** **11 avril** Débuts du groupe Buffalo Springfield, avec Stephen Stills et Neil Young **28-30 juin** Création du mouvement féministe NOW (National Organization for Women) **29 août** Les Beatles donnent leur dernier concert en public à Candlestick Park, à San Francisco **16 octobre** Grace Slick chante pour la première fois en public avec le groupe Jefferson Airplane **16 décembre** Sortie de « Hey Joe », premier 45-tours du groupe Jimi Hendrix Experience

1967 **14 janvier** À San Francisco, le happening « Human Be-In » annonce le Summer of Love **15 avril** À New York, 400 000 manifestants défilent contre la guerre **1er juin** Sortie de *Sgt. Pepper's Lonely Hearts Club Band*, 33-tours des Beatles **16-18 juin** Festival de Monterey **3 octobre** Disparition de Woody Gurthrie, légende de la musique folk **16 octobre** Arrestation de Joan Baez pendant les manifestations contre la conscription dans tout le pays **(16)** **17 octobre** À New York, première représentation de *Hair*, « comédie musicale rock et tribale américaine » **21 octobre** 200 000 manifestants opposés à la guerre marchent sur le Pentagone **9 novembre** Parution du premier numéro du magazine musical *Rolling Stone*

1968 **16-20 février** Les Beatles partent pour Rishikesh, en Inde, méditer avec le Maharishi Mahesh Yogi **16 mars** Massacre de My Lai au Vietnam **4 avril** Assassinat de Martin Luther King Jr à Memphis **18-19 mai** Premier festival de musique pop de Miami **6 juin** Assassinat de Robert Kennedy **(17)** **5 novembre** Richard Nixon est élu président des États-Unis **28-30 décembre** Deuxième festival de musique pop de Miami **26-29 août** Manifestations contre la guerre à la convention démocrate à Chicago

1969 **18 mars** Les États-Unis commencent à bombarder les positions nord-vietnamiennes au Cambodge **25-31 mars** Premier « bed-in » de John Lennon et Yoko Ono à l'hôtel Hilton d'Amsterdam **26 juin** Sortie du film *Easy Rider* **4-5 juillet** Festival de musique pop d'Atlanta **20 juillet** Les astronautes Neil Armstrong et Buzz Aldrin sont les premiers hommes à poser le pied sur la lune **(18)** **1er-3 août** Atlantic City Pop Festival **9 août** L'actrice Sharon Tate est assassinée avec quatre autres personnes dans la maison de Roman Polanski par le groupe de Charles Manson

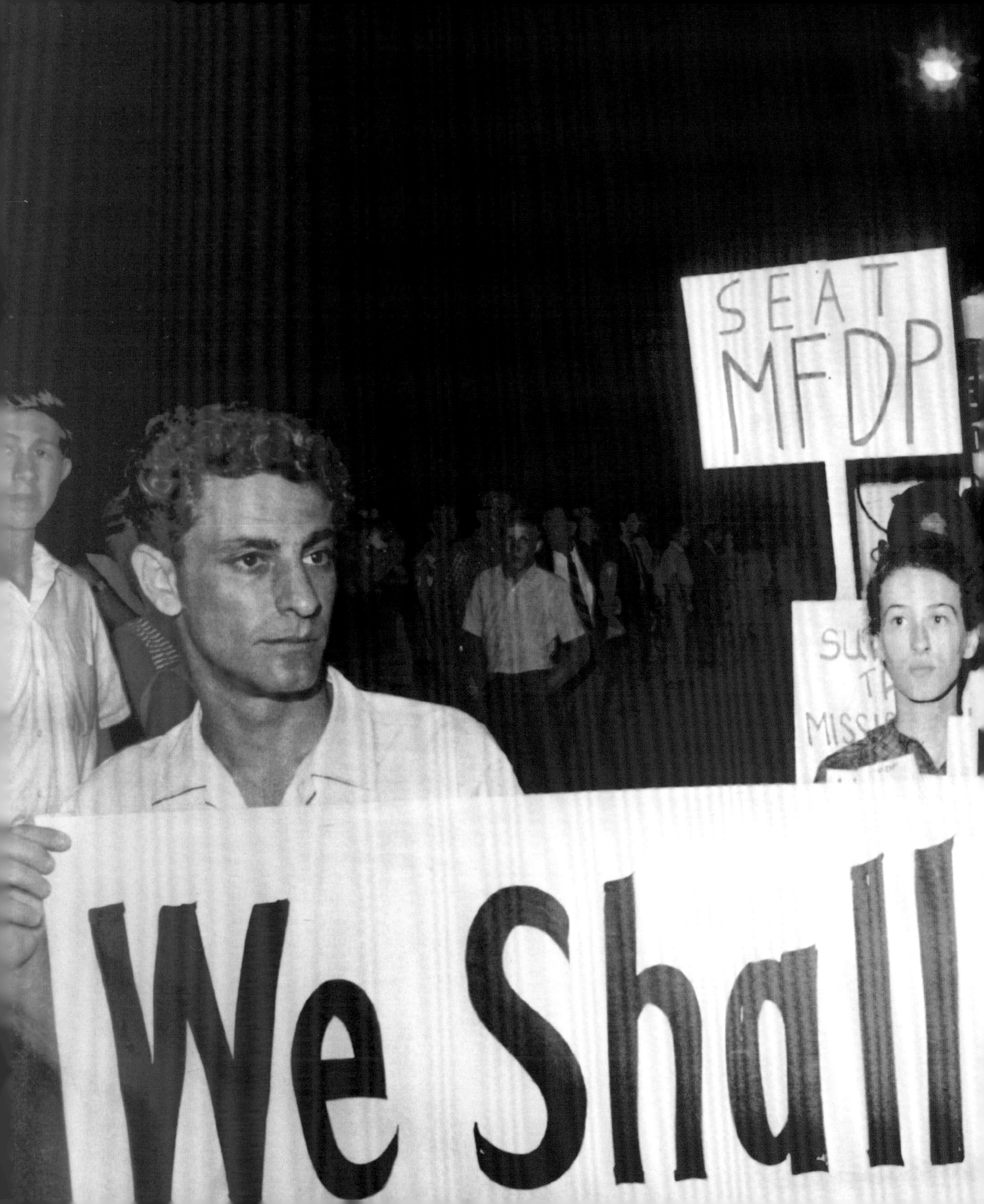
SEAT
MFDP
We Shall

LES TEMPS CHANGENT

« **Les années 1960, c'était une période incroyable, pleine de protestations et de révoltes.** Toute une génération avait le droit de boire de l'alcool et de mourir à la guerre à dix-huit ans, mais n'avait pas le droit de voter avant vingt et un ans. Un soulèvement était inévitable. La musique naissait des discussions, les discussions naissaient de la musique. Côté action, on marchait pour les droits civiques, contre la bombe, contre l'escalade de la guerre au Vietnam. On marchait aussi pour sortir de l'époque, de la morale contraignante et rigide des années 1950. La façade avait déjà commencé à se lézarder sous l'influence des beatniks. Nous, la génération suivante, nous l'avons démolie. »

SUZE ROTOLO, ARTISTE NEW-YORKAISE

Le festival de Woodstock est considéré comme l'apogée de la contre-culture lancée par la jeunesse aux États-Unis et dans d'autres pays occidentaux du milieu des années 1960 au début des années 1970. Réagissant au conservatisme qui marque la société postérieure à la Seconde Guerre mondiale, et stimulée par l'opposition à la guerre du Vietnam, la contre-culture adopte l'antimilitarisme, l'égalité ethnique, les droits des femmes, la liberté artistique et la libération sexuelle. Bien que ce mouvement soit composé de groupes sociaux, politiques et artistiques très variés, les jeunes adeptes du mode de vie hippie en sont la forme la plus connue. Ils prônent également la vie en communauté et le retour à la nature, l'intérêt pour les enseignements spirituels exotiques (souvent orientaux) et le recours généralisé aux drogues modifiant l'état de la conscience. La nouvelle musique populaire des années 1960 est une composante essentielle de la contre-culture que célèbrent, dans toute sa diversité, des rassemblements « tribaux » comme Woodstock.

Cette révolution culturelle est le fruit de changements sociaux et politiques qu'ont connus l'ensemble du monde occidental et l'Amérique en particulier, dans les dix années qui ont suivi la fin de la Seconde Guerre mondiale. Tout au long des années 1950, les États-Unis ont vécu une période sans précédent de forte croissance économique, de stabilité et de richesse matérielle. En 1955, environ la moitié des foyers américains blancs possèdent au moins une voiture, un poste de télévision, un réfrigérateur, produits de consommation nés de cette prospérité économique. Pour la première fois, cette abondance touche également les jeunes adultes, les *teenagers*. Comprenant que ce nouveau segment de consommateurs a de l'argent à dépenser, le commerce exploite rapidement ce potentiel avec des vêtements, des films et, surtout, une musique qui les touchent directement. Les jeunes accueillent avec empressement les rythmes nouveaux du rock'n'roll et l'angoisse adolescente telle qu'elle est représentée dans des films comme *L'Équipée sauvage* (Laslo Benedek, 1953) et *La Fureur de vivre* (Nicholas Ray, 1955). Pourtant, ces expressions d'exubérance et de richesse sont tempérées par un profond conservatisme, par une société repliée sur elle-même, marquée par les stratégies hasardeuses de la guerre froide et la menace constante de la destruction nucléaire totale.

Au début des années 1960, le contexte est mûr pour les bouleversements sociaux et politiques. En 1962 d'abord, la crise des missiles de Cuba éclate. Le monde entier semble s'attendre à une guerre atomique imminente. L'année suivante, l'assassinat du président John F. Kennedy traumatise profondément les Américains. Les jeunes se mettent soudain à remettre en question le statu quo politique qui, pour leurs parents, paraissait aller de soi. Toutefois, le facteur qui galvanise à lui seul les préoccupations de la jeunesse américaine est l'engagement de leur pays dans la guerre du Vietnam. Avec l'escalade du conflit, de plus en plus d'hommes jeunes sont enrôlés pour combattre en Asie du Sud-Est. La guerre devient le thème principal de la contestation pendant toute la décennie.

Les mœurs et les codes établis de la société sont aussi remis en cause. Les attitudes progressistes à l'égard de l'appartenance ethnique, du comportement sexuel, de la liberté artistique, de la libération des femmes (*La Femme mystifiée*, ouvrage fondamental de Betty Friedan, paraît en 1963 aux États-Unis) et de la drogue trouvent un écho favorable dans une culture nouvelle, animée par la jeunesse, de plus en plus en décalage avec les conventions.

La société américaine se divise non plus en fonction des appartenances ethniques ou sociales traditionnelles, mais selon la génération, l'opinion et la culture. Des millions de jeunes choisissent de faire leur la formule de Timothy Leary « *Turn on, tune in, drop out* » (« Recentre-toi, mets-toi en harmonie, lâche prise »). Cette nouvelle contre-culture propose le modèle d'une autre société dont Woodstock sera la meilleure expression synthétisée.

Ci-dessus : la moitié des foyers américains possèdent un poste de télévision en 1955.
Ci-contre (de haut en bas et de droite à gauche) : soldats américains au Vietnam en 1969 ; marche sur Washington pour les droits civiques en 1963 ; manifestation contre l'avortement en 1968 ; marche pour la paix à Oakland, en Californie, en 1965.

« I HAVE A DREAM »

En 1955, dans un bus de Montgomery, en Alabama, Rosa Parks refuse de céder sa place à un passager blanc. C'est le déclenchement du boycott des bus de la ville, qui va galvaniser le mouvement pour les droits civiques. Avec les protestations contre la guerre, ce sera l'autre grande cause à laquelle vont s'identifier de nombreux jeunes musiciens et paroliers.

Ce soutien du milieu musical vient d'abord de la scène folk, marquée par une tradition de gauche, qui remonte à la Crise de 1929, et influencée par des artistes comme Pete Seeger et Woody Guthrie. L'un des premiers militants de la campagne pour les droits civiques est le chanteur afro-américain Harry Belafonte. En octobre 1958, il est à la tête de la première marche de jeunes en faveur des écoles intégrées, qui réunit à Washington plus de 10 000 personnes, noires et blanches.

C'est en 1963, à l'occasion d'un déplacement dans le Mississippi, en soutien aux actions non-violentes qui s'y déroulent, que sera filmées certaines des images du jeune Bob Dylan interprétant « Only a Pawn in Their Game ». Quand, la même année, Martin Luther King proclame « I have a dream » [J'ai un rêve] devant 250 000 sympathisants rassemblés sur les marches du Lincoln Memorial à Washington, son discours a été précédé d'un bref concert de Dylan et Joan Baez qui ont interprété « When the Ship Comes In » et « Only a Pawn in Their Game ».

Malgré la promulgation en 1964 de la loi sur les droits civiques, qui interdit la discrimination raciale dans tous les États américains, l'assassinat de King à Memphis en 1968 déclenche la fureur des Afro-Américains aux quatre coins du pays. S'ensuivent des émeutes dans les centres-villes pauvres de plus de cent villes, dont Baltimore, Chicago, New York et Washington, où les dégâts causés dans les ghettos noirs sont particulièrement importants.

Les années 1960 voient aussi la montée d'organisations de militants comme les Black Muslims et le parti des Black Panthers. Fondés dans les années 1930 à Detroit, les Black Muslims – dont l'appellation officielle est « Nation of Islam » – réclament la création d'un État spécifique pour les Américains noirs. Leurs sympathisants augmentent dans les années 1960, surtout grâce au charisme de leur porte-parole le plus célèbre, Malcolm X, assassiné en 1965.

Fondé par Huey P. Newton et Bobby Seale en 1966, le parti des Black Panthers est une organisation marxiste-maoïste qui, initialement, en appelle à un « pouvoir noir » afin de défendre les quartiers afro-américains contre les brutalités policières qu'ils estiment encouragées par l'État. Toutefois, ce mouvement s'ouvre progressivement et condamne le nationalisme noir, qu'il qualifie de « racisme noir », ce qui lui vaut d'être reconnu comme l'un des nombreux sous-groupes politiques liés à la contre-culture.

À la fin de la décennie, il devient évident que les aspirations des Afro-Américains ne seront pas comblées uniquement par la législation, même si celle-ci met un terme à la discrimination institutionnalisée qui sévit dans les États du Sud. De même, l'esprit *peace and love* de la contre-culture ne suffira pas à satisfaire les désirs de ce qui demeure essentiellement un sous-prolétariat. Il faudra une solide volonté politique pour mettre en œuvre les changements nécessaires au cours des années suivantes – investissement de fonds publics dans les zones défavorisées, recrutement d'hommes noirs dans les forces de police municipale qui patrouillent dans les ghettos –, au-delà de la simple rhétorique des slogans et des chansons de protestation.

Le pouvoir de la musique trouve pourtant sa place. À partir de « Say It Loud – I'm Black and I'm Proud », l'exaltante chanson de James Brown en 1968, interprètes et paroliers afro-américains signent des textes de plus en plus politiques. Ce sont, par exemple, Nina Simone avec « Young, Gifted, and Black », Marvin Gaye dont les succès des années 1970 – « What's Going On », « Mercy Mercy Me » et « Inner City Blues » – évoquent la pauvreté, la discrimination et la corruption politique, et Gil Scott-Heron, célèbre en 1970 pour son premier 45-tours, « The Revolution Will Not Be Televised ». Cette tendance est fortement mise en évidence à Woodstock avec Richie Havens, le premier à se produire au festival, qui termine son concert avec « Freedom », allusion presque improvisée, et immédiatement comprise, à la lutte en cours dans cette « autre » Amérique.

> « Mesdames et messieurs, bonsoir.
> Je crois qu'il y a beaucoup de gens du Sud dans la salle ce soir. Je connais bien le sud des États-Unis. Un soir, j'y ai passé vingt ans. La dernière fois que j'y suis allé, je suis entré dans un restaurant et la serveuse blanche est venue vers moi en me disant : "On ne les sert pas les gens de couleur." Et je lui ai répondu : "Aucune importance. Je n'en mange jamais. Servez-moi un poulet frit." »
>
> DICK GREGORY, HUMORISTE ET MILITANT

Ci-contre : Tommie Smith et John Carlos faisant le salut du « black power » aux Jeux olympiques de Mexico en 1968. Page ci-contre, en haut : Rosa Parks, Montgomery, Alabama, 1956. Page ci-contre, en bas : la marche historique sur Washington, 28 août 1963.

LE SPECTRE DU VIETNAM

« Et un, et deux, et trois, on se bat pour quoi ? Me demande pas, je m'en fous, prochain arrêt : le Vietnam... »

COUNTRY JOE MCDONALD

Pendant toutes les années 1960, l'engagement croissant de l'Amérique dans la guerre au Vietnam obsède la jeunesse du pays. C'est en 1956 que le président Eisenhower y a envoyé pour la première fois des conseillers militaires. Sous le président Kennedy, le nombre de militaires américains augmente considérablement. Au milieu des années 1960, presque chaque famille américaine a l'un de ses membres ou connaît quelqu'un qui combat au Vietnam.

La conscription des hommes âgés de dix-neuf à vingt-cinq ans ne cesse de croître pour répondre aux besoins du conflit. La plupart des hommes jeunes vivent sous la menace très réelle d'être envoyés faire la guerre à l'autre bout du monde. Le gouvernement américain estime à l'époque que si un pays d'Asie tombe sous la coupe du communisme, les autres suivront, selon la « théorie des dominos ». Tel est le principal motif de cet engagement. Néanmoins, peu de jeunes gens comprennent vraiment la raison de cette guerre qui devient chaque jour plus impopulaire. En 1965, un sondage d'opinion indique que 61 % des Américains pensent que la participation de leur pays à ce conflit est juste. En 1971, le vent a tourné : ce sont aussi 61 % des sondés qui trouvent cette guerre injustifiée.

La guerre du Vietnam est le premier conflit dont les images sont diffusées à la télévision. D'atroces images de massacres passent aux journaux du soir et pénètrent presque en direct dans la majorité des foyers américains. Grâce aux progrès de la photographie en couleurs, des magazines comme *Time*, *Life* et *Newsweek* regorgent de photoreportages qui dérangent. Des journalistes de la presse écrite et télévisée, comme Dan Rather et David Halberstam, se font une réputation sur les champs de bataille.

Ces images trouvent un écho dans le monde entier. Mais, pour les jeunes d'Europe et d'autres régions du monde, à l'exception des États-Unis, la culture trépidante des *Swinging Sixties* est fort éloignée des horreurs de la guerre du Vietnam. En Amérique, l'une et l'autre sont intimement liées. L'âge moyen d'un G.I. au Vietnam est de dix-neuf ans et le spectre de la guerre est, pour la jeunesse américaine, aussi présent que la musique, la mode et la libération des mœurs qui caractérisent cette génération. Malgré les oppositions, celle-ci aime profondément son pays. Ce n'est pas une aberration si, dans les rassemblements de la contre-culture, le patriotisme s'exhibe souvent sous la forme d'une bannière étoilée, même frappée du symbole de la paix.

Entretenu par les reportages et soutenu par des millions de jeunes Américains, le mouvement contre la guerre est lié dès le départ à la musique des chanteurs de *protest songs*, en tête desquels viennent Bob Dylan et Joan Baez, et plus tard à des chansons comme « I-Feel-Like-I'm-Fixin'-to-Die Rag » de Country Joe McDonald. Bien des conscrits partent pour le Vietnam avec ces chansons, armés de guitares aussi bien que de fusils. Ce conflit est même surnommé la « guerre rock'n'roll. »

Ci-dessus : un manifestant brûle sa carte de conscription lors d'une manifestation au Pentagone en octobre 1967. Ci-contre : un soldat a inversé les termes du fameux slogan « Faites l'amour, pas la guerre », largement adopté par la contre-culture.

LE PRIX DE LA GUERRE

Nombre de soldats américains
Nombre total de soldats américains
au Vietnam : 2 594 000
Conscrits : 648 500 (25 %)
12 % des conscrits possèdent
un diplôme universitaire

Nombre maximal de soldats sur place
Avril 1969 : 543 482
Conscrits à la fin de 1968 : 38 %

Âge moyen des G.I. au Vietnam :
19 ans

13 % d'Afro-Américains parmi les soldats,
mais 28 % au sein des unités de combat

Tués, blessés et prisonniers de guerre américains
Nombre total de tués : 58 193
Conscrits tués : 17 725 (plus de 30 %)

Blessés au combat : 303 704
Gravement handicapés : 75 000
Membres mutilés : 5 283
Amputations multiples : 1 081

Prisonniers de guerre : 766
Morts en captivité : 114

Civils tués
Entre 500 000 et un million au Nord
et au Sud-Vietnam (1960-1975)

« Actuellement, notre puissance
est difficilement crédible.
Le Vietnam sert à ça. »
JOHN F. KENNEDY, 1961

« Woodstock a eu lieu dans le contexte de ce qui s'était passé durant les années précédentes. [...] On avait vécu tellement d'années horribles. En 1968, Martin Luther King avait été assassiné, Robert Kennedy avait été assassiné. Nous étions passés d'un président atroce, Lyndon Johnson, détesté à cette époque, à Nixon, qui était bien pire. Nous savions qu'on nous mentait, il y avait eu tellement de marches, de manifestations et tout. Woodstock, c'était avant toute chose un concert contre la guerre. Je suis sûre que les gens étaient venus pour d'autres raisons, mais c'était surtout une manière de montrer que beaucoup de gens ne voulaient pas que cette guerre continue. On était un peu à court d'idées pour le dire. »
ISABEL STEIN, FESTIVALIÈRE

1954 La conférence de Genève divise le Vietnam en deux, suivant le 17e parallèle • Les troupes françaises coloniales quittent le Nord-Vietnam • 1956 Le gouvernement colonial et les militaires français quittent le Sud-Vietnam • Les conseillers militaires américains commencent à former les soldats sud-vietnamiens • 1957 Premières infiltrations au sud d'armes et d'hommes du Nord-Vietnam communiste • 1959 Premiers soldats américains tués au Vietnam • 1960 Le nombre de conseillers militaires américains dépasse les 600 • 1962 Le nombre de conseillers militaires américains au Sud-Vietnam atteint les 11 000 • L'armée américaine utilise l'agent orange, défoliant toxique, pour mettre au jour les pistes empruntées par les forces rebelles du Viet-cong • 1963 Le Viet-cong remporte la bataille d'Ap Bac contre l'armée sud-vietnamienne • Le président Kennedy est assassiné à Dallas. Le vice-président Lyndon B. Johnson devient président • 1964 Dans le golfe du Tonkin, des bateaux nord-vietnamiens auraient tiré des torpilles contre un destroyer américain • Le Congrès américain approuve la « résolution sur le golfe du Tonkin » qui autorise le président Johnson à « prendre toutes les mesures nécessaires pour repousser toute attaque armée contre les forces des États-Unis et à empêcher toute nouvelle agression » • 1965 Plus de 180 000 soldats de troupes de combat américains sont envoyés au Vietnam • Débuts des bombardements sur le Nord-Vietnam ; baptisés « opération Rolling Thunder » [Tonnerre constant], ces bombardements se poursuivent pendant trois ans • Le 9e corps expéditionnaire de l'infanterie de marine débarque au Vietnam • Dans les universités américaines, premières grandes manifestations d'étudiants contre la politique américaine au Vietnam • 1966 Les B-52 bombardent le Nord-Vietnam • Des anciens combattants des deux guerres mondiales se joignent aux protestations des étudiants • 1967 Les manifestations contre la guerre se poursuivent ; Martin Luther King Jr, entre autres, appelle à refuser la conscription • 389 000 soldats américains au Vietnam • Robert McNamara, ministre américain de la Défense, reconnaît que les bombardements ont manqué leurs objectifs • 1968 Offensive du Têt : le Viet-cong attaque trente-six villes sud-vietnamiennes ; la férocité des combats convainc l'opinion américaine que la fin de la guerre n'est pas proche • Des soldats américains massacrent entre 450 et 500 personnes dans le village de My Lai • Des discussions ont lieu à Paris entre Nord-Vietnamiens et Américains en vue de rétablir la paix, en vain • Devant son impopularité croissante en raison de la guerre, le président Johnson annonce qu'il ne se représentera pas • Richard Nixon est élu président • 1969 Plus de 540 000 soldats américains au Vietnam • Le président Nixon annonce un plan de retrait de 25 000 hommes • Nixon autorise une opération secrète de bombardement du Cambodge afin de détruire les voies de ravitaillement • Les nouvelles du massacre de My Lai scandalisent l'Amérique et suscitent de nombreuses manifestations contre la guerre

« En Amérique, où le patriotisme était absolu, les jeunes aimaient leur pays et, pourtant, leur pays leur disait de faire quelque chose qu'ils ne pouvaient pas accepter, d'aller se battre dans une guerre qu'ils trouvaient injustifiée et, s'ils refusaient, ils pouvaient se retrouver en prison [...]. C'est pour ça qu'ils ont brûlé leur carte [d'incorporation] et fait ce genre de choses. Et cela parlait à tous ceux qui étaient à Woodstock. Je crois que le patriotisme en a pris un sacré coup, quand des gens ont brûlé des drapeaux et tout. L'émotion était à son comble. »

MIKE HERON, THE INCREDIBLE STRING BAND

Ci-contre : un drapeau américain brûlé lors d'un rassemblement contre la guerre à Washington en 1969 ; badges de protestation. Page de gauche : au Vietnam, le symbole de la paix porté au front.

Symbole omniprésent dans les manifestations contre la guerre et les événements de la contre-culture de la fin des années 1960, le symbole de paix a été créé en Angleterre plus de dix ans avant le festival de Woodstock.

⚛ On le doit au graphiste Gerard Holtom pour le Comité d'action directe (Direct Action Committee, DAC), groupe pacifiste britannique en faveur de la désobéissance civile pour protester contre les armes nucléaires.

⚛ Ce symbole s'inspire des signaux de l'alphabet sémaphore représentant les lettres N (deux drapeaux baissés en forme de V inversé) et D (deux drapeaux, l'un tenu verticalement vers le haut, l'autre vers le bas), initiales de *nuclear disarmament* (désarmement nucléaire).

⚛ Sa première apparition publique a eu lieu lors d'une marche de trois jours – de Londres à Aldermaston, siège de l'institut de recherche sur les armes nucléaires –, organisée par le DAC pendant le week-end de Pâques 1958.

⚛ Peu après cette marche, ce signe devient le symbole officiel de la Campagne pour le désarmement nucléaire (Campaign for Nuclear Disarmament, CND), très suivie – en particulier par les jeunes – au Royaume-Uni au tournant des années 1950 et 1960.

⚛ On le voit pour la première fois dans les médias américains lorsqu'en 1958 Albert Bigelow, militant pacifiste, pénètre dans une zone d'essais nucléaires américains de l'océan Pacifique à bord d'un petit bateau arborant une banderole de la CND.

⚛ Cet emblème est importé aux États-Unis par Philip Altbach, étudiant à l'université de Chicago. À son retour d'une visite effectuée en Grande-Bretagne en 1960, au nom de l'Union des étudiants américains pour la paix (Student Peace Union, SPU), il revient à Chicago avec un sac de badges de la CND. Le SPU en fait à son tour son symbole.

⚛ Au cours des années suivantes, ce signe en forme d'empreinte de patte de poule fleurit parmi les étudiants et les manifestants pour la paix aux États-Unis. À la fin des années 1960, c'est un symbole immédiatement reconnaissable du mouvement pacifiste et, plus généralement, de la contre-culture.

Ci-dessous : le symbole de la paix à Woodstock en 1969...
Page ci-contre : ... et au 25e anniversaire du festival en 1994.

CHICAGO 1968

Fondé en 1960, le mouvement des Étudiants pour une société démocratique (Students for a Democratic Society, SDS) a joué un rôle majeur dans la « nouvelle gauche » qui va galvaniser la société américaine. Au cours de sa première convention en 1962, le SDS adopte un manifeste appelé « déclaration de Port Huron ». Principalement rédigé par le militant Tom Hayden, ce manifeste reproche à la classe politique américaine de ne pas contribuer à la paix internationale ni de s'atteler efficacement à la résolution de divers problèmes sociaux comme le racisme, la pauvreté et l'exploitation. Usant d'un vocabulaire parfois naïf, il appelle la jeunesse à la désobéissance civile et à s'engager dans la « démocratie participative ». Ainsi sont semées les graines d'un conflit culturel né de la différence de génération et non de l'appartenance ethnique ou sociale.

Au départ, le SDS soutient le mouvement pour les droits civiques et l'amélioration des conditions de vie dans les ghettos urbains. Mais au milieu des années 1960, face à l'ampleur prise par le militantisme « séparatiste » de groupes comme les Black Panthers, il se consacre surtout à l'opposition à la guerre du Vietnam. En avril 1965, le SDS organise une marche nationale sur Washington pour rendre visible cette opposition. Grâce à son slogan « Faites l'amour, pas la guerre », ce mouvement contribue de manière essentielle à la naissance de la contre-culture. Le premier *teach-in* organisé pour protester contre la guerre a lieu à l'université du Michigan et sera suivi de centaines d'événements semblables dans tout le pays et de manifestations, comme en 1969 à Central Park, à New York, où les participants brûlent leur carte d'incorporation.

Mais la confrontation la plus célèbre entre les étudiants radicaux et les autorités se produit en 1968 lors de la convention du Parti démocrate à Chicago. Sous les ordres du maire Richard Daley, la police municipale charge

5 000 manifestants pacifiques, réunis dans une coalition composée du SDS, du Comité de mobilisation nationale pour arrêter la guerre au Vietnam, des « Yippies » (Youth International Party [Parti international de la jeunesse]) et d'autres groupes. Par la suite, les observateurs parleront d'« émeutes policières ». Après Chicago, les camps sont bien définis et l'Amérique (même l'Amérique de la classe moyenne blanche) plus divisée que jamais. Le SDS s'autodissout en 1969 lors de sa dernière convention. Une confrontation encore plus tragique entre les étudiants et le pouvoir a lieu en mai 1970, lorsque quatre manifestants pacifistes sont tués par balle par la garde nationale de l'Ohio, sur le campus de la Kent State University.

Ci-dessus et ci-dessous : policiers, soldats et manifestants à la convention du Parti démocrate à Chicago en 1968. Page ci-contre : Rennie Davis, leader du SDS, blessé par la police lors de la manifestation de Chicago.

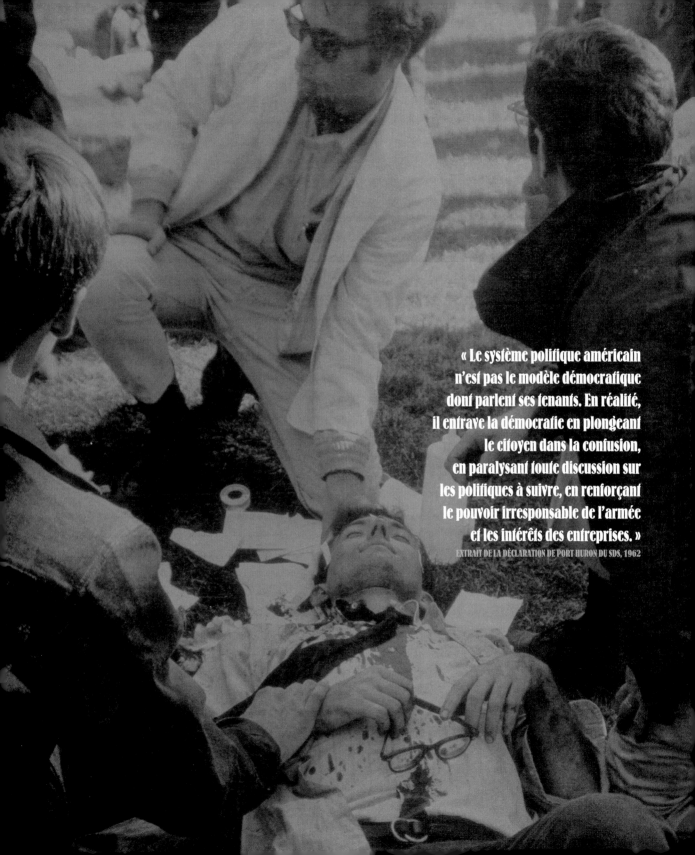

« Le système politique américain n'est pas le modèle démocratique dont parlent ses tenants. En réalité, il entrave la démocratie en plongeant le citoyen dans la confusion, en paralysant toute discussion sur les politiques à suivre, en renforçant le pouvoir irresponsable de l'armée et les intérêts des entreprises. »

EXTRAIT DE LA DÉCLARATION DE PORT HURON DU SDS, 1962

All You Need Is Love

Au début des années 1960, la musique pop et le rock se sont éloignés du rock'n'roll ouvertement sexy et débridé de Little Richard, de Jerry Lee Lewis et de l'Elvis d'avant l'armée pour n'être plus que des catégories parmi d'autres de l'industrie du disque. Les idoles du moment sont des crooners proprets comme Paul Anka, Fabian, Bobby Vinton, Brian Hyland et Bobby Vee (pourtant, Bob Dylan a fait ses débuts avec les Shadows, la formation de Vee). Mais leur séjour sous les spotlights sera de courte durée.

En 1964, ce sont les Beatles britanniques qui révolutionnent la musique américaine en faisant irruption dans les hit-parades des États-Unis. Les « quatre garçons dans le vent » sont l'avant-garde d'une invasion de musiciens qui, de Grande-Bretagne, ramènent à leur terre d'origine le rock et le *rhythm and blues* (R&B), mais dans une version toute personnelle.

Entre-temps, l'une des principales sources d'inspiration des premières chansons des Beatles, le R&B noir américain contemporain – dont l'exemple même est « Twist and Shout », l'immense succès des Isley Brothers – connaît sa propre métamorphose. La musique pop qu'enregistrent en studio Smokey Robinson et les Supremes, entre autres, fera de Motown, à Detroit, le label afro-américain qui rencontrera le plus grand succès de l'histoire. Mais une version plus musclée de la musique soul – dont Atlantic à New York et Stax à Memphis sont les labels pionniers – traduit la lutte qui se livre dans l'ensemble de la société. Des titres comme « Respect » d'Aretha Franklin et « Say It Loud – I'm Black and I'm Proud » de James Brown représentent la nouvelle conscience noire qui caractérise la seconde moitié de la décennie.

Au même moment, les *protest songs* ont aussi du succès auprès du grand public, évoluent vers le folk rock, avec l'influence des Beatles sur Bob Dylan et d'autres chanteurs. Parallèlement, l'engouement pour le R&B qu'illustrent les Rolling Stones ressuscite les carrières de Muddy Waters, John Lee Hooker et d'autres légendes du blues, mais suscite également une nouvelle vague de groupes de rock électrique américains (majoritairement blancs).

Alors que les Beatles sortent leur album *Sgt. Pepper* en 1967, avec le 45-tours en forme d'hymne « All You Need is Love », ce qu'on appelle le Summer of Love apparaît sous l'effet de drogues hallucinogènes, notamment le diéthylamide de l'acide lysergique (LSD, selon l'abréviation anglaise). Parmi ceux qui étudient le LSD, Timothy Leary, professeur de psychologie à Harvard, est qualifié par Richard Nixon d'homme le plus dangereux d'Amérique. C'est l'apparition du rock psychédélique – dont les pionniers sont des groupes de la Côte ouest comme The Grateful Dead et Jefferson Airplane –, qui naît dans le quartier de Haight-Ashbury à San Franscisco, épicentre de la révolution du *flower power*.

Plus généralement, les bonnes vibrations qui viennent de Californie se font entendre dans la *pop music* grand public, avec des tubes de groupes comme The Mamas and the Papas (« California Dreamin' »), les Byrds (« Eight Miles High »), les Beach Boys (« Good Vibrations ») et Scott McKenzie qui rencontre un succès planétaire avec son « San Francisco (Be Sure to Wear Flowers in Your Hair »). La contre-culture menée par les hippies est arrivée : sa force motrice et son dénominateur commun sont la musique, plus encore que l'omniprésente marijuana.

La diversité des artistes qui monteront sur la scène de Woodstock reflète celle de la musique des années 1960 : la contestation politique avec Tim Hardin et Joan Baez, le blues de Janis Joplin et de Paul Butterfield, le « Freedom » de Richie Havens, Mountain, précurseur du hard rock, le *mod rock* britannique des Who, la soul moderne de Sly Stone, le R&B boogie de Canned Heat, le rock cool de Country Joe, la musique poétique « Americana » de The Band et, aux marges du psychédélisme, Jefferson Airplane, Grateful Dead et Jimi Hendrix.

Ci-contre : Joan Baez et Bob Dylan (en haut), Scott McKenzie (au centre) et James Brown venu chanter pour les soldats américains au Vietnam en juin 1968. Page ci-contre : les Beatles interprètent « All You Need Is Love » lors d'une émission télé diffusée dans le monde entier en 1967.

« Pour notre génération, le rock'n'roll est la nouvelle forme de communication. »

PAUL KANTNER, JEFFERSON AIRPLANE

> « Il y avait le jazz, avec ses racines dans les quartiers noirs et pauvres des centres-villes, et il y avait l'argent : Newport (Rhode Island), le paradis des vacances d'une classe pour laquelle travailler consistait à téléphoner à son courtier en Bourse pour connaître le dernier indice Dow Jones. »
>
> BILL MACALLISTER, *JAZZ ON A SUMMER'S DAY*

LE FESTIVAL DE JAZZ DE NEWPORT

Lorsque Woodstock est en préparation, l'idée d'un festival de musique en plein air n'est pas neuve. Comme pour ses prédécesseurs immédiats du festival pop de Monterey (1967) et des festivals pop de Miami (1968), les origines et les influences de Woodstock remontent à 1954 et au premier festival de jazz de Newport.

Manifestation annuelle organisée dans la station balnéaire huppée de l'État de Rhode Island, ce festival a d'abord lieu dans la propriété de Bellevue Avenue du millionnaire Louis Lorillard, dont l'épouse et femme du monde Elaine, amatrice de jazz, a persuadé l'imprésario George Wein d'en assurer la promotion, avec l'aide financière de son mari. Cet événement musical un peu guindé rassemble un public composé d'étudiants (mais pas d'adolescents) et d'adultes, à l'image de son environnement aristocrate. Les spectateurs sont assis sur des chaises pliantes bien alignées et applaudissent poliment les formations qui se succèdent et leurs solistes. Comme en rend fort bien compte *Jazz on a Summer's Day*, le documentaire primé de Bert Stern consacré au festival 1958, les étincelles jaillissent davantage sur la scène que parmi le public.

Le moment musical le plus fameux du festival de Newport est dû à la prestation de l'orchestre de Duke Ellington en 1956. Au cours d'un blues au rythme soutenu, intitulé « Diminuendo and Crescendo in Blue », le saxophoniste ténor Paul Gonsalves se lance dans un long solo *rhythm and blues* de vingt-sept chorus [6 minutes et 20 secondes]. La foule est emportée par une frénésie inhabituelle. Une jeune femme blonde se met à danser sur son siège pendant le septième chorus de Gonsalves, peu à peu imitée par d'autres spectateurs. Avant que ne s'achève ce solo marathon, toute la foule est debout. La bonne société de Newport n'avait jamais vu ça.

En revanche, les habitants de la ville sont beaucoup plus perturbés par ce qui se passe dans la soirée du samedi lors du festival de 1960. L'entrée en force de 300 amateurs sans billets provoque une émeute, durant laquelle 10 000 jeunes étudiants ivres lancent des bouteilles et brisent des vitrines. La police réplique par des bombes lacrymogènes et des arrestations. Pendant ce temps, dans l'enceinte du festival, Ray Charles fait monter le mercure avec son succès « What'd I Say », ignorant tout du grabuge qui se déroule à l'extérieur. La loi martiale n'est pas loin de régner dans les rues victoriennes de Newport, lorsque trois compagnies de la garde nationale sont appelées pour rétablir l'ordre.

La suite du festival est annulée, à l'exception d'un concert de blues l'après-midi suivant. On craint la fin de cet événement musical, mais le festival de Newport reprend en 1961 et se poursuit chaque année jusqu'en 1972, lorsqu'il déménage à New York. À partir de 1981, il a lieu à la fois à Newport et à New York. Aujourd'hui appelé « JVC Jazz Festival », c'est le plus ancien festival de jazz encore existant.

Ci-contre : Paul Gonsalves, saxophoniste ténor virtuose de Duke Ellington, interprète son solo légendaire de vingt-sept chorus au festival de jazz de Newport en 1956.

LE FESTIVAL FOLK DE NEWPORT

Après le succès du festival de jazz, George Wein crée en 1959 le festival de musique folk de Newport, avec l'aide des musiciens et artistes Theodore Bikel, Peter Seeger et Oscar Brand. L'événement profite du renouveau de ce genre musical qui, avec le jazz, est découvert et écouté par de jeunes étudiants. Inspiré au début des années 1950 par la musique de Woody Guthrie et de Pete Seeger, et parti des bars et des cafés de Greenwich Village à New York, ce renouveau touche tous les États-Unis à la fin de la décennie et suscite une nouvelle génération de chanteurs et de musiciens.

George Wein a pour partenaire Albert Grossman qui, par la suite, montera sa propre écurie de nouveaux talents de la musique folk : Peter, Paul & Mary, Odetta, Phil Ochs et Bob Dylan, l'enfant terrible de Greenwich Village dont tout le monde parle au début des années 1960. Le festival folk de Newport devient un tremplin naturel pour ces artistes, dont Joan Baez qui s'y produit pour la première fois en 1959 sans être annoncée, invitée par Bob Gilson, chef de file de ce renouveau et l'un des premiers signés par Grossman. C'est en 1963 que Dylan fait ses débuts à Newport, aux côtés de Joan Baez, son amie et partenaire musicale occasionnelle, pour ce que l'on considère comme son premier concert d'envergure nationale. Au cours des deux années suivantes, les deux chanteurs régneront sur cette nouvelle veine du folk que sont les *protest songs*.

Le festival est aussi marqué par le renouveau du blues qui se produit au début des années 1960, avec la « redécouverte » de musiciens de « Delta blues » comme John Lee Hooker et Mississippi Fred McDowell. Cet autre renouveau aura une influence notable sur les débuts du rock underground (aux États-Unis et, surtout, en Grande-Bretagne) qui va révolutionner la musique pop.

C'est aussi au festival folk de Newport qu'a lieu un moment capital pour la synthèse du folk, du rock et du blues, avec le concert « électrique » de Bob Dylan le 25 juillet 1965. Son album novateur *Bringing It All Back Home*, moitié acoustique et moitié électrique, vient de sortir. Rien d'étonnant, donc, à ce qu'à la suite d'un « workshop » à Newport la veille, au cours duquel Dylan a interprété quelques chansons en acoustique, il ait opté pour une formation électrique lors de son concert principal du dimanche soir. Entouré de membres du Paul Butterfield Blues Band (également vedettes du festival), mais sans Butterfield, Dylan enchaîne des versions frénétiques — et, pour le public folk, à casser les oreilles — de « Maggie's Farm », « Like a Rolling Stone » et de « It Takes a Lot to Laugh, It Takes a Train to Cry », parmi de nombreux sifflets (même si beaucoup de spectateurs demandent seulement aux musiciens de jouer moins fort pour mieux

entendre Dylan). La vieille garde des chanteurs folk est atterrée, dont Pete Seeger qui tente de couper le courant. Après avoir renoncé, Dylan revient sur scène chanter deux chansons en acoustique, « Mr. Tambourine Man » et « It's All Over Now, Baby Blue », devant un public en délire.

Les dés sont pourtant jetés. Dylan ne remontera sur la scène du festival de Newport que trente-sept ans plus tard. Il a rompu ses liens avec les grands noms de la musique folk, le « folk rock » est né et la face de la musique populaire s'en trouve définitivement changée. La contre-culture naissante, qui connaîtra son apogée quatre ans plus tard à Woodstock, a trouvé en Dylan son instigateur et son agitateur, même si le chanteur niera constamment avoir joué ce rôle.

« Avec [Duke] Ellington, nous avions montré que notre festival était le lieu où il pouvait se passer des choses. C'est ce qu'espéraient certains quand nous avons monté le festival folk la première année. La musique folk prenait de plus en plus d'ampleur et c'est à Newport qu'il fallait être. » GEORGE WEIN

Ci-dessus : un Dylan « électrique » à Newport en 1965. En haut : Dylan au festival folk de 1963, entouré, à sa droite, de Joan Baez et de Peter, Paul & Mary et, à sa gauche, des Freedom Singers, de Pete Seeger et de Theodore Bikel.

MONTEREY

Le « Monterey International Pop Music Festival » (pour citer son appellation officielle) est la première manifestation culturelle de la « société alternative » qui allait atteindre son zénith deux ans plus tard dans le champ de Max Yasgur à Bethel, dans l'État de New York.

Organisé par le producteur de disques Lou Adler, Michelle et John Phillips du groupe The Mamas & the Papas, les programmateurs Ben Shapiro et Alan Pariser, et Derek Taylor, attaché de presse des Beatles, ce festival a lieu du 16 au 18 juin 1967 sur le champ de foire du comté de Monterey, en Californie. C'est le grand moment du « Summer of Love ». L'épicentre de la contre-culture hippie se trouve dans le quartier de Haight-Ashbury à San Francisco. Non loin de là, sur la côte, l'événement de Monterey célèbre en grande pompe la philosophie du *flower power*, dont la musique est le fer de lance et qui se répand alors dans le monde entier.

Monterey marque les débuts américains des Who, de Jimi Hendrix (que Paul McCartney, membre du conseil d'administration du festival, a tenu à programmer) et de Ravi Shankar, virtuose indien du sitar, du moins dans un contexte non-classique. Tous ces artistes passeront ensuite à Woodstock, de même que Country Joe & the Fish, The Grateful Dead et Jefferson Airplane, qui sont plus connus. Auteur de *Don't Look Back*, le documentaire consacré à Bob Dylan en 1967, D. A. Pennebaker rend compte du festival dans *Monterey Pop*, film qui montre pour la première fois les possibilités cinématographiques que recèle ce type d'événements et influencera le futur film tourné à Woodstock.

Jimi Hendrix stupéfie le public lorsqu'il arrose sa guitare d'essence de briquet et y met le feu, grand moment du festival et du film. Cette mise en scène rock passée à la postérité lui a été directement inspirée par Pete Townshend des Who, qui brise sa guitare dans un geste d'« art autodestructeur ». Tout aussi mémorable est le « feu » que met Otis Redding, chanteur soul de Memphis ; aux dires de beaucoup, son interprétation de la ballade « I've Been Loving You Too Long » est la plus belle prestation du festival.

La présence d'artistes noirs comme Hendrix, Redding, Lou Rawls, Booker T et Hugh Masekela, et de groupes composés de musiciens blancs et noirs, aurait été inimaginable quelques années auparavant. C'est la preuve du chemin parcouru par le mouvement pour les droits civiques depuis le début des années 1960, et du rejet de l'intolérance « raciale » par les jeunes spectateurs, qui sont majoritairement blancs.

Bien que le Fantasy Fair and Magic Mountain Music Festival ait eu lieu quelques semaines plus tôt dans le comté de Marin, en Californie, Monterey demeure le premier festival de rock au monde qui ait eu un tel écho. Avec environ 50 000 spectateurs pour chacun des trois jours, ce festival a servi de modèle aux manifestations musicales de grande ampleur qui suivront, dont Woodstock deviendra l'exemple le plus célèbre et le plus commémoré.

> **« La conscience sociale et la liberté d'esprit de San Francisco s'associaient à la diversité des goûts musicaux de Los Angeles et à son sens des affaires. Et le mélange a pris. »**
>
> LOU ADLER, PRODUCTEUR DE DISQUES

Ci-contre : Jimi Hendrix met le feu à sa guitare à Monterey. Page ci-contre : parmi les autres vedettes de Monterey se trouvent Ravi Shankar (en haut) et, dans le public, Michelle Phillips et Cass Eliott du groupe The Mamas & the Papas.

MIAMI ET ATLANTA

Si Monterey a donné le *la* de plusieurs festivals pop en plein air qui ont précédé Woodstock, peu d'entre eux sont restés dans les mémoires. Le premier festival de musique pop de Miami est de ceux-là, surtout parce que son organisateur est Michael Lang, alors âgé de vingt-trois ans, le futur instigateur de Woodstock. Cet événement, qui se tient les 18 et 19 mai 1968 sur l'hippodrome Gulfstream, au nord de Miami, attire plus de 40 000 personnes. Se succèdent sur la scène Steppenwolf, les Mothers of Invention, Blue Cheer, le Crazy World d'Arthur Brown, Chuck Berry, Pacific Gas and Electricity et Three Dog Night.

Avec le recul, le groupe Jimi Hendrix Experience est celui qui a fait le plus sensation. La formation d'Hendrix s'est produite à Monterey devant un public enthousiaste et a ensuite fait son entrée dans les hit-parades des albums américains. Pourtant, elle n'est pas en tête d'affiche du festival de Miami qui ne réunit que des vedettes du rock. Trois scènes ont été installées, dont deux sont simultanément occupées. Alors que le groupe de Jimi Hendrix s'apprête à jouer sur l'une d'elles, Frank Zappa et les Mothers of Invention sont en train de terminer sur l'autre. Hendrix n'attire que quelques centaines de fans ou de curieux.

Le succès de cette manifestation est tel qu'un second festival a lieu au même endroit du 28 au 30 décembre. Cette fois, Michael Lang n'y participe pas directement. L'affiche de cette deuxième édition est tout aussi alléchante, avec de grands noms du moment : Fleetwood Mac, Buffy Sainte-Marie, Chuck Berry, Flatt and Scruggs, Steppenwolf, Richie Havens, Sweetwater, Terry Reid, The McCoys, Pacific Gas and Electric, Marvin Gaye, Joni Mitchell, The Box Tops, Iron Butterfly, Jr. Walker and the All Stars, Joe Tex, les Grateful Dead, The Turtles, et Ian & Sylvia. Environ 99 000 personnes assistent aux trois jours de festival.

Mais c'est plus de 110 000 spectateurs que réunit un festival organisé par Alex Cooley au circuit automobile d'Atlanta, en Géorgie, les 5 et 6 juillet 1969 (deux semaines seulement après Woodstock, Cooley montera le festival international de musique pop du Texas). Sous la canicule – par 38 degrés à l'ombre, les pompiers de la ville pulvérisent de l'eau pour rafraîchir la foule –, les vedettes de l'époque se succèdent : Janis Joplin, Johnny Winter, Blood, Sweat and Tears, Canned Heat, Joe Cocker, Creedence Clearwater Revival, Sweetwater (que l'on retrouvera tous à Woodstock), ainsi qu'Al Kooper, Chicago, Pacific Gas and Electric, et Led Zeppelin, future star du rock britannique.

« Je pense que les graines de Woodstock ont été semées au festival pop de Miami. »

MICHAEL LANG, ORGANISATEUR DE WOODSTOCK

Page ci-contre : Richie Havens au second festival pop de Miami. Ci-dessus, à gauche : le chanteur et guitariste José Feliciano. Ci-dessous : Marvin Gaye, légende de la soul music, également au festival de décembre 1968.

LES SOUNDOUTS

Depuis le début du XXe siècle, la petite ville de Woodstock, dans l'État de New York, accueille une colonie prospère de peintres, d'écrivains et de musiciens. En 1957, une association qui se nomme Comité du festival de Woodstock (Woodstock Festival Committee) publie la première édition d'une brochure annuelle, *The Woodstock Festival*, pour faire connaître les activités artistiques de la ville. Cette publication réunit des annonces publicitaires d'entreprises et de magasins locaux et présente le calendrier des galeries d'art, des cours de peinture, des pièces de théâtre, des lectures de poésie et des événements musicaux. Chaque année, les peintres des environs proposent des dessins représentant une colombe, dont l'un est sélectionné pour la couverture de l'édition suivante.

Au milieu des années 1960, cette bourgade bohème se met peu à peu au diapason de la contre-culture de la jeunesse et attire notamment des musiciens connus, dont la star naissante qu'est Bob Dylan. Celui-ci connaît déjà Woodstock grâce à Albert Grossman, son manager, qui possède une immense propriété à Bearsville, située non loin. En 1965, Dylan achète un manoir de onze pièces, « Hi Lo Ha », dans le district de Byrdcliffe où, depuis le début du siècle, se développe une colonie inspirée par le mouvement britannique Arts and Crafts. D'autres musiciens vont bientôt imiter Dylan et s'installer dans la région de Woodstock, parmi lesquels Tim Hardin, Richie Havens et The Band. Joan Baez, Peter Yarrow (de Peter, Paul & Mary), Janis Joplin et Jimi Hendrix s'y rendent régulièrement, soit en visite, soit pour enregistrer au studio de Bearsville, que Grossman a installé dans sa propriété qui ne cesse de s'étendre.

Mais la figure centrale de cette population d'artistes est une femme d'une cinquantaine d'années, Pansy Drake Copeland. Connue sous le nom de Pan, elle tient dans Tinker Street un restaurant, Anne's Delicatessen, ouvert dans la journée et le soir, qui devient rapidement le centre névralgique de la communauté musicale naissante. Dans la même rue, Franklin Drake, le fils de Pan, tient l'Espresso Café (Dylan y loue brièvement un minuscule studio), où se produisent chanteurs et groupes locaux.

C'est le terrain de la ferme de Pan — située sur la commune voisine de Saugerties, le long de l'autoroute de Glasco – qui accueille le véritable précurseur du festival de 1969, avec une série de jams en plein air organisée de 1966 à 1968 sous le nom de « Soundouts » [Balances]. Sous la houlette de Jocko Mofit, propriétaire du magasin de produits diététiques de la ville, les Soundouts (qui deviendront le Woodstock Sound Festival) ont lieu à Zena High Woods et réunissent de nombreux musiciens et groupes qui feront bientôt parler d'eux : Tim Hardin, les Flying Burrito Brothers, Larry Coryell, Don McLean, James Taylor, les Mothers of Invention, des membres de Jefferson Airplane, ainsi que les Blues Magoos, pionniers du rock psychédélique. Il y a même un spectacle son et lumière !

Les Soundouts attirent des centaines de personnes — et pas seulement des environs de Woodstock — qui, le temps d'un week-end et pour quelques dollars, viennent camper, se font à manger ou partagent leur repas. On y trouve un parking, de l'eau et du bois pour faire du feu, ainsi que des sanitaires rudimentaires et un unique stand de sandwiches, construits avec d'anciens poulaillers. Ce rassemblement offre aux musiciens une occasion rare de jouer ensemble de façon informelle, en marge de leurs tournées professionnelles. Dans son documentaire *Woodstock: Can't Get There from Here*, David McDonald considère que les Soundouts sont à l'origine du festival de 1969. « Tout le monde y est allé à un moment ou un autre. C'était une vraie colonie du rock », se souvient-il.

Ci-contre : juillet 1964, Bob Dylan sur sa Triumpth Tiger 100 dans les rues de Woodstock (où il allait avoir un accident de moto marquant en 1966). Le chanteur John Sebastian est assis derrière lui.

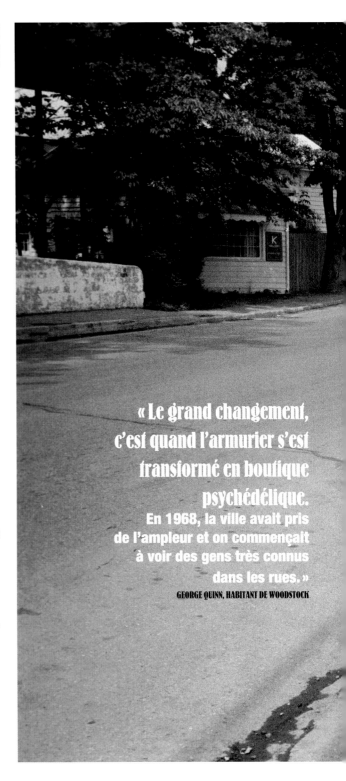

« Le grand changement, c'est quand l'armurier s'est transformé en boutique psychédélique. En 1968, la ville avait pris de l'ampleur et on commençait à voir des gens très connus dans les rues. »
GEORGE QUINN, HABITANT DE WOODSTOCK

L'ENTREPRISE

Peu après avoir organisé le festival pop de Miami en mai 1968, le producteur Michael Lang s'installe à Woodstock, attiré par la vitalité de son milieu musical. À l'époque, il est le manager du groupe The Train. Alors qu'il démarche les maisons de disques à New York pour lui trouver un contrat d'enregistrement, il fait la connaissance d'Artie Kornfeld, parolier et producteur de vingt-six ans, devenu cinq ans auparavant le plus jeune vice-président de Capitol Records. Le courant passe immédiatement entre les deux hommes – tous deux natifs du quartier de Bensonhurst à Brooklyn – et ils deviennent vite amis. Ils ont l'idée de monter un studio d'enregistrement à Woodstock (qui en restera aux phases préparatoires). Pour le financer, ils envisagent d'organiser une série de concerts, voire un festival à part entière, avec l'espoir de réunir certains des meilleurs musiciens de la région. Mais, pour ce festival aussi, il leur faut des capitaux.

Entre-temps, une petite annonce paraît dans le *Wall Street Journal* :

JEUNE HOMME disposant capital illimité cherche propositions de projets fiables d'investissement et de création d'entreprise. Écrire au *Wall Street Journal*, B-331

Une annonce identique paraît dans les colonnes du *New York Times*. L'une et l'autre sont dues à deux investisseurs potentiels, Joel Rosenman et John Roberts, qui ont le projet d'écrire le scénario d'une série télévisée à propos de deux jeunes hommes «plus friqués que futés», comme s'en souvient Rosenman. «La seule chose qui nous manquait, c'était une intrigue. Nous n'arrivions pas à trouver dans quel genre de projet délirant ces deux idiots allaient se lancer. À court d'idées, nous avons publié une annonce dans le *Wall Street Journal* en nous faisant passer pour un jeune homme disposant d'un "capital illimité" à la recherche de projets.» L'annonce est destinée à attirer des personnes ayant des projets d'entreprise insolites, dont Roberts et Rosenman pourraient éventuellement se servir pour leur scénario.

Comme dans une prophétie autoréalisatrice, une proposition authentique sort du lot des nombreuses réponses à l'annonce bidon : le projet d'un studio d'enregistrement à New York, sous le nom de Media Sound. Miles Lourie, l'avocat de Michael Lang, a entendu parler de Roberts et Rosenman et de leurs fragiles activités télévisuelles. Il organise un rendez-vous au cours duquel Lang et Kornfeld évoquent leur projet de studio à Woodstock et le concert destiné à le financer.

Au fil des discussions, les quatre hommes lancent l'idée d'un festival. Peu après, les jeunes financiers aux costumes stricts font équipe avec les deux organisateurs au look de hippies, avec un investissement initial de 500 000 dollars, et constituent une entreprise à quatre, baptisée Woodstock Ventures. Des deux hommes d'affaires, Roberts, âgé de vingt-trois ans, est le principal investisseur, grâce à un héritage d'une riche entreprise familiale (la société dentaire et pharmaceutique Pycopay), dont il a reçu le premier versement à vingt et un ans.

Avant de se risquer dans une spéculation financière avec Roberts, Joel Rosenman a travaillé dans le domaine juridique, atout précieux pour la nouvelle entreprise. Des quatre hommes, Artie Kornfeld est celui qui a le plus d'expérience et de contacts dans le milieu musical. Mais le visionnaire et celui qui comprend le mieux la contre-culture à laquelle le festival va s'identifier, c'est Michael Lang qui, avant de produire le festival pop de Miami, tenait une boutique de cannabis en Floride.

Ci-contre : Michael Lang, grand inspirateur du projet de Woodstock, dans son bureau du festival. Page ci-contre, en haut : les hommes d'affaires Joel Rosenman (à gauche) et John Roberts, dans les années 1970. Page ci-contre, en bas : Joel Rosenman au festival de Woodstock.

«Quand j'ai expliqué à mon père ce que je voulais faire, il m'a dit : "Tu as loué un champ à 150 kilomètres de New York, tu espères que 50 000 personnes vont aller écouter du rock et tu vas investir ton argent dans cette entreprise." J'ai répondu : "C'est bien ça, papa. Je trouve ça génial comme idée. Il se passe des tas de choses nouvelles en ce moment. C'est les années 1960, tu sais." Et il me fait : "Je le savais... J'en étais sûr. Je savais que dès que tu aurais mis la main sur ton héritage, tu ferais un truc comme ça."»

JOHN ROBERTS, ORGANISATEUR DE WOODSTOCK

« John et Joel étaient chargés de la billetterie, de la comptabilité et de la vérification des contrats. Joel était juriste. Il n'avait jamais exercé, mais il était juriste de formation et donc capable de vérifier les clauses usuelles de nos contrats. Ils étaient avant tout responsables des aspects financiers, des transactions d'argent et de la billetterie. Ils ont investi le capital initial. En fait, c'était l'argent de John Roberts. Il a investi en liquide les 200 000 dollars nécessaires au festival, plus 275 000 dollars pour la construction du studio. […] Pour eux, c'était un projet financier, un investissement. Pour John, en tout cas. Mais comme c'étaient des types sympas, ils évalueraient le projet en fonction de la manière dont ça se passerait, donc les gens seraient satisfaits, donc la sécurité serait assurée et donc cela plairait au public.

Ils ne venaient pas de la contre-culture, mais c'étaient des gars bien. Ils voyaient les choses comme nous, mais pour eux, c'était avant tout un investissement. » MICHAEL LANG

L'ÉQUIPE

Pour l'entreprise Woodstock Ventures, l'étape suivante consiste à recruter une équipe afin de passer à l'action. Après avoir trouvé des bureaux à Manhattan, Lang commence par engager Stanley Goldstein, avec lequel il a travaillé pour le festival pop de Miami, qui jouera les chasseurs de têtes et réunira les différents techniciens. Autre membre de l'équipe de Miami, Mel Lawrence sera directeur des opérations sur le site, chargé du plan au sol, de l'aménagement du terrain et de la coordination de tout ce qui doit être construit. La conception et la construction de la scène, la gestion des passages sur scène et de la mise en place entre chaque groupe relèvent de Steve Cohen, régisseur général.

Qualifié de «génie» par Michael Lang, Chris Langhart a enseigné le décor de théâtre à la New York University et contribué à la réalisation de Fillmore East, salle de concerts rock située tout près. Lang le nomme directeur technique de son festival pour superviser l'organisation de la scène, l'installation électrique et même la plomberie. Pour les éclairages, Lang engage Chip Monck, qui a œuvré au festival de Monterey en 1967 et qui est considéré comme le meilleur éclairagiste de concerts rock. Monck suggère à son tour de faire appel à John Morris pour s'occuper des relations avec les artistes. Son titre officiel est «coordinateur de la production», rôle qu'il assumait à Fillmore East, où il gérait quasiment tout.

À mesure que l'équipe s'étoffe, d'autres noms sont proposés car chacun connaît quelqu'un qui serait parfait pour telle ou telle fonction. Le noyau dur, selon Lang, est vite composé de Joyce Mitchell, administratrice du bureau new-yorkais, de Peter Goodrich, vieux copain de Miami, chargé des stands commerciaux, et de Jim Mitchell, responsable des achats. Lang engage Ticia Bernuth comme assistante personnelle. Ensemble, ils dénichent Wes Pomeroy (ancien président de la commission présidentielle sur la criminalité et membre du cabinet du ministre fédéral de la Justice) qui s'occupera des questions de sécurité.

Pour la partie cruciale que représente le son, Stan Goldstein fait appel à Bill Hanley, ingénieur du son hors pair qui a également participé au festival de Miami.

Page ci-contre : Michael Lang (à l'arrière-plan) et l'éclairagiste Chip Monck (à droite) pendant une réunion de préparation. Ci-contre : directeur des opérations au nom de Woodstock Ventures, Mel Lawrence montre patte blanche. Ci-dessous : Michael Margetts (à gauche), cinéaste britannique initialement engagé pour filmer la construction du site de White Lake, et Ticia Bernuth, assistante de Michael Lang.

WOODSTOCK ET WALLKILL

Le lieu initialement retenu pour le festival, situé à Woodstock et appartenant à Alexander Tapooz, est abandonné à la suite de plaintes des riverains. En mars 1969, dans la commune voisine de Saugerties, Lang et Kornfeld rencontrent un habitant disposé à louer son terrain. Mais, lorsque Roberts et Rosenman ont un rendez-vous avec son notaire, le propriétaire est manifestement revenu sur sa position, ayant peut-être des doutes sur la viabilité financière de Woodstock Ventures. Roberts et Rosenman entendent parler d'un terrain de plus de 240 hectares, le Mills Industrial Park, situé à Wallkill, à environ 60 kilomètres au sud de Woodstock. Son propriétaire, Howard Mills, est tout de suite d'accord pour louer le site à Woodstock Ventures pour 10 000 dollars. Mais une fois de plus, les protestations des habitants rendent le projet irréalisable.

« Nous nous sommes fait éjecter de Wallkill, notre projet tombait totalement à l'eau. Nous avons essayé d'expliquer aux 50 000 à 60 000 personnes qui avaient déjà acheté un billet qu'il y aurait quand même un festival, que nous avions déménagé parce que nous n'étions pas les bienvenus dans telle ou telle commune, et que nous ne voulions pas organiser trois jours de paix et de musique là où nous n'étions pas les bienvenus. »

JOHN ROBERTS, ORGANISATEUR DE WOODSTOCK

Ci-contre : affiche originale du projet de festival à Wallkill. Conçue par David Byrd, graphiste du rock, elle met en avant l'« ère du Verseau » [Aquarius en anglais] – thème de prédilection des hippies – avec l'annonce d'une « exposition du Verseau » et la représentation de la porteuse d'eau associée à ce signe du zodiaque.

UN FESTIVAL ROCK À LA CAMPAGNE

PAR LOUIS CALTA

Les organisateurs d'un festival de musique rock qui doit se tenir à la mi-août à Wallkill, dans l'État de New York, ont étudié hier sur place les mesures de sécurité à adopter. Ils souhaitent éviter des troubles semblables à ceux qui ont entaché un événement du même ordre en Californie la semaine dernière. Les organisateurs attendent jusqu'à 150 000 personnes.

Organisé à Wallkill, l'événement s'intitule pourtant « Foire musicale et artistique de Woodstock », mais ne se déroulera qu'à une quarantaine de kilomètres de Woodstock. Le site initial n'était pas assez grand ni facilement accessible, selon les organisateurs.

Ces derniers, Michael Lang et Artie Kornfeld, ont eu une réunion avec les responsables de la sécurité du Village Gate, boîte de nuit de Greenwich Village. Ils ont déclaré espérer que les incidents survenus en Californie « ne se reproduiront pas durant d'autres festivals de l'été. »

Ce festival rock aura lieu les 15, 16 et 17 août et réunira dix-sept grands groupes et musiciens, parmi lesquels Janis Joplin, Jefferson Airplane, Blood, Sweat and Tears et les Grateful Dead.

Wesley A. Pomeroy sera responsable de la sécurité. Ancien membre du cabinet du ministre de la Justice Ramsey Clark, chargé de l'application de la loi, M. Pomeroy est l'un des deux administrateurs associés nommés par le président Johnson à l'agence de lutte contre la criminalité.

« La sécurité ne m'inquiète pas particulièrement, a-t-il déclaré. Si les gens ont de quoi s'occuper, il n'y aura pas d'agitation. »

Le week-end dernier, des troubles ont marqué le festival de musique de Newport (Californie) lorsque des jeunes qui ne pouvaient pas entrer ont tenté de forcer le passage.

M. Lang a précisé que les festivaliers disposeront de 240 hectares pour y camper et participer à des activités autres que les concerts. 60 hectares seront réservés à la scène et au public. Il a ajouté qu'il attendait de 50 000 à 150 000 personnes.

« Nous ne pensons pas refuser du monde », affirme M. Lang. 300 policiers seront recrutés pour le festival. Ils seront en civil et sans arme, a expliqué M. Pomeroy. La police de l'État et la police fédérale seront également sur place.

« Peaceful Rock Fete Planned Upstate »
NEW YORK TIMES, 27 juin 1969

« J'étais chez moi, dans mon bureau qui se trouve au sous-sol, et je venais de passer une annonce dans le journal de New York pour un « terrain à louer ». C'était un terrain sur lequel je comptais construire plus tard, mais dont je ne me servais pas encore.

Deux jeunes hommes bien habillés arrivent dans mon bureau, me disent qu'ils ont vu mon annonce et qu'ils veulent louer mon terrain pour un petit événement musical qui réunirait probablement 5 000 spectateurs. Mon comptable était là et avant même qu'on ait terminé, j'avais accepté de leur louer le terrain à 10 000 dollars pour l'été. Quand ils sont partis [je me suis dit] : "Mais où est-ce qu'ils vont bien pouvoir trouver 5 000 pékins pour s'asseoir dans un champ ?" Voilà comment tout cela a commencé.

Je ne savais pas grand-chose des gens qui prenaient de la drogue ni de l'évolution du monde, quand j'ai commencé, ainsi que ma femme, à recevoir des menaces par téléphone en pleine nuit pour que je me débarrasse de ces gens. Je ne me rendais vraiment pas compte des raisons de ces menaces, et puis, c'est devenu une affaire politique à mesure que les habitants réclamaient que ça se passe ailleurs. […] Mais moi, j'avais signé un contrat de location, je ne pouvais pas les chasser. C'est la commune qui a pris un arrêté d'interdiction. On a même craint pour nos vies et j'ai envisagé d'emmener ma famille à Lake Placid pour l'été. La police d'État me l'a déconseillé car ils ne pouvaient me protéger qu'en un seul endroit à la fois.

J'ai pris des conseils auprès d'un avocat pour savoir comment me retirer de cette histoire, mais le conseil municipal a pris les arrêtés d'interdiction. À l'époque, je connaissais très bien le gouverneur [de l'État de New York] Rockefeller par l'association pour le développement économique dont je faisais partie. Un matin, je reçois un coup de fil de lui : "Howard, je ne sais pas ce qui se passe chez vous, mais débrouillez-vous pour que ça s'arrête." La conversation a été brève et puis, j'ai appris qu'ils allaient s'installer à Bethel.

J'ai un peu côtoyé les organisateurs de Woodstock. Sur le terrain, ils avaient tracé des chemins, sculpté des statues dans les arbres et sur les rochers, et fait des peintures. Ils ont eu très peu de temps pour partir et tout transférer à Bethel, une fois qu'ils ont eu l'autorisation d'y aller. Ils ont tout transporté, c'est incroyable ce qu'ils ont fait, ces jeunes. Ils ont transporté des arbres, des plantes, des rochers énormes, tout ce qu'ils avaient fait pendant l'été, ils l'ont déplacé de Wallkill à Bethel. C'était un sacré spectacle de les voir faire. »

HOWARD MILLS, PROPRIÉTAIRE DU TERRAIN DE WALLKILL

WHITE LAKE

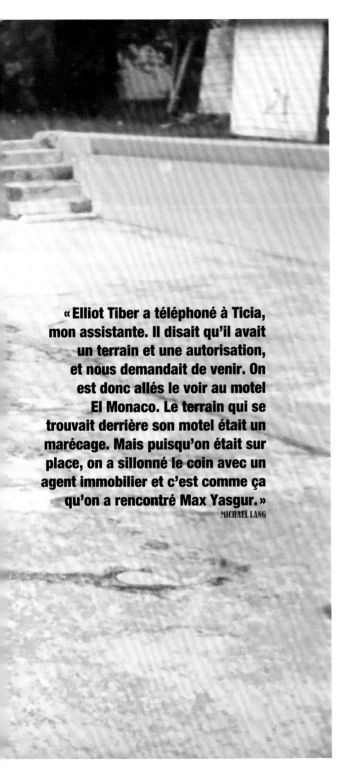

> « Elliot Tiber a téléphoné à Ticia, mon assistante. Il disait qu'il avait un terrain et une autorisation, et nous demandait de venir. On est donc allés le voir au motel El Monaco. Le terrain qui se trouvait derrière son motel était un marécage. Mais puisqu'on était sur place, on a sillonné le coin avec un agent immobilier et c'est comme ça qu'on a rencontré Max Yasgur. »
> MICHAEL LANG

Comment l'entreprise Woodstock Ventures a-t-elle bien pu dénicher le hameau endormi de White Lake, à la périphérie est de Bethel, et la ferme de Max Yasgur ? Un certain Elliot Tiber y est pour quelque chose.

En 1969, cet architecte d'intérieur de Brooklyn, âgé de trente-quatre ans, a déjà passé plus de dix ans à aider, pendant ses week-ends printaniers et estivaux, ses parents juifs immigrés à gérer un motel en décrépitude, l'« El Monaco », dans la région des monts Catskills. Il cherche alors une porte de sortie pour l'établissement.

Tiber fréquente le milieu théâtral et artistique de Bethel et de White Lake, et devient président de la chambre de commerce de Bethel (« Ce qui est idiot car il n'y a pas le moindre commerce ! » plaisante-t-il). Cette fonction lui permet de disposer d'une licence pour organiser des festivals musicaux et artistiques en plein air sur le territoire de la commune. Les « festivals » dont il s'est occupé avant 1969 sont si modestes qu'ils relèvent tout juste du pique-nique en famille. « Cela faisait dix ans que j'organisais ces festivals de musique et de théâtre, sans succès. Presque personne ne venait », précise Tiber. Plus pour longtemps.

À la mi-juillet 1969, Tiber découvre dans le journal de White Lake que la commune de Wallkill a expulsé le festival. Il a aussitôt une idée de génie : inviter le festival à White Lake où personne ne pourra l'en chasser puisqu'il détient une licence en bonne et due forme (cette licence, explique-t-il, « me permet, en tant que président de la chambre de commerce de Bethel et propriétaire de l'El Monaco, d'organiser un festival musical et artistique. Un point, c'est tout. C'est aussi simple que ça. »). Qui plus est, ce festival pourrait apporter au motel de ses parents les clients qui lui font cruellement défaut.

Très vite, Tiber invite Lang et ses partenaires à White Lake, leur montre sa licence et signe un contrat avec Lang afin que le motel El Monaco serve de quartier général à Woodstock Ventures et d'hébergement pour les artistes pendant le festival. Contrat qui s'avérera lucratif pour Tiber et ses parents.

Tiber pense d'abord que le festival pourra avoir lieu dans l'enceinte du motel, mais le site ne s'y prête pas car il est trop petit et trop marécageux. C'est lui qui, selon ses dires, présente Lang à Max Yasgur, affable producteur de lait de la petite ville, et se porte garant pour lui auprès de Charlie Prince, son banquier qui facilitera les mouvements d'argent sur les comptes de Woodstock Ventures. En revanche, Lang affirme que c'est un agent immobilier de la région qui l'a aidé à trouver la ferme de Yasgur.

Au lendemain du festival, avec la belle somme versée à l'El Monaco par Woodstock Ventures, Tiber laisse tomber le motel et part s'installer en Belgique où il connaîtra une belle carrière de dramaturge et de scénariste pour la télévision et le cinéma.

Étonnamment, jusqu'en 2008, le récit de Tiber ne figurait dans aucune histoire publiée du festival. C'est grâce à la parution en 2007 de *Taking Woodstock* [Hôtel Woodstock], ses mémoires bien accueillies, et à la comédie qu'en a adaptée Ang Lee pour le cinéma, que l'histoire d'Elliot Tiber a rejoint la légende de Woodstock.

Ci-contre : la piscine vide du motel El Monaco, presque en ruine, d'Elliot Tiber. Insert : publicité annonçant le déménagement du festival de Wallkill à Bethel, illustrée par Arnold Skolnick, également créateur de l'affiche à la colombe de la Foire musicale et artistique.

LA FERME

Après avoir pris contact avec Max Yasgur, producteur de lait, Michael Lang et John Roberts lui rendent visite, en compagnie de leur avocat Richard Gross. Ils envisagent plusieurs sites possibles dans sa vaste propriété de White Lake, sur la commune de Bethel située à une cinquantaine de kilomètres à l'ouest de Wallkill et à soixante-dix kilomètres de Woodstock. Ils s'entendent pour louer 50 000 dollars un terrain qui leur paraît assez grand pour le festival. Mais des objections subsistent alors même que le terrain est quasiment prêt. Lors d'une audience de dernière minute, le tribunal annule un arrêté d'interdiction du festival, requise par un petit groupe de propriétaires dont les terres jouxtent celles de la ferme de Yasgur.

UN NOUVEAU FOYER POUR UN FESTIVAL POP ROCK

PAR RICHARD F. SHEPARD

Un ambitieux festival de musique pop rock déménage de cinquante kilomètres vers l'ouest dans l'espoir de recevoir un accueil meilleur que celui qui lui a été réservé à Wallkill, dans le comté d'Orange, où l'ambiance hostile a suscité la recherche d'un nouveau site dans l'État de New York.

Le nouveau foyer du Festival artistique et musical de Woodstock sera donc Bethel, commune du comté de Sullivan, située à une quinzaine de kilomètres de Monticello. Les dates sont inchangées, du 15 au 17 août.

Parmi les chanteurs et les groupes devant attirer jusqu'à 200 000 personnes pendant ces trois jours, on relève les noms de Joan Baez, Janis Joplin, Ravi Shankar, Jefferson Airplane et Blood, Sweat and Tears. Un groupe d'habitants de Bethel a proposé à l'entreprise Woodstock Ventures, organisatrice de la manifestation, d'y accueillir le festival.

Alors que 60 000 billets ont déjà été vendus, Woodstock Ventures a annoncé hier le changement de lieu et informé les spectateurs dont les noms lui sont connus grâce à l'achat de billets par courrier postal.

La recherche d'un nouveau site a commencé il y a une semaine lorsque la ville de Wallkill, près de Middletown, a rejeté la demande d'organisation du festival sur un terrain privé de sa commune. Beaucoup d'habitants de Wallkill voyaient cette manifestation d'un mauvais œil, estimant que celle-ci était trop importante pour que leur commune puisse garantir la sécurité, l'hygiène et la circulation.

Un groupe de résidents de Wallkill a déposé une demande d'interdiction du festival sur leur commune. La justice n'a pas encore rendu sa décision. La semaine dernière, Woodstock Ventures a déclaré ne pas reconnaître la capacité juridique de la commune à accepter ou refuser la tenue du festival et annoncé son intention de rester à Wallkill comme prévu. Toutefois, l'entreprise prospecte actuellement afin de trouver un lieu plus accueillant.

L'organisateur a également déclaré qu'il allait poursuivre en justice « des organismes municipaux et des particuliers » de Wallkill. Joel Rosenman, premier vice-président et directeur de Woodstock [Ventures] a précisé hier que la demande de dommages et intérêts n'avait pas encore été déposée, mais il a évoqué « plusieurs millions de dollars » destinés à couvrir le coût du déménagement.

Le nom de la société Woodstock Ventures et du festival vient du village de Woodstock (État de New York), siège de l'organisateur, qui se trouve à 70 kilomètres de Bethel.

Selon une première estimation, les coûts de production du festival se montent à 750 000 dollars, dont 450 000 seraient consacrés aux contrats signés avec les artistes invités.

M. Rosenman a ajouté que le matériel et les installations provisoires qui peuvent être transportés quitteront le terrain de 81 hectares de Wallkill pour la ferme de Bethel louée au festival, dont la superficie dépasse les 200 hectares. Il n'a rien dit des conséquences de ce déménagement sur le bail conclu à Wallkill.

Les représentants de Woodstock ont présenté leur projet lundi soir au conseil municipal de Bethel, ainsi qu'à la commission d'appel du plan d'occupation des sols et à la commission d'aménagement de la commune. M. Rosenman a reconnu que certains habitants « étaient préoccupés », mais que « la présentation de notre projet en a tenu compte ».

Fred Obermeyer, secrétaire de la mairie de Bethel – qui compte seulement 2 366 habitants, contre 10 000 à Wallkill –, a déclaré que « tout n'était pas encore réglé » pour la tenue du festival et que Woodstock serait en mesure de présenter tous les documents nécessaires dans un jour ou deux.

Il précise que la commune souhaite prendre connaissance de la police d'assurance contractée par mesure de précaution par Woodstock, pour un montant de 3 millions de dollars, au cas où le festival occasionnerait des frais à la commune.

Woodstock Ventures a présenté toutes les dispositions qu'elle prendra pour garantir l'ordre, l'hygiène et la circulation. Elle recrute actuellement pour le festival 300 policiers de la ville de New York qui ne sont pas en service.

Cette manifestation, qui doit se tenir sur les terres de Max B. Yasgur, important producteur laitier, rencontre une certaine opposition à Bethel. Les détracteurs ne se sont pas constitués en un groupe officiel, mais un panneau de 0,80 x 1,20 m a fait son apparition dans le village, sur lequel on peut lire :

« Non au festival de musique hippie de Max. Non aux 150 000 hippies. Boycottons son lait. »

À Wallkill, l'opposition au festival a abouti à la formation d'un « Comité des citoyens préoccupés de Wallkill » qui a recueilli les signatures de centaines d'habitants afin de réclamer l'interdiction du festival par les autorités. Les porte-parole de ce comité ont précisé qu'ils n'étaient pas contre la musique ou les festivals, mais inquiets devant une manifestation qui menace d'attirer plus de 60 000 personnes par jour sur un territoire qui n'est pas équipé pour les recevoir.

« Pop Rock Festival Finds New Home »,
NEW YORK TIMES, 23 juillet 1969

« Au début, il n'était question que d'un petit pré.

Ils ont d'abord dit [à Max] qu'ils cherchaient un champ pouvant accueillir entre 10 000 et 15 000 personnes. Quand il est arrivé sur place et qu'on a fait le tour en voiture, il leur a montré plusieurs grands champs pouvant recevoir autant de monde. Ensuite, ils lui ont enfin dit qu'ils s'attendaient à vendre 50 000 billets et qu'au moins 50 000 personnes supplémentaires essaieraient d'entrer sans payer.

Alors Max a fait : "Attendez. Maintenant, ça fait 100 000 personnes. Ça en fait du monde."

Et il a ajouté : "Il faut vraiment que je réfléchisse avant de m'engager dans un truc aussi énorme." » RICHARD GROSS, AVOCAT DE WOODSTOCK VENTURES

MAX YASGUR

« **Michael Lang et Johnny Roberts sont venus à la maison. Ils voulaient louer un terrain pendant trois jours. Personne ne s'attendait à l'ampleur que ça allait prendre. Le marché était simple et clair : "Avez-vous un terrain à nous louer pour trois jours ?"** [...]

L'été 1969 avait été très humide. On n'arrivait pas à récolter assez de foin. Quand on a beaucoup de bêtes, qu'on n'a pas assez de foin pour l'hiver et qu'on n'arrive pas à en récolter assez, la perspective de devoir en acheter autant n'est pas très rassurante. Et voilà Johnny Roberts et Michael Lang qui arrivent – un dimanche après-midi, je crois – en disant qu'ils veulent louer un champ pendant trois jours.

Parfois surnommé l'« ange de Woodstock » et même le « saint patron de Woodstock », Max Yasgur avait pourtant peu de chances de recevoir de tels titres. Né en 1919, il avait grandi dans une ferme et fait des études à la New York University, avant de revenir à l'agriculture dans les années 1940, d'abord dans la ferme familiale à Maplewood, dans l'État de New York, puis à Bethel où son exploitation a pris de l'ampleur. Lorsqu'il rencontre les organisateurs de Woodstock, son entreprise (Yasgur Dairy Farm) est le plus gros producteur de lait du comté de Sullivan.

Dans un premier temps, Max accepte de louer une partie de ses terres aux organisateurs du festival, puis hésite car le nombre de spectateurs envisagés ne cesse d'augmenter. Lorsque certains de ses voisins lui montrent leur hostilité et appellent au boycott de son lait, cet homme de la terre pragmatique et conservateur reste droit dans ses bottes en faveur du festival et de la jeunesse, ce qui fera de lui un héros de la contre-culture.

Ci-dessus : Michael Lang et Max Yasgur derrière la scène, pendant le festival. Ci-contre : avec l'aide de Chip Monck, Lang est au volant d'un tracteur pour sortir sa Porsche d'un fossé. Pages suivantes : vue des terres de Max Yasgur au début de la construction de la scène.

Ce champ-là était idéal parce que c'était une cuvette. Et c'était "juste pour quelques jours". Mais les choses ont changé, radicalement même, parce que certains de nos voisins n'avaient pas du tout envie de voir arriver dans l'ouest du comté de Sullivan ce qu'on appelait à l'époque des hippies. Et cela ennuyait mon père. Je me souviens l'avoir entendu dire à un de nos voisins : "Écoutez, si vous ne voulez pas d'eux, c'est parce que vous n'aimez pas la façon dont ils s'habillent. Je n'aime pas tellement ça, moi non plus, mais la question n'est pas là. Peut-être qu'ils protestent contre la guerre, mais des milliers de soldats américains se font tuer pour qu'ils puissent faire ce qu'ils font, justement. C'est toute la raison d'être de notre pays." À partir de ce moment, il les a soutenus totalement.

Pour mon père, ils avaient le droit de s'exprimer. Il pensait qu'ils étaient la nouvelle génération, que c'était à leur tour de prendre les choses en main et d'améliorer le pays. Il n'avait rien de commun avec eux. C'était un homme de quarante-neuf ans qui passait son temps à travailler. Il avait vécu toute sa vie à la ferme et faisait de très longues journées. Il avait une famille. Au début de cette histoire, il ne comprenait rien à leur culture, et encore moins à leur musique, mais pour lui, cela ne changeait rien. [...] Il était sincèrement convaincu que les gens avaient le droit de s'exprimer, qu'ils avaient le droit qu'on les laisse tranquilles. » SAM YASGUR, FILS DE MAX

« C'est parfait, parfait, parfait. » MEL LAWRENCE, APRÈS SA PREMIÈRE VISITE DE LA FERME DE YASGUR

À la fin de 1968, Rona Elliot était chargée des relations publiques au second festival pop de Miami. Grâce à Mel Lawrence, directeur des opérations de Woodstock Ventures, dont elle était la partenaire à l'époque, elle est engagée par Michael Lang pour assumer les mêmes fonctions. Sa mission consiste principalement, avant le festival, à faciliter les relations avec la population du comté de Sullivan, en particulier après l'expulsion de Wallkill.

Ci-dessus : Rona Elliot. Page ci-contre (de gauche à droite et de haut en bas) : Michael Lang, Penny Stallings, assistante de Mel Lawrence, et ce dernier au volant.

« Je me trouvais en Algérie quand j'ai reçu un télégramme de Mel Lawrence : "REVIENS POUR FESTIVAL DANS L'ÉTAT DE NEW YORK." J'avais prévu de rester en Algérie pour le Festival panafricain qui, à l'époque, était organisé par Tim Leary et Eldridge Cleaver [leader des Black Panthers]. C'était une décision dingue à prendre, mais j'ai eu un pressentiment et j'ai quitté l'Algérie pour New York *via* Paris. Mel est venu me chercher à [l'aéroport] JFK et on est allés dans la campagne de l'État de New York. C'était en mai 1969, sur le premier site [Wallkill].

J'ai dit à Mel que j'allais proposer mes services à Michael, sur ce que je savais faire, c'est-à-dire les relations publiques avec les gens du coin. Je connaissais bien le fonctionnement des stations de radio. Si on croit qu'il y avait du boulot [chez Woodstock Ventures], on se trompe, pas pour tout le monde en tout cas. Alors je suis allée les voir et j'ai eu un rendez-vous avec Michael, pour autant que je me souvienne. Je lui ai dit : "Je prendrai contact avec les stations de radio et les chaînes de télé de la région, je téléphonerai aux journaux, j'irai faire des présentations aux clubs des Kiwanis et des Elks [associations humanistes], je démarcherai les commerçants et leur expliquerai pourquoi le festival est une bonne chose pour leur ville."

Quand on y pense, il y a de quoi se marrer. [...]

Quand on est arrivés sur le deuxième site, tout allait bien. J'allais travailler tous les jours, je faisais mon boulot. Je rencontrais les gens, je faisais des présentations, mais ils ne se doutaient pas de ce qui les attendait. En fait, ce qu'on cherchait à faire, et moi en particulier, c'était à les apaiser, les calmer, leur dire que, quel que soit le nombre de personnes qui viendraient chez eux, ce serait pour eux une bonne opération financière. On venait en amis. On ne voulait pas se fâcher avec eux. [...] Je me souviens qu'on est allés en nombre [...] à un quadrille ! Et moi, avec une fleur coincée dans mon bandeau, je me retrouve à danser un quadrille avec plein de membres de l'équipe et les habitants de White Lake. À mourir de rire ! C'était incroyable ! Dingue. Et c'était chouette, ça ne pouvait pas être mieux. Je me rappelle avoir pris la parole devant les clubs des Kiwanis ou des Elks qui m'ont remis un certificat. Avec ma jupe en cuir et mes bottes en cuir, ils ont dû me prendre pour une Martienne. Michael avait fait appel à Wartoke [...], une grosse boîte de relations publiques à New York. Moi, ce que j'ai fait, je crois, c'était de rester en contact avec les gens du coin. » RONA ELLIOT, CHARGÉE DES RELATIONS PUBLIQUES DU FESTIVAL

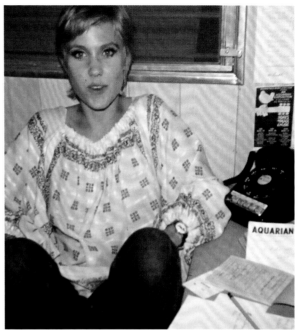

« C'était le premier événement musical d'envergure nationale. Il n'y en avait jamais eu avant. On a parlé de nous dans toutes les radios universitaires et underground du pays. Artie connaissait plein de gens dans le monde de la radio. On a engagé une boîte de relations publiques qui s'appelait Wartoke. Ils étaient déjà bien implantés dans la contre-culture, ils représentaient des artistes comme Jimi Hendrix. Ils avaient un très bon réseau dans la presse underground. On a fait des conférences de presse avec les journaux underground et universitaires, et organisé des débats pour discuter de la forme que devait prendre le festival. On a touché un maximum de monde. » MICHAEL LANG

L'AFFICHE

Le déménagement de Wallkill à Bethel entraîne la création d'une nouvelle affiche, qui doit être réalisée au plus vite. John Morris, qui a dirigé le Fillmore East de Bill Graham à New York, est chargé, en tant que coordinateur de la production au festival, de programmer les groupes et, plus généralement, de superviser le déroulement de la manifestation. Grâce à Morris, Woodstock Ventures s'est déjà acquis les services d'Arnold Skolnick, graphiste new-yorkais, et lui a demandé de réaliser une nouvelle image pour le Festival musical et artistique. Avant même le changement de lieu, Michael Lang n'était pas satisfait de l'affiche initiale de Wallkill qu'avait créée dans le style Art nouveau David Byrd, graphiste du rock. Lang propose de représenter une colombe sur une guitare pour ces « 3 jours de paix et de musique ». (La coïncidence veut que, depuis les débuts du festival annuel de Woodstock en 1957, la couverture de la brochure qui annonçait les artistes locaux arbore une colombe.) À partir des dessins d'oiseaux qu'il a réalisés au début de l'été, Skolnick trouve l'image de la colombe qui deviendra un véritable symbole.

« Ça commence comme ça : un de mes potes, qui est architecte, est embauché pour dessiner les plans du Lime Tree, un hôtel sur l'île de Saint-Thomas. C'est un hôtel fait pour le rock. Ils font appel à un type du nom de John Morris pour leur trouver des groupes. Ça devait être un an avant le festival de Woodstock. [...] [Morris] finit par démissionner. Les mecs qui sont en train de monter leur petit festival à Woodstock l'engagent pour programmer les groupes. Un jeudi, Morris m'appelle et me demande si je peux faire une affiche pour le lundi matin.

Ils voulaient une affiche, des pubs et une brochure. Alors, j'ai téléphoné à un de mes amis qui écrivait, il s'appelait Ira Arnold, et je lui dis : "Dis donc, il nous faudrait une brochure." [...] Ils m'ont dit qu'ils voulaient que le festival dure trois jours, que ce soit un lieu très pacifique, avec beaucoup de musique.

J'habitais [à New York] au coin de la 9e Rue et de la 5e Avenue. Eux, ils étaient dans la 6e Avenue. Je passais mon temps à faire la navette pour réaliser la campagne de pub. On a eu une drôle de réunion : il y avait pas mal d'argent à dépenser, mais comment toucher tous les jeunes du pays ? On s'est demandé où étaient tous ces jeunes et où ils allaient passer l'été. Alors on a visé plusieurs régions [...], celles de New York, Boston, Philadelphie, Chicago, San Francisco et Los Angeles, ainsi que le Texas [...]. Un jour, j'arrive dans leur bureau, il y avait deux filles à moitié nues qui comptaient des billets de banque dans une pièce. Tout le monde était défoncé. On se serait cru dans un film surréaliste. Je n'arrêtais pas de leur dire : "Hé, les mecs, ça va être bien plus énorme que..."
Ils recevaient plein de fric pour l'achat de billets, ça n'arrêtait pas, mais ils ne savaient pas comment s'y prendre, ça partait dans tous les sens. Déjà. Avant même le début du festival.

J'ai cogité tout le week-end pour trouver une idée. Cet été-là, j'habitais à Shelter Island, une île qui se trouve tout au bout de Long Island. […] Et il y avait plein d'oiseaux de la famille des jardiniers. Je faisais des dessins et des croquis de ces oiseaux dans la nature. Le lundi matin, je me suis mis à ma table et, avec une lame de rasoir, j'ai découpé des formes. J'ai posé tous les morceaux que j'avais découpés sur du bleu, parce que le bleu est la couleur de la paix, et je m'y suis mis à partir de sept heures, et puis huit heures, neuf heures, dix heures passent. Onze heures sonnent et je vois qu'il y a un truc qui cloche.

En graphisme, j'avais mes propres règles : on n'a pas besoin de dire deux fois la même chose. Et l'oiseau signifiait déjà la paix. Je me suis précipité au magasin et j'ai acheté du papier rouge. J'ai disposé tous les morceaux sur ce papier rouge et ça parlait de soi-même. C'était ça.

J'ai tout collé et me suis précipité pour le montrer aux gars. Ils ont dit : "Ouais, génial…" C'était fait. » ARNOLD SKOLNICK

Pages suivantes (de gauche à droite) : Artie Kornfeld et Michael Lang, les fondateurs du festival, avec John Morris, coordinateur de la production.

LE SON HANLEY

Aujourd'hui devenu une légende chez les ingénieurs du son, Bill Hanley était indiscutablement le plus qualifié en Amérique pour concevoir la sonorisation de Woodstock.

La première fois qu'Hanley, né en 1937 dans le Massachusetts, s'est occupé de son, c'est à l'âge de treize ans pour le bal de charité de son lycée. Pendant l'adolescence, il se perfectionne (et se fait un nom) à tel point que l'organisateur de concerts George Wein l'engage pour faire la balance du festival de jazz de Newport en 1957. Dès lors, il devient – avec sa société, Hanley Sound – le premier des ingénieurs du son pour les grands événements en plein air, alors que la plupart de ses concurrents sont spécialisés dans la sonorisation de salles. Bien sûr, il s'occupe aussi de sonorisation en intérieur et c'est dans le monde du rock qu'il s'est fait les dents, avec les premiers concerts en salles de Velvet Underground et de Jefferson Airplane. Mais il trouve son créneau avec les concerts organisés dans des stades qui accueillent les plus grands noms en la matière, comme les Rolling Stones et les Beatles. C'est lui qui a sonorisé tous les concerts des Beatles sur la Côte est lors de leur dernière tournée aux États-Unis en 1966, notamment au stade Shea, à New York. Sa notoriété est telle qu'il est engagé pour sonoriser de prestigieux événements non musicaux, comme l'investiture du président Johnson en 1965, devant le Capitole à Washington.

La première fois qu'Hanley entend parler du futur festival de Woodstock, c'est lors d'un appel téléphonique de Stan Goldstein, le «régleur de problèmes» de Woodstock Ventures. Goldstein est chargé d'engager et de renvoyer toutes sortes de techniciens. Il a déjà fait appel à Hanley pour le festival pop de Miami en 1968, également organisé par Michael Lang. À Miami, il n'était chargé que de la balance, mais cette fois, on lui confie la conception, la construction et la coordination de toute la sonorisation, avant même que la scène et la zone de concert ne soient construites.

Hanley est d'abord engagé pour le festival qui ne verra pas le jour à Wallkill, annulé le jour même où il arrive pour repérer les lieux. Peu de temps après, on l'emmène à Bethel en limousine de location, pour visiter un autre site potentiel et rencontrer Max Yasgur, l'agriculteur propriétaire du terrain.

Hanley fait construire des colonnes de haut-parleurs sur les collines qui font face à ce qui sera la scène et installe des tours de 21 mètres de haut où se trouvent, orientées vers le versant de la colline, seize groupes d'enceintes sur une plate-forme carrée. Tout est prévu pour 150 000 à 200 000 personnes, certainement pas pour un demi-million.

Suivant les spécifications d'Hanley, la société Altec Lansing fabrique des enceintes de 500 kilos chacune, mesurant 1,20 x 0,90 et 1,80 mètre de haut. Chaque woofer (pour les basses fréquences) comprend quatre haut-parleurs Lansing D140 de 38 centimètres, tandis que les tweeters (pour les hautes fréquences) sont composés de quatre pavillons de deux cellules et de deux pavillons de dix cellules Altec. Derrière la scène se trouvent trois transformateurs fournissant un courant de 2 000 ampères. Des années durant, le système mis au point à Bethel sera désigné par l'appellation générique de «Woodstock Bins» [poubelles de Woodstock].

« On est arrivés un mois avant. D'ailleurs, c'est le lendemain, ou l'après-midi même, qu'on y est allés quand [Lang] a appris que c'était annulé [à Wallkill]. Michael et moi, on est allés avec Max voir ses champs. Quand on est arrivés au premier champ, je leur ai dit : "Ici, c'est bien. Allons-y." [...] C'est moi qui l'ai choisi. On n'est jamais allés voir les autres champs de Max. On avait l'intention de les voir tous, mais dès que j'ai vu celui-ci, j'ai décidé que ça me convenait. »

Page ci-contre : l'immense superstructure qui a pris forme autour de la scène du festival. Les musiciens y entraient par la passerelle en bois visible à droite.
Ci-dessus : en plus des milliers de mètres de câbles électriques du site proprement dit, le courant électrique provenait de Bethel grâce à 13 kilomètres de câbles (la ferme de Yasgur n'avait pas assez de puissance).
Pages suivantes : en haut à droite : Michael Lang et Chip Monck sur le site. En bas, au milieu et à droite : Steve Cohen, le régisseur, surveille la construction. En bas à gauche : Lang et, à l'arrière-plan, son assistante Ticia Bernuth (avec le chapeau). Au centre : Monck et Cohen (au milieu).

« C'est moi qui ai dessiné le plan des grandes palissades de part et d'autre pour diriger la foule comme dans un entonnoir. J'avais prévu des cloisons de 3,65 mètres de haut pour que – chose que j'avais apprise dans d'autres festivals – les gens puissent sortir, aller et venir assez facilement. C'est pour ça que les palissades étaient si hautes sur les côtés. J'avais pensé à ça pour contenir la foule. Devant, elles faisaient 3 mètres de haut. Si les gens poussaient vers la scène, ils finiraient par être si près qu'ils ne verraient plus rien. Je crois que la scène était plus haute. L'intervalle entre ce mur et la scène permettait de mettre les caméras et le matériel, et aux cadreurs de filmer de très près. Une fois la foule arrivée, quelqu'un qui poussait pour s'approcher de la scène finissait par ne plus voir. Avec les autres palissades de l'entonnoir, quand on regarde les vues d'avion, on voit qu'il y a de grandes zones de verdure. J'avais eu cette idée pour que les gens soient toujours à portée du son. J'ai tout conçu, placé la scène et construit ensuite la sonorisation autour de ça. »

BILL HANLEY, INGÉNIEUR DU SON

« C'est grâce à l'équipe que j'ai réunie que Woodstock s'est bien passé. Beaucoup de gens trouvaient qu'on était trop nombreux ou qu'il y avait trop de chefs, mais c'est ce qui nous a permis d'arriver entiers au bout, parce que tous ces gens étaient les meilleurs dans leur domaine et ils se sont donnés à fond. [...] Le groupe de départ, le noyau dur, ce sont vraiment des gens qui ont fait des miracles. »

MICHAEL LANG

« On était à peu près à un kilomètre et demi du lieu du festival et il y avait des voitures partout. C'était le vendredi matin à six heures. Je me souviens que j'ai fait ce kilomètre et demi à pied jusqu'au site et que j'ai vu le soleil se lever au-dessus de la colline. Je regardais le terrain avec la scène qui était dans un désordre total. Rien n'était encore prêt. Ils étaient en train de construire une structure en hauteur, il y avait des morceaux de bois assemblés pour tenir une [...] palissade qui devait protéger les artistes. C'était un vrai bazar et je me suis dit : "Bon sang, on va être..." Il était sept ou huit heures du matin. Quelques heures plus tard, tout devait commencer. [...]

Ci-dessus : l'une des grandes tours d'éclairage en construction.
Page ci-contre : la « scène pivotante » qui n'a jamais fonctionné.

[...] Ils avaient construit un système qui devait permettre de faciliter les changements de groupe. En gros, c'était une scène pivotante, fixée sur des roulettes et divisée en deux. Le premier groupe était installé sur une demi-scène, il terminait, on faisait tourner la scène et le groupe suivant apparaissait, prêt à jouer. Quand le premier groupe a eu fini de jouer, ils ont essayé de faire tourner la scène, mais toutes les roulettes se sont détachées et la scène n'a plus bougé jusqu'à la fin du festival.

Ça donne une idée des choses. Au bout de deux ou trois heures, les communications entre la scène et le car-régie se sont arrêtées. Je me rappelle être allé voir pourquoi la sonorisation ne marchait plus. C'était juste avant que le premier artiste, Richie Havens, monte sur scène. On n'avait plus que vingt minutes. Juste le temps d'aller jeter un œil vite fait. Il y avait une petite cabane, à vingt rangs de la scène à peu près, qui avait été construite pour protéger la sono, celle du public, et c'est Bill Hanley qui s'en occupait.

Je passe ma tête à l'intérieur pour jeter un œil et je vois ce type tout seul, penché sur la console. Cette console était simplement posée sur une planche de bois, il y avait de la fumée qui en sortait et je me suis dit : "Bon, je crois que je vais me barrer et retourner au camion. Là-bas, je sais ce que je fais." C'était un bazar monstre, mais qu'est-ce qu'on s'est marrés ! »

EDDIE KRAMER, INGÉNIEUR DU SON POUR L'ENREGISTREMENT

TANDIS QUE LES PRÉPARATIFS DE DERNIÈRE MINUTE ÉTAIENT EN COURS À BETHEL, DES MILLIERS DE JEUNES SONT ARRIVÉS EN MASSE À LA GARE ROUTIÈRE DE LA PORT AUTHORITY À NEW YORK, À L'ANGLE DE LA 41e RUE ET DE LA 8e AVENUE, OÙ ILS ONT ATTENDU DES CARS SPÉCIAUX DU TRANSPORTEUR SHORT LINE BUS, QUI SONT PARTIS TOUS LES QUARTS D'HEURE DE 7 H 30 À 22 H 15, CHACUN TRANSPORTANT 45 PASSAGERS.

« Je n'ai jamais rien vu de pareil », a déclaré Charles Newell, responsable de la Short Line Bus Company à la gare routière, laquelle a loué vingt cars supplémentaires pour emmener les jeunes à Bethel. « Quinze cars partiront ce matin à 7 h 30 pour la première expédition vers le nord. Il arrive qu'on ait beaucoup de monde pour les fêtes du 4-Juillet ou la fête du Travail, mais on n'a jamais eu autant de milliers de personnes qui vont au même endroit. »

Les jeunes portent sacs de couchage et tentes, boîtes de conserve et guitares. Ils sont vêtus de perles, de cuir, de bandanas et de longues robes, et parlent de dormir à la belle étoile et des risques d'émeutes.

Vicky Camp, dix-huit ans, de Philadelphie, compte parmi les nombreux jeunes gens à avoir outrepassé l'opposition parentale pour aller au festival. « Ils n'étaient pas contents du tout », nous a-t-elle dit. « Je n'ai pas encore beaucoup voyagé et ils ont très peur des émeutes, des troubles causés par la police et de la drogue. On a dû palabrer longtemps. »

Parmi la foule, Neal Sobel et Robert Spevack, deux adolescents de Westbury (Long Island). Leurs parents n'ont accepté qu'ils aillent au festival qu'à condition de payer eux-mêmes les 1,45 dollar de l'aller-retour en car et les 7 dollars par jour du festival.

« On ne savait pas comment faire », explique Neal. « On a fini par aller à l'hippodrome Roosevelt en espérant gagner un peu d'argent. » Et ils ont gagné 45 dollars sur la double course du jour […].

« Mes parents savaient qu'il y aurait de la drogue, que ça risquait d'être agité. Ils ne voulaient pas que j'y aille », ajoute un autre jeune de seize ans, parmi un groupe d'adolescents de Westbury. « Je sais qu'il y aura de la drogue partout et je me demande comment ça va se passer. Je ne suis jamais parti de chez moi jusqu'à maintenant. Je me demande ce qui va nous arriver. »

NEW YORK TIMES, 15 août 1969

Ci-contre : un festivalier en route pour Bethel, à bord de sa Ford Mustang couverte de graffiti pacifistes.
Page ci-contre : à la gare routière de la 41e Rue à New York, des jeunes font la queue avant de prendre un car de la Short Line Bus pour Bethel.

« Avec mon copain, on est venus en voiture de Rochester. Quand on est arrivés, on n'en revenait pas de voir tout ce monde. On s'est garés à des kilomètres et on a continué à pied.

Comme on n'a pas l'habitude de prévoir, on n'a pas apporté grand-chose à manger. On pensait qu'il y aurait des stands et des restaurants au village ! Le premier soir, on est restés jusqu'à 3 heures du matin et on est retournés dormir dans la voiture. » CECELIA, FESTIVALIÈRE

LES ROUTES ENCOMBRÉES PAR 200 000 PERSONNES QUI CONVERGENT VERS UN FESTIVAL DE ROCK

PAR BARNARD L. COLLIER

BETHEL, ÉTAT DE NEW YORK, 15 août

Aujourd'hui, une foule estimée à plus de 200 000 personnes a envahi ce petit village des monts Catskills pour assister à un festival de rock et de musique folk pendant trois jours, ce qui a provoqué des embouteillages monstres et, potentiellement, de graves problèmes de sécurité.

Selon la police, de plus en plus de véhicules sont abandonnés sur le bas-côté par les automobilistes ayant décidé d'aller à Bethel à pied. On estime à 400 000 le nombre de personnes se trouvant au festival et dans les environs.

C'est Wes Pomeroy, responsable de la sécurité du Festival musical et artistique de Woodstock, qui annonce le nombre de 200 000. En fin d'après-midi, il déconseillait de se rendre à Bethel.

« UN PARKING GÉANT »

**« Il faut être fou pour essayer de venir ici », a-t-il précisé.
« Le comté de Sullivan est devenu un parking géant. »**

Vers minuit, les organisateurs du festival ont annoncé que la police de l'État et les autorités locales avaient proposé leur entière coopération et commenceraient à refouler toutes les voitures se dirigeant vers le site, principalement celles qui tenteront de rejoindre la Route 17B en provenance de la Route 17. «Nous allons détourner tout le monde. Le comté de Sullivan est plein à ras bord », a déclaré un policier de l'État de New York.

À minuit, les files de voitures s'étendaient jusqu'à 32 kilomètres du site du festival. L'Automobile Club de New York a averti que la circulation dans les Catskills était «pratiquement à l'arrêt» et prévu que «la situation ne s'arrangerait sans doute pas avant la levée du camp du festival de Woodstock au début de la matinée de lundi. »

Aujourd'hui, les voitures sont restées pare-chocs contre pare-chocs pendant quatre heures et demie sur les cinq routes principales qui desservent Bethel (17, 17B, 42, 55 et 97). Selon un responsable de l'Automobile Club, c'était «de la folie douce». On a même vu toutes les voitures aller dans la même direction sur les quatre voies de la route. Sur la 17B, qui dessert Monticello, à 18 kilomètres au nord de Bethel, les Sweetwater, groupe de six musiciens qui devaient ouvrir le festival, se sont retrouvés pris au piège. Ils ont dû être transportés avec leurs instruments par hélicoptère.

« 200,000 Thronging to Rock Festival Jam Roads Upstate »,
NEW YORK TIMES, 16 août 1969

Ci-dessus et page ci-contre : en raison de la paralysie totale
des routes menant au site de Bethel, le festival s'est trouvé
coupé du reste du monde, du moins par la route.

« Les routes étaient bloquées par des véhicules stationnés sur une trentaine de kilomètres. Épuisés par de longues marches, des milliers de festivaliers ont dû dormir et passer la nuit sur le sol détrempé. Au réveil, ils ont découvert qu'il n'y avait plus rien à manger et plus d'eau. »

Barnard L. Collier, *New York Times*, 17 août 1969

« Que vous soyez trois millions, ou même un demi-million, pour moi cela fait un bel et grand esprit. »

RICHIE HAVENS

richie havens

Vendredi, 17 h-17 h 45

Richie Havens : guitare, voix
Paul « Deano » Williams : guitare
Danielle Ben Zebulon : percussions, conga

Avec sa manière éclectique de chanter le folk rock, marquée par la soul et par des reprises très originales, Richie Havens est déjà un vieux routier des festivals puisqu'il était à l'affiche du festival folk de Newport en 1966, des festivals de Monterey en 1967 et de Miami en 1968. Lorsqu'il passe à Woodstock, il a sorti trois albums à succès – *Mixed Bag*, *Electric Havens* et *Something Else Again* – et commence à être très connu aux quatre coins des États-Unis.

Les embouteillages qui ne cessent d'encombrer les routes rendent l'accès au site de Bethel difficile tant pour les spectateurs que pour les artistes, mais le vendredi après-midi, Havens et son groupe (à l'exception de son bassiste) sont sur place. Havens accepte de monter sur scène le premier. En ouvrant le festival, il s'impose à Woodstock, comme en témoignera le film avec beaucoup d'émotion.

Havens devait interpréter quatre chansons seulement, mais il accepte de faire les « bouche-trous », tandis que les organisateurs attendent les autres groupes. Trois reprises des Beatles figurent parmi ses chansons supplémentaires. D'autres groupes interpréteront des chansons signées Lennon et McCartney, signe que le quatuor de Liverpool demeure alors à la tête du rock et que son influence est omniprésente, leur répertoire déjà classique étant connu de tous. Richie Havens termine son concert avec « Freedom », improvisation très spontanée, inspirée de « Motherless Child », ancien *spiritual* devenu l'un des véritables hymnes de ces trois jours de paix et de musique.

Morceaux : From the Prison, Get Together, From the Prison (reprise), I'm A Stranger Here, High Flying Bird, I Can't Make It Anymore, With A Little Help From My Friends, Handsome Johnny, et un medley composé de : Strawberry Fields Forever, Hey Jude, Freedom (incl. Motherless Child)

« Je me suis dit : "Je me vais faire massacrer. Je ne veux pas être le premier à passer." »
RICHIE HAVENS

**« Je devais faire dans les quarante minutes, trente-cinq, quarante minutes [...].
Je sors de scène et on me dit : "Richie, il faut que tu fasses quatre chansons de plus."
Je dis : "D'accord." J'y retourne et je chante quatre chansons de plus. Je ressors
de scène et là, on me dit : "Richie, fais-en trois autres. [...]."**

J'y retourne à nouveau et [dans le film] on me voit
gagner du temps, c'est exactement ce que je faisais.
Pendant la longue intro avant la chanson qui deviendra
"Freedom", je gagnais du temps pour savoir ce que
j'allais chanter. J'ai chanté tout le répertoire que
je connaissais. [...] Je crois que le mot "Freedom"
m'est sorti de la bouche à cause de toute cette liberté
que j'avais sous les yeux. J'ai vu la liberté que nous
recherchions. Tout le monde la partageait et c'est
comme ça que le mot m'est venu. Ça faisait dix-
neuf ans que je n'avais pas chanté "Motherless Child".
C'est incroyable. À l'époque, je chantais avec une
"famille", dans une chorale, et c'est comme ça que j'ai
appris cette chanson. Cette famille chantait une autre
chanson, une partie qui venait d'une autre chanson,
dont j'ai aussi chanté des passages dans "Freedom".
C'est le passage qui parle de la mère, du père,
de la sœur, du frère. Ça venait d'un autre cantique.
Et je me dis : "Ça vient d'où, ça ?" Et puis, je me lève,
je retourne au fond de la scène et on me dit : "Merci."
Moi, je fais : "Mais c'est génial !" Le plus bizarre pour
moi, c'est que j'ai dû regarder le film pour voir ce que
j'avais fait. Vraiment. Je me souviens de "Freedom"
et de "Motherless Child", mais j'avais oublié comment
je les avais combinées. La chanson existait, c'est tout.
Il a fallu que j'aille au cinéma pour le voir.

C'était la première fois que je me voyais sur un écran de cinéma. »

RICHIE HAVENS

« Je crois qu'aucun de nous ne connaissait Richie Havens. Mais quand il est arrivé sur scène et qu'il s'est mis à chanter "Freedom", c'était à couper le souffle. Parce qu'à l'époque, on était tous très préoccupés par la guerre au Vietnam, nos frères et nos potes étaient sur le front, ou bien cherchaient à en sortir ou à éviter d'y aller.

Alors quand il s'est mis à chanter "Freedom", ça nous a pris à la gorge. À partir de ce moment [...], c'est devenu une vraie expérience spirituelle en rapport avec la paix. »

DIANA THOMPSON, FESTIVALIÈRE

« JE SUIS PROFONDÉMENT HEUREUX DE VOIR TOUTE LA JEUNESSE DE L'AMÉRIQUE RASSEMBLÉE ICI AU NOM DE CE BEL ART QU'EST LA MUSIQUE. Avec la musique, on peut faire des merveilles. La musique est un son céleste et c'est ce son qui régit tout l'univers et non les vibrations atomiques. L'énergie du son, le pouvoir du son, c'est bien plus important que n'importe quel autre pouvoir sur cette terre. »

sri swami satchidananda

Vendredi, 17 h 50

Dans la seconde moitié des années 1960, la jeunesse, et la contre-culture en général, s'intéressent de plus en plus à des mouvements religieux et philosophiques liés à l'hindouisme et à des pratiques de méditation inspirées du yoga. Plusieurs groupes de personnes représentent cet éventail d'idées sont présents à Woodstock, parmi lesquels le gourou Sri Swami Satchidananda, accompagné de ses disciples.

Après avoir enseigné une version personnelle du « yoga intégral » au Sri Lanka au tournant des années 1950 et 1960, Satchidananda visite New York en 1966 à l'invitation du peintre Peter Max, un de ses disciples américains. Le gourou finira par acquérir la nationalité américaine et diffusera avec succès ses enseignements du yoga et de l'illumination dans son pays d'adoption. Parmi les disciples les plus connus qui l'ont suivi au cours de sa vie, on compte le poète Allen Ginsberg, l'actrice Laura Dern et la chanteuse et compositrice Carole King.

Le sage à la barbe blanche de cinquante-quatre ans ne devait pas paraître devant le public de Woodstock. Mais lorsqu'il arrive avec son groupe en hélicoptère, il va voir John Morris, coordinateur de la production, le vendredi après-midi et demande à s'adresser à la foule. « Pourquoi pas ? », comme le dira plus tard Morris. Alors que les groupes qui suivent Richie Havens sont juste en train d'arriver, le gourou prend la parole sur scène et invoque la paix et l'amour en guise d'ouverture du festival. Entouré de ses disciples vêtus de blanc, alignés sur la scène, Satchidananda incite les spectateurs à répéter le mantra « Hari Om ».

« Si ces images ou si ces films sont vus en Inde, personne ne croira qu'ils ont été tournés en Amérique. Car ici, c'est l'Orient qui vient à la rencontre de l'Occident. De tout mon cœur, je souhaite que ce festival musical connaisse un très grand succès et qu'il ouvre la voie à beaucoup d'autres festivals dans beaucoup d'autres régions de ce pays. Mais c'est de vous que dépend tout ce succès, pas de quelques organisateurs. Bien sûr, du travail, ils en ont fait. Je les ai rencontrés. Je les admire. Pourtant, ce succès est entre vos mains.

Le monde entier va regarder ce festival. Le monde entier va voir ce que la jeunesse de l'Amérique peut faire pour l'humanité.

Chacun de vous est donc responsable du succès de ce festival. »

SRI SWAMI SATCHIDANANDA

Vendredi, 18 h 15-19 h

Nancy Nevins : voix
Albert Moore : flûte, voix
August Burns : violoncelle
Alex Del Zoppo : claviers, voix
Fred Herrera : basse, voix
Elpidio Cobian : congas, percussions
Alan Malarowitz : batterie

Formé en 1967 par des amis qui faisaient des jams dans des cafés de Los Angeles, Sweetwater est très représentatif des groupes des années 1960 qui mélangeaient tous les styles. Il n'entre dans aucune case, avec ses influences de rock psychédélique, de jazz, de musique classique et latino, et des instrumentations tout aussi éclectiques qui associent la flûte, le violoncelle et les congas, joués par des musiciens multiethniques (blancs, noirs, latinos). Ce qui ne l'empêche pas de faire des tournées dans tout le pays, de passer à la télévision et dans les grands festivals du moment (festivals pop de Miami, d'Atlanta, du Texas), et sans l'aide d'un tube ou d'un album à succès. Lorsqu'il se produit à Woodstock, il n'a à son actif qu'un seul album, paru chez Reprise en 1968.

Sweetwater a accepté de venir à Woodstock à la condition expresse de passer en premier. En effet, le clavier Alex Del Zoppo s'est engagé chez les réservistes de l'armée de l'air (afin d'éviter d'aller au Vietnam) et doit se trouver le lendemain à Riverside, en Californie, pour l'instruction. Il craint d'être aussitôt expédié au Vietnam s'il manque cet entraînement. Mais, arrivé à Bethel en retard à cause des embouteillages, Sweetwater ne passe qu'en troisième sur la scène de Woodstock, après Richie Havens et Sri Swami Satchidananda.

Del Zoppo part dès la fin du concert de son groupe, mais il n'arrive à la base que tard le samedi soir, en raison de la circulation bloquée. Fort heureusement, la retenue de deux jours de solde n'équivaut qu'à une petite tape sur les doigts. Le groupe ne bénéficiera pas longtemps de sa popularité montante car, en décembre 1969, la chanteuse Nancy Nevins est victime d'un grave accident de la route, provoqué par un conducteur ivre. Ses cordes vocales sont tellement touchées qu'elle ne retrouvera plus sa voix de chanteuse. La carrière de Sweetwater se poursuit brièvement sans elle, puis le groupe se sépare au début des années 1970, avant de se reformer de temps à autre.

Morceaux : Motherless Child, Look Out, For Pete's Sake, Day Song, What's Wrong? My Crystal Spider, Two Worlds, Why Oh Why, et un medley composé de : Hey Jude, Let the Sunshine In et Oh Happy Day

« On est arrivés vers cinq ou six heures en pensant qu'on allait devoir monter aussitôt sur scène et jouer. Tout d'un coup, quelqu'un nous dit : "Attendez, le Swami passe avant vous." »

FRED HERRERA, SWEETWATER

Ci-contre : August Burns, Albert Moore et Nancy Nevins.

sweetwater

«Comme on devait passer le vendredi après-midi, on est partis de l'hôtel vers midi. En temps normal, on avait tout le temps de parcourir les 20 ou 25 kilomètres depuis l'Holiday Inn de Liberty, dans l'État de New York. Mais personne ne se doutait qu'il y aurait autant de monde. […] On pensait qu'à Woodstock, il y aurait un peu de monde, sans plus, même s'il y avait de grands groupes à l'affiche. Mais les grands groupes passaient dans plein de festivals à l'époque. On s'est dit que ce serait un petit festival et puis, on a vu la circulation. Là, on s'est dit : "Peut-être qu'ils ne savent pas très bien gérer les voitures dans le coin." C'est quand on a survolé le site en hélicoptère et vu tous les gens qu'on a vraiment réalisé. Je n'arrivais même pas à croire que c'étaient des gens. Je les prenais pour des fleurs. On ne voyait que de la couleur d'un bout à l'autre de l'horizon. J'ai même demandé au pilote ce qu'on cultivait par là et il m'a répondu : "C'est des gens que vous voyez." Et là, on a compris que c'était LE festival. »
ALEX DEL ZOPPO, SWEETWATER

LIBERTÉ !

Au moment où débute le festival, il est désormais évident que le nombre de personnes qui convergent vers le site (des centaines de milliers de plus que prévu) rend impossible l'utilisation d'une billetterie conventionnelle, notamment par manque d'anticipation. Plusieurs jours à l'avance, une partie des terrains loués a été assignée au stationnement des voitures, avec une signalisation claire. Mais, à cause de l'absence de clôtures et d'accès spécifiques, des milliers de personnes arrivées très tôt campent dans la zone réservée au public avant le début du festival. Alors qu'on est encore en train d'installer des guichets le vendredi, certains spectateurs, estimant que le festival n'est pas une entreprise destinée à faire des bénéfices, franchissent en masse les clôtures érigées à la va-vite sur tout le périmètre.

Michael Lang et ses associés évaluent la situation. Ils comprennent que s'ils tentent de faire partir les premiers arrivés (sans billet) de la zone qui se trouve devant la scène, 50 000 hippies en furie pourraient bien saboter le festival et la possibilité de le filmer. Sur la scène, John Morris, régisseur général, annonce que le festival sera gratuit, mais en avertissant le public : « Ça ne veut pas dire que tout est permis. » Des festivaliers agités – dont au moins un groupe de contestataires, l'UAW/MF (Up Against the Wall, Motherfuckers), groupuscule quasi anarchiste – n'en continuent pas moins à abattre les clôtures.

> « Trois ou quatre jours avant, il y avait déjà des gens qui arrivaient. Les clôtures n'étaient pas installées parce que Max Yasgur n'en voulait pas [jusqu'à ce qu'il soit trop tard]. S'il y avait eu des clôtures, les vaches n'auraient pas ruminé, elles n'auraient pas donné de lait, elles n'auraient rien produit. Voilà pourquoi Max n'a pas voulu que Michael fasse mettre des clôtures. De toute évidence, la situation a échappé à tout le monde. »
>
> RONA ELLIOT, CHARGÉE DES RELATIONS PUBLIQUES DE WOODSTOCK

> « Au festival, il y avait beaucoup de groupes de militants du domaine social, ou plutôt antisocial ! Les Up Against the Wall, Motherfuckers étaient venus de New York. Ils étaient de l'East Village à Manhattan et s'étaient fait une réputation en courant dans les rues pour fracasser les poubelles. Leur truc, c'était d'être anti-tout. Il y avait un type qui courait derrière la scène en hurlant "Abattez les portes, abattez les portes !", pour inciter les gens à passer à une action quelconque. Il est venu me chercher des noises. Je lui ai dit : "Arrête ça, il n'y a pas de portes." Il ne voulait rien savoir, ce que je disais n'avait aucune importance. Alors, un de nos gardiens l'a expulsé. »
>
> MICHAEL LANG

« Ouais, j'ai eu droit à une ovation debout… parce qu'ils allaient tous aux toilettes ! »
BERT SOMMER

Vendredi, 19 h 15 - 20 h

Bert Sommer : guitare, voix

Ira Stone : guitare électrique, orgue Hammond, harmonica

Charlie Bilello : basse

Après un bref passage au sein du groupe pop baroque Lefte Banke, le chanteur-compositeur Bert Sommer joue le rôle de Woof dans *Hair*, la « comédie musicale américaine et tribale » (ses cheveux façon coiffure afro ornent les célèbres affiches du spectacle de Broadway), lorsque Artie Kornfeld signe avec lui un contrat d'enregistrement de disques et pour manager son groupe en 1968. Quelques mois avant le festival est sorti *The Road to Travel*, le premier des deux albums produits par Kornfeld. Sommer s'apprête à donner le concert le plus intimidant de sa carrière. Il commence par « Jennifer », chanson de cet album consacrée à la chanteuse Jennifer Warnes qui participait aussi à *Hair*, dans la mise en scène de Los Angeles. Mais le grand moment de son concert d'une heure est une reprise d'« America », de Simon et Garfunkel, qui figurera sur son deuxième album, *Inside Bert Sommer*. Touché par la manière dont Sommer interprète les paroles de Paul Simon, le public se lève en masse et réclame d'autres chansons.

Morceaux : Jennifer, The Road to Travel, I Wondered Where You'd Be, She's Gone, Things Are Going My Way, And When It's Over, Jeanette, America, A Note That Read, Smile

> **« On est montés sur la scène et on a fait dix chansons d'affilée. Pour la huitième, on a fait la fameuse reprise d'"America", de Simon et Garfunkel, et eu droit à la première ovation debout du festival. Quand j'ai vu les yeux de Bert et entendu les cris de cette foule immense... Incroyable ! On a terminé notre concert et là, on n'en revenait absolument pas. Aucun de nous ne se rendait compte de ce qu'allait devenir ce concert ! »**
>
> IRA STONE, GUITARISTE DE BERT SOMMER

Ci-contre : Bert Sommer (à droite) derrière la scène à Woodstock, avec le guitariste Ira Stone.

Vendredi, 20 h 45 - 21 h 30

Tim Hardin : voix, guitare
Richard Bock : violoncelle
Ralph Towner : guitare, piano
Gilles Malkine : guitare
Glen Moore : basse
Steve « Muruga » Booker : batterie

Considéré alors comme l'un des meilleurs chanteurs-compositeurs de l'époque, Tim Hardin en est aussi l'un des plus oubliés. S'il peut être un interprète charismatique (comme en témoigne son passage au festival folk de Newport en 1966), ses apparitions sont souvent marquées par des retards ou des dates annulées et ses prestations sont parfois chaotiques, en raison d'une addiction de longue date à l'héroïne. Son succès vient principalement des reprises de ses chansons par d'autres interprètes. Son plus grand tube est la version d'« If I Were a Carpenter » par Bobby Darin, classée parmi les dix premières chansons du hit-parade de *Billboard* en 1966. Elle a également été reprise par The Four Tops, ainsi que par Johnny Cash et June Carter.

Attiré par l'ambiance cool et le cadre rural de Woodstock, et par sa proximité avec New York, Hardin s'installe dans ce village à la fin des années 1960. Au festival, il n'interprète que deux chansons, « Misty Roses » et « If I Were a Carpenter ». La seconde est particulièrement bien reçue par la foule, dans l'ambiance enivrante de la soirée d'ouverture.

Au cours des années 1970, Hardin réalise plusieurs albums très bien accueillis par la critique, comme *Bird on a Wire* (1970) et *Nine* (1973). On pense même à lui pour jouer le rôle de Woody Guthrie dans le film *En route pour la gloire* (*Bound for Glory*, 1976) (c'est David Carradine qui l'interprétera finalement). Hardin meurt d'une surdose d'héroïne en décembre 1980 à Los Angeles, six jours après son trente-neuvième anniversaire.

Morceaux : Misty Roses, If I Were a Carpenter

Ci-dessus : Tim Hardin se détend derrière la scène. Ci-contre : Hardin franchit la passerelle fragile qui conduit les artistes à la scène.

tim hardin

« JE TENAIS BEAUCOUP À CE QUE TIM HARDIN PASSE AU FESTIVAL. JE PENSAIS QUE WOODSTOCK POURRAIT VRAIMENT LE LANCER. JE LUI EN AI PARLÉ DES MOIS À L'AVANCE ET ÇA LE BRANCHAIT BIEN, MAIS QUAND IL EST ARRIVÉ SUR PLACE, IL PLANAIT TOTALEMENT ET IL A FAIT UN CONCERT DÉCEVANT. C'EST DOMMAGE. »

MICHAEL LANG

ravi shankar

Ravi Shankar : sitar
Maya Kulkarni : tamboura
Ustad Alla Rakha : tabla

Depuis les années 1950, Ravi Shankar est l'un des maîtres reconnus du sitar et celui qui a le plus popularisé son instrument hors de son pays natal, l'Inde. Mais son nom devient connu d'un public encore plus vaste en Occident quand il donne quelques cours de sitar à George Harrison, des Beatles. C'est David Crosby, des Byrds, qui lui a fait connaître l'œuvre de Shankar en 1965. Dès que l'occasion se présente, Harrison se fait le héraut de Shankar. C'est en grande partie grâce à lui que Shankar passe au festival pop de Monterey en 1967.

À l'époque, beaucoup de jeunes des pays occidentaux – notamment ceux que l'on associe à la contre-culture – se tournent vers la musique, les philosophies et les religions du sous-continent indien pour y chercher l'inspiration. L'exemple le plus médiatisé est celui des Beatles qui, comme d'autres stars du rock et personnalités, s'intéressent aux enseignements de Maharishi Maesh Yogi. En 1968, ils participent aux cours de méditation transcendantale du gourou à Rishikesh, en Inde.

Dans le brassage culturel qui caractérise la fin des années 1960, il n'est pas surprenant de trouver Ravi Shankar à l'affiche de Woodstock, surtout après la forte impression qu'il a faite à Monterey. Malheureusement, il sera la première victime de la pluie qui perturbe le festival : son concert est interrompu au bout de trente-cinq minutes par une averse diluvienne.

Morceaux : raga Puriya-Dhanashri/gat en Sawarital, solo de tabla en jhaptal, raga Manj Kmahaj, alap, jor, dhun en kaharwa tal, gat en teental modéré et rapide

Ci-dessus et ci-contre : Ravi Shankar (à droite) avec Alla Rakha au tabla.
En médaillon : Maya Kulkarni, joueuse de tamboura.

« Mes rares expériences de festivals rock ont continué jusqu'à Woodstock, en août 1969. C'était un moment terrifiant. Si Monterey a marqué le début d'un nouveau mouvement ou d'un magnifique happening, je crois qu'avec Woodstock, c'était presque la fin. Nous avons dû aller en hélicoptère du motel où nous étions, qui était assez loin, et avons atterri juste derrière la scène. Avec Alla Rakha qui m'accompagnait au tabla, j'ai joué devant un public d'un demi-million de personnes, une marée humaine. La bruine tombait et il faisait très froid, mais les gens étaient heureux dans la boue. Évidemment, ils étaient tous défoncés, mais ils s'amusaient bien. Ils me faisaient penser aux buffles qu'on voit en Inde, à moitié immergés dans la boue. Woodstock ressemblait à un pique-nique géant, avec de la musique en fond sonore. J'aurais préféré ne pas y jouer, mais je m'étais engagé. Je craignais tellement que mon instrument prenne la pluie et s'abîme que mon interprétation n'était pas très inspirée, même si j'ai fait de mon mieux. Quand j'ai regardé la foule, j'ai vu qu'il serait impossible de communiquer avec elle : le public était tellement nombreux. »

RAVI SHANKAR

Ci-contre : Ravi Shankar bavarde avec Joan Baez derrière la scène ;
à l'arrière-plan, Maya Kulkarni, joueuse de tamboura.

Vendredi, 23 h-23 h 30
Melanie Safka : voix, guitare

Après l'abandon de Ravi Shankar à 22 h 35 en raison de la pluie diluvienne,
The Incredible String Band refuse de monter sur scène. Le groupe pourrait jouer en
acoustique, mais son répertoire est devenu électrique, ce qui l'empêche de se produire.
C'est alors le tour de Melanie Safka, chanteuse-compositrice folk de vingt-deux ans,
originaire du quartier new-yorkais de Queens et totalement inconnue, qui va captiver
tout le public. En deux morceaux seulement, elle devient l'une des vedettes du festival.
C'est son passage à Woodstock qui lance sa carrière.

    Avant le concert de Melanie, John Morris, coordinateur de la production du festival,
annonce depuis la scène : « Vous êtes le public le plus nombreux qu'on ait jamais vu
pour un concert, mais comme il fait nuit, nous ne vous voyons pas et vous ne vous voyez
pas non plus. À « trois », je veux que chacun de vous allume une allumette. » Le futur
grand succès de Melanie, intitulé « Lay Down (Candles in the Rain) », lui a été inspiré par
la foule de Woodstock s'éclairant avec des milliers d'allumettes et de briquets.

**Morceaux : Close To It All, Momma Momma, Beautiful People, Animal
Crackers, Mr. Tambourine Man, Tuning My Guitar, Birthday Of The Sun**

« Ma maison de disques, Buddha Records, était dans le même immeuble
qu'Artie Kornfeld et Michael Lang. Je suis allée les voir pour leur dire :
"Il paraît que vous organisez un concert à Central Park, à Woodstock
ou ailleurs. Ça me plairait d'en être." Je pensais que ce serait un genre
de pique-nique dans un pré, avec des familles et des couvertures [...]
je trouvais ça chouette [...] avec des artisans créateurs et tout.
Je leur ai demandé si je pouvais y chanter et ils m'ont dit de venir.

J'y suis allée en voiture avec ma mère et on est tombées sur des
embouteillages. On a téléphoné et quelqu'un nous a dit de nous rendre
dans un autre lieu, dans un hôtel, et qu'on nous emmènerait sur le
site. Au début, avec toutes ces voitures, j'ai d'abord cru qu'il y avait
eu un accident. [...] Quand on est arrivées à l'hôtel, j'ai commencé
à me demander si ce n'était pas à cause du concert parce que le parking
était rempli de camions de chaînes de télévision. On ne pouvait pas
entrer à cause des gardes du corps. Avec ma mère, j'entre tout de même
et je vois Janis Joplin dans le hall. Elle était très connue et moi,
je n'avais jamais rencontré de personnes connues [...]. Je n'étais
qu'une chanteuse et compositrice qui se produisait à Greenwich Village
et me voilà face à face avec Janis Joplin, entourée de caméras.

On me demande : "Et vous, vous faites quoi ?" Je réponds que
je m'appelle Melanie et que je chante "Beautiful People". Je n'avais
fait qu'un disque. [...] C'était mon seul titre de gloire. On me dit :
"L'hélicoptère est là-bas." Et je me dis : "Un hélicoptère ? Pour quoi
faire ?" Je n'étais jamais montée dans un hélicoptère. Avec ma mère,
je me dirige vers l'engin, mais on nous arrête : "C'est qui, elle ?"
Je réponds que c'est ma mère, mais ils disent que ce n'est que pour
les groupes et les managers. Je n'ai pas eu la présence d'esprit de dire
qu'elle était mon manager. Je lui ai juste dit : "Salut, maman." J'avais
le cœur serré de la laisser comme ça, mais je n'ai pas eu le choix.

melanie

Je monte dans l'hélico toute seule. Voilà comment ça s'est passé. À bord, je commence à flipper sérieusement. Je vais au concert en hélico ! [...] On fait des kilomètres et, pendant la descente, je ne réalise pas que ce sont des gens qui sont au-dessous de moi. Je demande au pilote ce que c'est et il me dit : "C'est le public et là, c'est la scène." Je découvre ce truc énorme en me disant : "Ça, c'est pas un pique-nique."

On me conduit à une petite tente. Je me souviens d'une tente plus grande pour les groupes les plus connus. Moi, je me retrouve dans une petite tente. Il se trouve que, quand j'étais stressée, j'étais prise – et aujourd'hui encore – d'une toux bronchitique. [...] Je me mets à tousser bien fort et bien rauque, on aurait dit un monstre [...]. Joan Baez a dû m'entendre de la grande tente, ou passer devant la mienne, parce qu'elle m'a envoyé une de ses aides. Elle portait une couronne de fleurs sur la tête. Elle est venue me voir : "Bonjour, Joan Baez vous a entendu tousser et s'est dit que ça vous ferait du bien." Elle m'apportait une théière bien chaude. C'était mon premier grand moment à Woodstock.

En m'avançant sur la scène, j'ai senti que je quittais mon corps. C'est la toute première fois que j'ai éprouvé ça. J'ai quitté mon corps. Tout était très calme. Je me suis vue m'asseoir, je me suis vue chanter, il y avait un grand calme, je regardais une jeune femme chanter. À un moment donné, j'ai réintégré mon corps et là, j'ai vu un champ entier qui commençait à s'éclairer de petites flammes. C'était un moment spirituel stupéfiant. J'ai ressenti cet incroyable mouvement de solidarité humaine. Une masse humaine qui se montrait chaleureuse et totalement soucieuse d'autrui.

Je n'oublierai jamais cette image. On aurait dit des lucioles qui dansaient. Toute la surface du champ s'est éclairée. » MELANIE

Ci-dessus : le spectacle de centaines de petites flammes qui s'allument lorsque Melanie arrive sur scène. Elle allait connaître bien d'autres grands moments de ce genre et devenir l'« icône de Woodstock ». Melanie se produira dans presque tous les grands festivals en plein air des années suivantes.

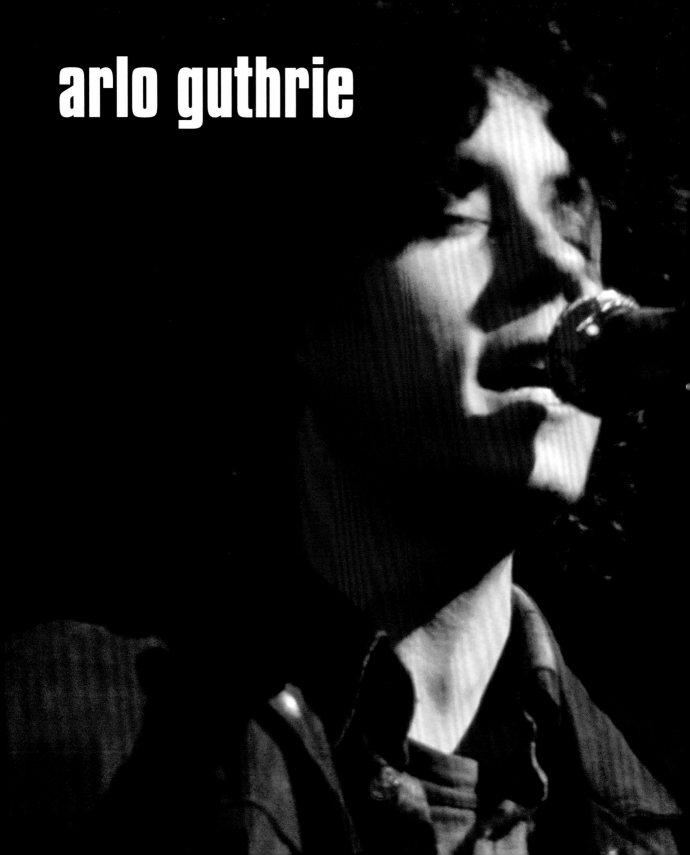

arlo guthrie

Samedi, 0 h-0 h 45

Arlo Guthrie : voix, guitare
John Pilla : guitare
Bob Arkin : basse
Paul Motian : batterie

Fils de Woody Guthrie, le légendaire chanteur folk et militant politique, Arlo Guthrie devient une sorte de héros à sa manière auprès des hippies avec l'énorme succès, en 1967, d'«Alice's Restaurant Massacre», chanson à texte pacifiste et favorable à la contre-culture qui dure dix-huit minutes et demie. Sa renommée bénéficie en outre de la sortie du film *Alice's Restaurant* en 1969, inspiré de sa chanson. À Woodstock, sa place est toute trouvée pour succéder à la nouvelle venue qu'est Melanie. Son court concert comprend «Coming into Los Angeles», chanson phare à propos de la paranoïa des porteurs de drogues illégales, «Walkin'Down the Line» de Bob Dylan, et «Amazing Grace», cantique américain aux allures d'hymne. Avant-dernier à passer ce vendredi soir, Arlo Guthrie n'a plus qu'à céder la place à Joan Baez, grande voix féminine du mouvement folk.

Morceaux : Coming Into Los Angeles, Wheel Of Fortune,
Walking Down The Line, Exodus, Oh Mary, Don't You Weep,
Every Hand In The Land, Amazing Grace

« C'était formidable, à couper le souffle, grisant […] effrayant […] de jouer devant autant de gens. […] Je savais à ce moment-là que je ne jouerais jamais plus devant un public aussi vaste. […] Malheureusement, je ne savais pas que je devais jouer ce jour-là, j'étais comme tout le monde, je n'étais pas préparé à chanter. C'est le genre de moments qu'on aimerait pouvoir refaire. Mais ça reste l'un des plus beaux souvenirs de ma vie. Je ne l'oublierai jamais et j'aurais aimé avoir un peu plus de jugeote à l'époque. […] Si j'avais su que j'allais faire un concert, enfin, le plus grand concert de l'histoire de la musique, je m'y serais sans doute mieux pris, si j'avais été un peu clairvoyant.

Mais, à dix-huit ans, on n'a pas beaucoup de jugeote. » ARLO GUTHRIE

Samedi, 1 h 30-2 h 15

Joan Baez : voix, guitare
Richard Festinger : guitare
Jeffrey Shurtleff : voix, guitare

Dans l'ivresse de l'ambiance antiguerre du Vietnam qui prévaut à Woodstock, Joan Baez est un choix idéal pour conclure la première journée du festival, même si, avec les retards successifs, elle inaugure en fait la deuxième journée. Elle a joué un rôle déterminant dans la diffusion auprès du grand public de chansons politiques – notamment celles d'auteurs contemporains comme Phil Ochs et Bob Dylan – depuis que la vogue folk est apparue au début des années 1960. C'est pour son deuxième album, *Joan Baez in Concert*, enregistré en public en 1963, qu'elle a chanté pour la première fois des chansons de Dylan, « Don't Think Twice It's Alright » et le titre pacifiste « With God on Our Side ». Elle connaît son premier succès dans les hit-parades de 45-tours avec deux chansons politiques, « We Shall Overcome » (1963) et une reprise de « There But for Fortune » de Phil Ochs (1965).

Joan Baez apprend qu'une autre scène a été construite de l'autre côté des clôtures du festival afin que ceux qui n'ont pas de billets puissent écouter des groupes amateurs et que des spectateurs puissent chanter sur cette « scène ouverte ». Elle se dit que ce serait bien dans l'esprit du festival de chanter pour ceux qui n'ont pas pu atteindre la scène principale, même après l'annonce de la gratuité de l'événement et la destruction des clôtures. Elle va donc chanter – et sera la seule vedette à le faire – devant ce public marginal pendant quarante minutes, jusqu'à ce que son manager la retrouve et lui rappelle qu'elle doit aussi chanter sur la scène principale.

Après avoir raconté comment, le 15 juillet 1969, la police fédérale a mis en prison son mari David Harris, qui refuse d'aller au Vietnam, Joan Baez, enceinte, commence son concert par « Joe Hill », chanson consacrée au syndicaliste exécuté pour meurtre en 1915 à l'issue d'un procès controversé. Elle interprète également un duo avec Jeffrey Shurtleff un *spiritual* traditionnel, « Swing Low Sweet Chariot ».

Accompagnée d'une grande partie du public, Joan Baez conclut avec « We Shall Overcome », hymne officieux du Mouvement pour les droits civiques et, plus généralement, du mouvement de contestation aux États-Unis. Elle contribue ainsi à affirmer encore davantage la position politique qui caractérise la contre-culture et, en particulier, le festival de Woodstock.

Morceaux : Oh Happy Day, The Last Thing On My Mind,
I Shall Be Released, Joe Hill, Sweet Sir Galahad, Hickory Wind,
Drug Store Truck Drivin' Man, I Live One Day At A Time,
Take Me Back To The Sweet Sunny South, Warm And Tender Love,
Swing Low Sweet Chariot, We Shall Overcome

joan baez

« Woodstock ? Bon sang, moi qui y allais déjà assez fort : ça faisait dix ans que j'étais dans la musique, je ne me droguais toujours pas et je jouais toujours en solo.

Mais Woodstock, c'était aussi moi, Joan Baez, la fille ringarde, enceinte de six mois, l'épouse d'un résistant à l'incorporation, qui passait son temps à s'exprimer contre la guerre. J'avais ma place à Woodstock. J'étais le fruit des années 1960, j'étais déjà une survivante. » JOAN BAEZ

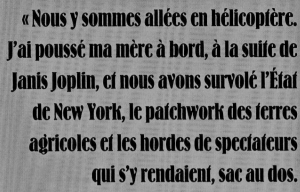

« Nous y sommes allées en hélicoptère. J'ai poussé ma mère à bord, à la suite de Janis Joplin, et nous avons survolé l'État de New York, le patchwork des terres agricoles et les hordes de spectateurs qui s'y rendaient, sac au dos.

Janis ne lâchait pas son éternelle bouteille d'alcool et tout le monde se penchait par-dessus la porte. Le vent nous transformait en êtres hirsutes, il y avait des nuages bleus et noirs au-dessus et autour de nous. Était-ce le temps étrange qu'il faisait ou bien avions-nous l'intuition qu'il se passait quelque chose d'historique ? On m'a mise dans la suite nuptiale de l'Holiday Inn. Il y avait des gens étalés partout dans le hall, mais on m'a mise dans la suite nuptiale. Le lendemain matin, j'étais dans une autre chambre quand j'ai entendu un raffut incroyable et vu un hélicoptère atterrir sur le parking juste devant ma fenêtre. Je me suis fourré un toast dans la bouche et j'ai agité les bras pour faire signe au pilote qui me regardait dans ma chambre avec un grand sourire. D'un signe de tête, il a répondu qu'il attendrait. Je suis montée à bord avec des journalistes et je ne sais plus qui d'autre. Ce festival était tellement dément que ça ne me dérangeait pas de traverser des cumulonimbus d'orage dans un hélico minuscule. C'était le dernier vol de la journée pour Shangri-La. Et ma mère n'a pu arriver que le lendemain à cause de la boue. Elle est venue en voiture avec, au volant, Scoop, le *roadie* cinglé qui s'embourbait chaque fois de plus en plus, tout en lui disant de ne pas s'inquiéter. Il a fini par s'arrêter et fumer un joint, tout allait bien, pour lui en tout cas. » JOAN BAEZ

Ci-dessus, ci-contre et page ci-contre : parmi les spectateurs, l'esprit de solidarité augmente de façon inversement proportionnelle à la détérioration du temps.

« Vendredi, c'était la soirée folk qui s'est achevée par l'interprétation inspirée de "We Shall Overcome" [Nous vaincrons] par Joan Baez. Choix judicieux, qui s'appliquait autant à la pluie et à la boue qu'à la contestation politique. »

VARIETY, 20 AOÛT 1969

« Les gens étaient très sympas les uns avec les autres. Ce soir-là, il s'est mis à pleuvoir et des gens qui ne se connaissaient pas, s'ils avaient une tente, en accueillaient d'autres. On se partageait des choses. J'avais apporté des sandwiches que j'ai partagés avec mes voisins. Il y avait toutes sortes de gens, des jeunes, des vieux, des motards. Pour ça, je trouvais que c'était très sympa. Pendant la nuit, certains ont fait un mauvais trip, des hélicoptères atterrissaient, des équipes médicales emportaient des gens. Et puis, il n'y avait plus de quoi manger, pas assez de toilettes et il pleuvait énormément.

Ça sautait aux yeux que l'organisation était un peu dépassée. » ISABEL STEIN, FESTIVALIÈRE

LES GARDIENS DE LA PAIX

Le groupe des Merry Pranksters [les joyeux lurons] joue un rôle déterminant dans l'évolution de la contre-culture. C'est Tom Wolfe qui a parlé d'eux pour la première fois dans *Acid Test* (1968), roman inspiré sous LSD que le groupe a faite en 1964. Avec l'écrivain Ken Kesey, organisateur de cette tournée, ils inaugurent des fêtes «acid test» au LSD dans leur fief de San Francisco. Les Warlocks, préfiguration des Grateful Dead, assurent la partie musicale. Grâce à Hugh Romney, l'un des chefs de file des Pranksters – connu plus tard sous le nom de Wavy Gravy –, ils sont aussi liés au mouvement Back to the Land, qui prône l'exode des villes et le retour à la terre, dans des lieux de vie en communauté. En 1965, Romney fonde l'une de ces communautés en Californie, la «Hog Farm» [la ferme aux cochons] : en échange de l'occupation des terres d'un éleveur victime d'une attaque cérébrale, les membres de la communauté s'occupent de ses quarante-cinq cochons. Lorsque Michael Lang et Woodstock Ventures s'intéressent au groupe, la Hog Farm a déménagé au Nouveau-Mexique. Lang y envoie Stan Goldstein pour qu'il invite les Hog Farmers à les aider à construire les installations d'accueil des festivaliers. Deux semaines avant le festival, quatre-vingts Hog Farmers sont amenés par avion privé, dont la location aurait coûté 16 000 dollars.

Les Hog Farmers gèrent les cuisines et une «tente de la défonce», où on peut se remettre d'un mauvais trip au LSD en parlant avec quelqu'un, ainsi que la sécurité sur le site. Wavy Gravy qualifie de «Please Force» l'équipe de sécurité dont les membres restent toujours cools et maintiennent l'ordre en désamorçant toute confrontation. Dans les rares occasions où une bagarre est sur le point de s'engager, la solution consiste à lancer une tarte à la crème à la figure des bagarreurs, comme dans un film burlesque !

« Dans les montagnes du Nouveau-Mexique, les Hog Farmers, une bande de doux dingues, fêtaient le solstice d'été, on était des centaines [...]. Et voilà que se pointe Stan Goldstein qui nous dit : "Je voudrais que vous veniez nous aider à Woodstock [...] pour tracer des chemins, monter les guichets, les tentes de premiers secours, etc." Nous, on répond : "Ouais, pas de problème." Il n'arrêtait pas de nous téléphoner, mais très vite, il nous a dit : "Bon, je vous envoie un avion." Là, on s'est dit : "C'est pas du flanc." »

LISA LAW, HOG FARMER

Inspirés par le bus de l'« acid test » des Merry Pranksters, les véhicules psychédéliques de la Hog Farm et d'autres groupes abritent souvent une communauté familiale itinérante.

« Bonjour à tous ! On a prévu un petit déjeuner au lit pour 400 000 personnes. »

WAVY GRAVY À LA FOULE DE WOODSTOCK

Ci-dessus : Wavy Gravy (avec Chip Monck) s'adressant au public.
Double page suivante : Wavy Gravy et Michael Lang.

« Moi, je me disais : "On n'a vraiment pas besoin de bouches supplémentaires à nourrir. Et d'abord, c'est qui, ces gens du Nouveau-Mexique ? On les fait venir en avion et on va en être responsables pendant tout le week-end ? Comme si on n'avait pas assez de problèmes ?" Stanley [Goldstein] a passé dix minutes à m'expliquer la situation et j'ai tout de suite pigé – grâce à la manière dont il me l'a dit – que c'était une excellente idée. Et ça s'est même encore mieux passé que ce qu'il imaginait, car au bout du compte, c'est grâce à eux que l'esprit du festival est resté ce qu'il était. » JOEL ROSENMAN

« Quand je suis arrivée à Woodstock, la Hog Farm était déjà sur place,
les Hog Farmers étaient arrivés en éclaireurs avec le bus "Further" de Ken Kesey.
Et ils s'étaient fait une petite cuisine pour leur usage personnel. On a parlé de la manière
dont on allait faire à manger pour la foule qui allait venir. On essayait de dégoter des
gamelles en aluminium à droite et à gauche [...] et en voyant tout ça, j'ai dit :

"Pas la peine de chiner des gamelles. Faut aller chercher du vrai matos."

Alors j'ai décidé d'aller à New York et d'emmener un des Hog Farmers avec moi pour me servir
de guide et savoir où acheter le matériel, parce que je n'y étais allée qu'une fois.

Je me suis retrouvée à acheter 130 000 assiettes en carton, fourchettes, couteaux et cuillères et 130 000 verres en carton aussi. [...] J'ai drôlement bien fait parce que tout est parti. » LISA LAW

Ci contre : Tom Law, dont l'épouse Lisa Law a participé à l'organisation de la cuisine de la Hog Farm. Page ci-contre et ci-dessus : la cuisine de la Hog Farm reçoit vite le renfort de spectatrices et spectateurs bénévoles pour faire face à la demande gigantesque.

« Entre la tente de la Hog Farm et la scène, il y avait un bois et c'est dans ce bois qu'on créait et qu'on exposait les œuvres d'art. Parce que c'était un festival "musical et artistique". Il y avait des stands dans toute la forêt et c'était magnifique.

Aujourd'hui, il y a beaucoup de festivals sur le même modèle, avec de la création artistique. [...] Je crois que ces artistes ont tout vendu dès le premier jour. Mais là aussi, c'est devenu très boueux. On avait tracé des chemins [...] et fabriqué des plans pour s'y retrouver, des grands plans en bois, peints à la main. Ils avaient aussi construit une splendide aire de jeux pour les enfants, avec des rondins, il y avait des balançoires, des toboggans et une cage à poules. » LISA LAW

« Un autre groupe est arrivé assez tôt et a cherché des idées pour les enfants. Ils ont participé à la création de cette aire de jeux qui a très bien marché. Ils ont empilé des bottes de foin et on sautait dessus du haut d'une structure en forme d'arbre. Ils ont aussi installé un trépied auquel était suspendu avec des cordes un énorme bloc de pierre de plusieurs tonnes. Juste au-dessous de cette pierre qui se balançait, il y avait un autre bloc de pierre au sol. Les enfants s'amusaient à se faire peur en s'allongeant entre les deux. »

JEAN YOUNG, FESTIVALIÈRE

« On avait garé notre camping-car et monté une petite tente à une dizaine de minutes, je crois, du champ où se trouvait la scène et de ce qui était une sorte de grand amphithéâtre naturel. En retournant du site de la scène à l'endroit où nous campions, on avait l'impression de traverser un village. Si je me souviens bien, il y avait des petits chemins à travers les bois [...]. Le long de ces chemins, des gens avaient installé des étals où ils vendaient surtout des drogues en tout genre. Mais on trouvait aussi d'autres choses, comme des bijoux en perles et tout ce qu'on avait idée de vendre.

Il y avait tout un commerce dans ce bois. Il y avait des gens qui faisaient l'amour, qui se défonçaient, qui se perdaient et qui couraient nus. Il se passait toutes sortes de choses, non seulement dans la forêt, mais aussi tout autour.

J'avais vraiment cette impression qu'il existait un village musical au centre et qu'ensuite, on regagnait les zones d'habitation où les gens campaient, mangeaient et tout. »

ERIC STANGE, FESTIVALIER

Page ci-contre : dans le bois, la notion de village est visible jusque le long des chemins, avec des poteaux indicateurs rappelant des plaques de rues.

2e jour

« Les concerts du samedi sans pluie offrent des summums euphoriques. Les festivaliers prennent leur pied sur les musiques de Quill, Keef Hartley, Santana, Mountain, Canned Heat, Creedence Clearwater Revival, Grateful Dead, Janis Joplin, Sly and the Family Stone, The Who et Jefferson Airplane. En gladiateurs divins sur le front de la conscience, ces groupes emmènent les masses jusqu'à d'inouïs sommets. La pulsation libre du rock au clair de lune unit les tribus au point culminant d'une décennie. La prairie onirique de Woodstock ranime rites anciens et danse du sabbat. Cette musique est un fruit qui plonge ses racines dans le blues et fait jaillir sa pulpe dans un demi-million de têtes. Ce sont les saturnales du siècle, qui envoûtent et possèdent jusqu'à l'aube [...]. »

MICHAEL J. FAIRFIELD, ROCK PROPHECY

Samedi, 12 h 15-12 h 50

Dan Cole : voix

Jon Cole : basse, voix

Norman Rogers : guitare, voix

Phil Thayer : clavier, saxophone, flûte

Roger North : batterie

Groupe de cinq musiciens fondé à Boston par Jon et Dan Cole, deux frères chanteurs-compositeurs, Quill a signé un contrat avec Michael Lang pour qu'il en soit le manager. Puis Woodstock Ventures l'engage pour une série de concerts promotionnels avant le festival. Le groupe passe la semaine qui précède le festival au camp de base installé dans un motel voisin, joue pour l'équipe du festival et se produit dans des prisons, des hôpitaux psychiatriques et des foyers sociaux de la région, en signe de bonne volonté de la part des organisateurs qui souhaitent apaiser les tensions avec la population locale à l'approche du festival. Au cours des deux ou trois années précédentes, Quill s'est assuré le succès grâce à une mise en scène au cours de laquelle ses membres distribuent des instruments de percussion au public pour qu'il joue avec eux. C'est ce qu'ils font à Woodstock en lançant des maracas et autres percussions dans la foule. Malgré un accueil enthousiaste, Quill ne figure pas dans le film en raison d'un problème technique, seulement résolu une fois qu'ils ont quitté la scène : la désynchronisation entre le son et les images a rendu celles-ci inutilisables.

Morceaux : They Live The Life, That's How I Eat, Driftin', Waiting For You

Ci-contre : le chanteur Dan Cole, filmé par le réalisateur Michael Wadleigh. Page ci-contre : Dan Cole et le guitariste Norman Rogers (de dos).

quill

Samedi, 13 h-13 h 30

Country Joe McDonald : guitare, voix

Ce n'est que le dimanche soir que Country Joe et son groupe The Fish doivent jouer à Woodstock. Mais l'ordre de passage des premiers groupes du samedi est perturbé par le retard de musiciens qui ne sont pas encore sur place. Les organisateurs persuadent Country Joe et John Sebastian (qui n'est même pas programmé) de leur venir en aide. En l'absence de son groupe, pas encore arrivé, Country Joe accepte de jouer seul en acoustique et de remplacer les musiciens qui ont des difficultés à parvenir jusqu'au site.

Au milieu des années 1960, Country Joe est devenu une sorte de héros de la contre-culture avec son hymne pacifiste et satirique « I-Feel-Like-I'm-Fixin'-to-Die Rag ». À Woodstock, il le fait précéder de son « Fish Cheer » (« Donnez-moi un F, donnez-moi un U, donnez-moi un C, donnez-moi un K. Ça fait quoi ? »), fameux appel au public auquel celui-ci répond en masse. Avant cet appel, l'accueil de son concert acoustique a pourtant été tiède. Le lendemain, Country Joe remontera sur la scène de Woodstock, cette fois lors de son concert « officiel » du dimanche soir, avec son groupe au grand complet.

Morceaux : Janis, Donovan's Reef, Heartaches By The Number, Ring Of Fire, Tennessee Stud, Rockin' Round The World, Flying High, I Seen A Rocket, The « Fish » Cheer/I-Feel-Like-I'm-Fixin'-to-Die Rag

« Je retourne au micro et je gueule : "Donnez-moi un F !" Là, c'est l'explosion. Je me souviens que je me suis dit : "Bon sang, je peux plus m'arrêter maintenant." J'ai eu beaucoup de cran et d'énergie. Et ça a vraiment bien marché.

Si le public a réagi comme ça, c'est parce que cette chanson était [...] sortie sur un petit label, mais qu'elle était devenue un tube de l'underground. Il y avait une radio de New York qui la passait tous les jours. C'est un an avant, au festival Shaffer de la bière à New York, qu'on avait inventé l'appel au "Fuck". Et 90 % du public de Woodstock étaient de New York. Ils ne savaient pas qui j'étais, ni ce que je faisais, mais quand j'ai crié "Donnez-moi un F", c'étaient les chiens de Pavlov : ils se sont tous arrêtés de faire ce qu'ils faisaient et ont hurlé "F". C'était quelque chose. » COUNTRY JOE MCDONALD

country joe mcdonald

Samedi, 14 h-14 h 45

Carlos Santana : guitare

Gregg Rolie : voix, clavier

David Brown : basse

Jose « Chepito » Areas : timbales cubaines, congas, percussions

Mike Carabello : timbales cubaines, congas, percussions

Michael Shrieve : batterie

D'origine mexicaine, Carlos Santana s'installe à San Francisco en 1962 à l'âge de quinze ans. Il entre rapidement dans le milieu musical local et s'introduit fréquemment dans le Fillmore Auditorium de Bill Graham pour y écouter ses musiciens préférés, comme Muddy Waters et les Grateful Dead, héros de la ville californienne. Son premier groupe, le Santana Blues Band, se produit régulièrement à l'Aquatic Park où se retrouvent les joueurs de congas pour faire des jams. Graham découvre bientôt leur rock latino à base de percussions et signe pour eux un contrat pour être leur manager.

C'est en septembre 1968 que Carlos Santana enregistre pour la première fois, comme invité sur l'album de Mike Bloomfield et Al Kooper en public au Fillmore, *Live Adventures of Mike Bloomfield et Al Kooper*. Bill Graham est tout aussi prompt à signer le groupe (qui a abrégé son nom pour le simple « Santana ») avec CBS Records. Leur premier album – *Santana* – ne paraîtra qu'au bout de plusieurs mois et divers changements de participants. Entre-temps, Graham a persuadé Michael Lang et ses partenaires de programmer le groupe au festival.

Le concert de Santana à Woodstock captive le public avec ses rythmes hypnotiques et ses mélodies exotiques fort bien venues par ce samedi humide, après les premières averses orageuses. Un des grands moments du festival, le passage de Santana – avec son album qui sortira fin août, puis le film à venir – met le groupe sous les feux des projecteurs nationaux et internationaux.

Morceaux : Waiting, Evil Ways, You Just Don't Care, Savor, Jingo, Persuasion, Soul Sacrifice, Fried Neck Bones And Some Home Fries

« On est passés au festival sans avoir encore sorti de disque et, pour beaucoup de gens, on était de parfaits inconnus. On n'était pas très rassurés de se présenter devant une foule pareille. Mais je me suis dit que si Bill [Graham] nous en croyait capables, alors on pouvait le faire. » CARLOS SANTANA

Ci-dessus à droite : Michael Shrieve, Carlos Santana et le cadreur et réalisateur Michael Wadleigh. Ci-contre : Michael Shrieve. Page ci-contre : le bassiste David Brown.

« On est arrivés en hélicoptère et, effectivement, côté organisation, c'était une zone sinistrée. Ceux qui avaient de quoi manger partageaient avec les autres. Toutes les autoroutes étaient fermées dans un rayon de 80 kilomètres. On se serait cru dans un film d'Orson Welles où le temps s'est arrêté. Il y avait des voitures garées tout le long de l'autoroute, tout avait été abandonné. C'est pour ça qu'aujourd'hui encore, les bien-pensants sont stupéfaits qu'un événement pareil ait pu avoir lieu. Et sans bagarre. »

On était sur place vers onze heures du matin et la première personne que j'ai vue, c'est Jerry Garcia. On regardait cette marée humaine. Lui : T'as vu, ça ? Moi : Ouais, incroyable. – Je crois qu'il n'y aura jamais un autre festival comme celui-là. – Ouais, t'as raison. – Il paraît qu'ils sont 450 000. – La vache ! – Vous passez à quelle heure, vous ? – Je crois qu'on doit jouer à quatre heures, cet après-midi. – Nous, on doit passer juste après vous, mais pas avant deux heures du mat'. Alors je crois que vous ne passerez pas avant minuit. De fil en aiguille, j'ai pris de la mescaline, en me disant : "Si j'en prends tout de suite, je serai redescendu au moment de jouer et la vie est belle." Tout faux ! Dès que j'en ai pris et que j'ai commencé à planer, je ne me suis plus souvenu que d'une chose, quelqu'un qui me dit : "C'est ton tour. Si tu ne joues pas maintenant, tu ne joueras pas du tout. Un point, c'est tout." »

CARLOS SANTANA

Ci-dessous : David Brown, guitariste de Santana, et Michael Shrieve, son batteur (de dos).

« Ils ont atterri sur la Lune le jour de mon anniversaire, le 20 juillet, et le mois suivant, on était au grand rassemblement des tribus. J'étais défoncé à la mescaline avant de monter sur scène. Je me souviens que j'ai prié : "Seigneur, aide-moi à ne pas faire de fausse note et à garder le tempo." La musique faisait bouger les gens comme les herbes dans un pré. »

CARLOS SANTANA

123

Samedi, 15 h 30-16 h
John Sebastian : voix, guitare

John Sebastian est alors un grand artiste qui, avec The Lovin' Spoonful, a figuré dix fois au hit-parade des quarante meilleurs titres de *Billboard* entre 1965 et 1968, avant la dissolution du groupe. Habitant plus ou moins à Woodstock depuis le milieu des années 1960, il est au festival comme spectateur et n'a pas l'intention d'y jouer : il n'a même pas apporté de guitare.

Alors qu'il est derrière la scène parmi ses amis et d'autres musiciens, Chip Monck, qui coordonne les passages, en fait un « volontaire désigné » car il a besoin de temps pour nettoyer l'eau de pluie qui est sur la scène. Comme avec Country Joe auparavant, Monck fait appel à Sebastian car il est capable de tenir l'attention d'un public en jouant en acoustique, pendant qu'on prépare la sono pour le groupe électrique suivant. Sebastian emprunte à la hâte la guitare de Tim Hardin et s'avance sur la scène, acclamé par la foule qui l'a aussitôt reconnu.

Objectivement, sa performance n'est pas à la hauteur de ce qu'il sait faire ; il paraît même ne pas se souvenir de toutes les paroles de ses chansons. De son propre aveu, il était sous LSD, mais c'est peut-être aussi parce qu'il s'est retrouvé devant un public de 500 000 personnes sans s'y être préparé et, en plus, en essayant d'improviser de nouvelles chansons. Quoi qu'il en soit, la spontanéité même de son interprétation exprime le frisson tangible qui parcourt le festival, dans cette atmosphère où tout peut arriver.

Morceaux : How Have You Been?, Rainbows All Over Your Blues,
I Had a Dream, Darling Be Home Soon, The Younger Generation

« À Woodstock, il [John Sebastian] est entré malgré lui dans les annales pour avoir suscité la plus forte sensation devant le public le plus nombreux qui soit, sans que son passage ait été prévu. »

JERRY GILBERT, MAGAZINE *ZIG ZAG*

Ci-dessus : John Sebastian derrière la scène avec la guitare Harmony Sovereign prêtée par Tim Hardin. Page ci-contre : Sebastian dans une apparition imprévue, seul devant la multitude de Woodstock.

john sebastian

« J'étais là en simple spectateur, mais comme tous mes copains étaient derrière la scène, j'ai fini par les rejoindre. [...] Et on me disait : "Ah, génial ! Tu passes quand ?" Je répondais : "Je ne joue pas, je n'ai même pas de guitare."

Il se trouve que mon vieux pote Timmy Hardin était là avec sa guitare. C'était pendant la deuxième journée, il manquait encore quelqu'un et il s'était mis à pleuvoir. On me convoque dans une sorte de cabinet de guerre, juste derrière la scène. Et Chip Monck me dit : "Dis donc, il pleut. On a des problèmes avec la sono. On a peur de brancher un ampli sur la scène. Et on s'est dit qu'on ne perdrait pas le public si un mec était capable de retenir son attention en chantant avec une guitare. Tu es l'heureux élu." Alors, je vais voir Timmy et je lui dis que j'ai besoin d'une guitare. Il me passe une Harmony Sovereign, le genre de guitare bien solide pour ceux qui n'ont pas plus de 60 dollars à dépenser. Avec cet instrument et une petite rumeur, je suis allé sur scène sous la pluie, mais quand j'ai terminé, il ne pleuvait plus. »

JOHN SEBASTIAN

Samedi, 16 h 45-17 h 30

Keef Hartley : batterie
Miller Anderson : guitare, voix
Jimmy Jewell : saxophone
Henry Lowther : trompette, violon
Gary Thain : basse

Le batteur Keef Hartley s'est acquis une place, fût-elle mineure, dans l'histoire du rock en remplaçant, en 1962, Ringo Starr dans Rory Storm and the Hurricanes, un groupe de Liverpool, après le départ de Ringo pour les Beatles. Après avoir fait partie des Bluesbreakers de John Mayall, l'un des groupes phares du blues britannique, Hartley fonde sa propre formation de blues rock teinté de jazz en 1969. Très vite, il passe régulièrement dans les clubs et les festivals du Royaume-Uni. Il est difficile de savoir exactement ce que le groupe a joué à Woodstock car leur prestation ne semble avoir été ni enregistrée ni filmée, leur manager s'y étant apparemment refusé en l'absence de contrat écrit. Elle comprend certainement un medley de chansons de *Halfbreed*, leur album sorti en 1969.

Morceaux : Spanish Fly, Think It Over, Too Much Thinking, Believe In You, medley : Leavin' Trunk, Halfbreed, Just to Cry, Sinnin' for You

Page ci-contre : Keef Hartley. Ci-dessus : le guitariste Miller Anderson.
Ci-dessous : Henry Lowther, trompette, et Jimmy Jewell, saxophone ténor.

the keef hartley band

CONSCIENCE D'UN FERMIER MAX YASGUR

BETHEL, État de New York, 17 août

Il y a quelques jours à peine, Max Yasgur n'était qu'un producteur de lait parmi d'autres dans le comté de Sullivan. Aujourd'hui, il reçoit des coups de téléphone menaçant de le chasser en mettant le feu à sa ferme. Mais encore plus d'appels de gens qui le félicitent et demandent comment ils pourraient lui donner un coup de main. S'il jouit d'une notoriété inhabituelle, c'est parce que c'est sur ses 240 hectares que se sont rassemblés des centaines de milliers de jeunes pour le Festival musical et artistique de Woodstock, dont les voitures ont bloqué les routes et empiété sur les plates-bandes. Pourtant, M. Yasgur, producteur de lait depuis son plus jeune âge, a la ténacité qu'ont la plupart des agriculteurs. Ces temps-ci, il ne décroche pas le téléphone. «Jamais je n'aurais pensé que ce festival serait aussi énorme», confiait-il l'autre jour à une de ses connaissances. «Mais si nous voulons que le fossé entre les générations soit comblé, c'est à nous les vieux de faire davantage que ce que nous avons fait.»

Il donne gratuitement des vivres

Plutôt maigre et portant lunettes, il paraît encore plus grand que son mètre quatre-vingts. Pour combler le fossé entre les générations, il fait sa part en distribuant de grandes quantités de produits laitiers aux jeunes du festival, à prix coûtant et souvent gratis. Sa grange rouge, qui donne sur la Route 17B, le long de laquelle s'étire une longue file de voitures, arbore un grand panneau : «Eau gratuite». Il a installé ce panneau après avoir entendu dire que certains habitants vendaient de l'eau aux jeunes. Tapant sur la table d'un poing endurci par le travail, il s'exclame devant des amis : «Dire qu'il y a des gens pour vendre de l'eau !» L'autre jour, tandis qu'il s'apprêtait à donner gratuitement de grandes quantités de beurre et de fromage, quelqu'un lui a demandé sur quoi les jeunes allaient étaler ça. Le soir même, un membre de sa famille revenait à la ferme avec une voiture remplie de pain. M. Yasgur et sa femme Miriam ont deux enfants, une fille, Lois, et un fils, Samuel, adjoint du procureur Frank S. Hogan à Manhattan. Sur les douces collines de la ferme de M. Yasgur pâture un troupeau de 650 vaches laitières, principalement des guernesiaises. Il cultive lui-même le maïs qu'il donne à ses bêtes.

Ses amis s'inquiètent pour sa santé

En le voyant faire les cent pas, chaussé des lourdes chaussures de sécurité qu'il porte depuis presque toujours, ses amis sont inquiets. Ils craignent qu'il ne se fasse un nouvel infarctus car il est cardiaque.

M. Yasgur dort très peu en ce moment et refuse de se reposer pendant la journée. Il embarque souvent à bord de l'hélicoptère qui survole la zone du festival. Un homme du comté qui connaît M. Yasgur depuis longtemps, et qui pense que ce festival est une grosse erreur, nous a déclaré : «Je suis sûr que Max a fait une bonne affaire. Mais je crois que ce qui l'a motivé, c'est autant ses principes que la perspective de gagner de l'argent.» Les financeurs du festival affirment avoir versé 50 000 dollars pour lui louer ses terres. Un homme d'affaires prospère qui commerce depuis longtemps avec le producteur de lait ajoute : «Max est un agriculteur qui gagne bien sa vie, mais c'est aussi un individualiste.»

« Farmer With Soul: Max Yasgur », *New York Times*, 18 août 1969

«Je suis agriculteur […]. Je ne sais pas prendre la parole devant vingt personnes à la fois, et encore moins devant une foule comme la vôtre. Mais je crois que vous venez de montrer quelque chose au monde entier, pas seulement à la ville de Bethel, au comté de Sullivan ou à l'État de New York. Vous avez montré quelque chose au monde entier. Vous êtes le plus grand rassemblement qu'on a jamais vu. On n'aurait jamais imaginé que vous seriez aussi nombreux. C'est pour ça que vous avez eu des problèmes d'eau, de ravitaillement, etc. Vos organisateurs ont fait un boulot de dingues pour que vous soyez bien reçus […] ça leur ferait plaisir d'être remerciés.

Mais surtout, le plus important, c'est que vous avez montré au monde entier qu'un demi-million de gamins – je dis que vous êtes des gamins parce que j'ai des enfants plus âgés que vous –, un demi-million de personnes peuvent se rassembler et passer trois jours à s'amuser et à écouter de la musique, et rien d'autre, et je vous bénis pour ça !»

MAX YASGUR

« Mon père est allé négocier avec les organisateurs, dans ce qu'on appelait le "bâtiment de l'administration", tout en haut de la colline. Nous avions des problèmes avec les voisins qui ne pouvaient pas accéder, qui n'arrivaient pas à faire sortir leur lait ni à aller voir leurs bêtes à cause de la foule et parce que les routes étaient totalement embouteillées.

Alors, il est allé trouver Johnny, Michael et les autres afin de voir ce qu'on pouvait faire pour créer quelques accès. Des jeunes ont vu mon père et lui ont demandé d'aller sur scène. Quand on regarde les images, on voit qu'il est éreinté. Il venait de vivre des jours vraiment très difficiles. On avait débranché une bonbonne d'oxygène du poste à souder à l'acétylène pour l'installer dans son bureau. Mon père avait le cœur en mauvais état, il n'allait pas bien. Il a peut-être cru que sa vie allait être fichue en l'air par ce festival. Les voisins étaient en colère, à juste titre, et ça le perturbait profondément. Quand il est venu sur le site, il n'avait aucune intention de s'adresser à la foule. Il se faisait un sacré mouron. Mais il est monté sur scène et a commencé son célèbre discours d'une minute par ces mots : "Je ne suis qu'un agriculteur." Ensuite, il leur a dit qu'il était fier d'eux. Et ils ont réagi.

Pendant le week-end, ils avaient appris ce qu'il avait fait pour eux, l'eau gratuite, le lait et tout, et qu'il soutenait leur cause, pour ainsi dire. Toute la foule s'est levée et [il y a eu] des applaudissements incroyables pour cet homme avec lequel ils n'avaient rien en commun. »

SAM YASGUR, FILS DE MAX YASGUR

Samedi, 18 h-18 h 40

Mike Heron : divers instruments

Robin Williamson : voix, divers instruments

Christina « Licorice » McKechnie : orgue, voix, divers instruments

Rose Simpson : basse, voix, divers instruments

The 5000 Spirits Or The Layers of the Onion, album folk rock – parfaitement en phase avec le côté mystique et conte de fées du *flower power* –, que sort The Incredible String Band en 1967, est accueilli dans la Grande-Bretagne natale du groupe comme l'équivalent folk du *Sgt. Pepper's Lonely Hearts Club Band* des Beatles. Ils commencent à se faire un nom aux États-Unis après un passage très remarqué au festival folk de Newport en 1968. Leur prestation à Woodstock doit être l'occasion de consolider leur réputation en partageant l'affiche avec Joan Baez, Ravi Shankar et d'autres groupes, pendant leur tournée américaine.

Mais il en sera autrement. Les Anglais doivent passer après Ravi Shankar le vendredi soir, mais c'est le dilemme lorsque le concert du musicien indien est interrompu par la pluie car ils ne peuvent pas jouer leurs morceaux électriques dans l'humidité. John Morris, le régisseur, leur propose un créneau le lendemain, mais leur manager, Joe Boyd, n'est pas enthousiaste car il est persuadé que le groupe ferait meilleure impression avec un concert acoustique après Shankar et avant Arlo Guthrie. Mais les musiciens refusent de jouer en acoustique.

L'intuition de Boyd était sans doute la bonne. Prenant aussitôt la place, Melanie remporte un franc succès. Le samedi après-midi, The Incredible String Band, qui se trouve en compagnie de Santana et de Canned Heat, ne parvient pas à se faire vraiment entendre d'un public surexcité, après une nuit passée sous la pluie et dans la boue, et une journée de drogues et de musiques fortes et enivrantes.

Morceaux : Invocation, The Letter, Gather 'Round, This Moment, Come With Me, When You Find Out Who You Are

the incredible string band

« La beauté sylvestre de la foule des hippies de la veille était méconnaissable. À présent, c'était un champ de bataille. »

JOE BOYD, MANAGER DE THE INCREDIBLE STRING BAND

Page ci-contre en haut : Robin Williamson. Page ci-contre en bas :
(de gauche à droite) Mike Heron, Robin Williamson, « Licorice » McKechnie,
Rose Simpson. Ci-dessous : Mike Heron. Page suivante : (de gauche
à droite) Williamson, McKechnie, Heron et Simpson déjeunent derrière
la scène.

« Joe Boyd, qui était notre manager à l'époque, avait organisé notre tournée américaine. Je crois qu'on a joué au Carnegie Hall avant ou après. Et il nous dit : "Il y a un nouveau festival qui vaudrait peut-être le coup, c'est un petit festival à la campagne." Et il ajoute la date à la tournée. C'était une surprise totale, on ne réalisait pas que c'était aussi énorme.

Quand on est arrivés, il y avait un orage à tout casser et pas vraiment de bâche de protection. Tous ceux qui jouaient en électrique ne voulaient pas aller sur scène. [...] C'est pour ça que des gens comme Richie Havens et Melanie ont fait les bouche-trous, parce qu'ils n'avaient pas d'instruments électriques. Malheureusement pour nous, à ce moment-là, on était en train d'intégrer les filles, Licky et Rose, dans le groupe [...]. Elles faisaient plein de choses, dont une grande partie était électrique. Alors – et Joe ne nous l'a jamais pardonné – on a refusé parce qu'on n'avait pas vraiment envie de faire un concert acoustique, ça n'aurait pas été juste pour les filles.

La scène était très surélevée et pas très sûre. On n'avait jamais joué sur une scène aussi haute et on avait tous un peu le vertige. On est arrivés à bord d'un hélicoptère sans verrière, genre militaire, et ensuite, il a fallu escalader une échelle branlante pour accéder à cette scène très en hauteur. Les filles portaient des petites robes légères très anglaises. On n'était pas très en phase avec les éléments. Joe a toujours pensé que c'était pour ça qu'on n'avait pas fait tellement impression. Quand on est passés, c'était le samedi après-midi, tout le monde pataugeait dans la boue et bouffait des haricots en boîte depuis vingt-quatre heures. Ce que voulaient les gens, c'étaient des groupes comme Canned Heat, qui leur parlaient beaucoup plus que des petits hippies anglais délicats. En plus, à ce stade, ils devaient être sous des drogues plus dures. Le public n'était plus cool et spirituel comme il l'avait été le vendredi.

Joe n'avait pas entièrement tort, mais je ne vois vraiment pas ce qu'on aurait pu faire d'autre. Pendant des années, Robin [Williamson] et moi, on n'a pas arrêté de dire que ce concert était nul, mais ce qu'on voit sur les images n'est pas si mal que ça. Ce qui est raté, c'est qu'on n'a pas joué nos morceaux les plus connus, on a chanté nos chansons du moment, mais pas celles pour lesquelles on était connus. C'est ça, notre erreur et je crois que Joe avait raison, mais je ne vois pas comment on aurait pu jouer le vendredi. Pourtant, ceux qui ont joué, comme Melanie et d'autres, ont été appréciés. » MIKE HERON, THE INCREDIBLE STRING BAND

Samedi, 19 h 30 - 20 h 30

Allan Wilson, dit « Blind Owl » [Chouette aveugle] :
guitare, harmonica, voix

Bob Hite, dit « The Bear » [l'Ours] : voix, harmonica

Harvey Mandel, dit « The Snake » [le Serpent] :
guitare

Larry Taylor, dit « The Mole » [la Taupe] : basse

Adolpho de la Parra, dit « Fito » : batterie

Groupe de Los Angeles, Canned Heat est idéal pour Woodstock, avec deux 45-tours dans les hit-parades des quarante meilleures ventes – « On the Road Again » et « Going Up the Country » – et un public qui suit fidèlement son boogie rock teinté de blues. Pourtant, ils ont failli ne pas arriver à temps. Deux jours avant le festival, le guitariste Henry Vestine quitte le groupe après une engueulade avec le bassiste Larry Taylor, à la suite de quoi le batteur Adolpho de la Parra se plaint qu'ils n'ont pas assez de temps pour répéter avec un nouveau guitariste avant leur concert et part à son tour. Mais Skip Taylor, le manager, ne veut rien savoir et force la porte de la chambre où s'est enfermé le batteur pour le convaincre de jouer. Taylor réussit à faire monter tout le groupe dans l'un des hélicoptères qui font la navette entre le site du festival et les hôtels des environs. Canned Heat arrive juste à temps pour monter sur scène. C'est un concert bon enfant : dans le film, on voit un homme escalader la scène, mais, au lieu de le repousser, le chanteur Bob Hite lui passe une cigarette.

Malgré dix autres années de gloire, la suite de la carrière de Canned Heat est tragiquement marquée par la drogue. Le chanteur Alan Wilson meurt en 1970, puis en 1981 Bob « The Bear » Hite, dont la voix très blues et haut perchée fait partie de la marque de fabrique de ce groupe.

Morceaux : A Change Is Gonna Come, Leaving This Town, The Bear Talks, Going Up the Country, I'm Her Man, Let's Work Together, Too Many Drivers at the Wheel, I Know My Baby, Woodstock Boogie, On the Road Again

« On a toujours trouvé nos trucs en deux jours et on partait aussitôt en tournée. Des fois, ça se voit, des fois, c'est incroyable. À Woodstock, même si on a raté un ou deux morceaux – "Going Up the Country", par exemple –, il y en a eu de vraiment géniaux. En plus, Harvey Mandel n'avait fait qu'un seul concert avec nous avant Woodstock. On a fait une jam de dingue. On adore faire de la musique, c'est tout. » BOB HITE, CANNED HEAT

Ci-contre : Alan « Blind Howl » Wilson. Page ci-contre : Bob Hite avec un fan enthousiaste sur scène.

canned Heat

À la fin de la première journée, le festival est manifestement au bord de la catastrophe. Le manque de préparation pour accueillir près d'un demi-million de spectateurs (sans compter environ un million de personnes supplémentaires qui se trouvent dans les environs sans pouvoir accéder au site) ne concerne pas seulement la vente de billets. C'est la vie même de milliers de jeunes qui est en jeu, face à la nature qui se déchaîne et à l'insuffisance de nourriture et de boissons. Incapables de réagir rapidement et efficacement en raison de la circulation bloquée dans tout le comté de Sullivan, les autorités déclarent le site «zone sinistrée» et font même appel à des unités de la garde nationale. Mais le vrai désastre est évité grâce à la solidarité des spectateurs entre eux et aux actions menées par plusieurs organisations de soutien logistique, dont la Hog Farm et des bénévoles qui ne cessent de se manifester.

La quantité de nourriture et de boissons initialement prévue dans les stands est vite épuisée devant le nombre gigantesque de spectateurs.

«À un moment donné, je suis montée sur la scène – c'était le vendredi – et j'ai annoncé : "Si vous avez faim, la Hog Farm vous servira à manger. On a des stands où vous pourrez vous ravitailler."

Tom, mon mari, m'a dit : "Tu n'aurais pas dû dire ça. […] Ils vont tous rappliquer en même temps." Je lui ai répondu : "Non, non […]. Ça ne va pas se passer comme ça, ils vont venir au fur et à mesure." Et j'avais raison, ils sont venus petit à petit. Il y avait parfois des files de vingt-cinq personnes, sur dix files, mais ce n'est pas beaucoup.

Les stands commerciaux étaient vides dès le premier jour. Alors, c'est nous qui avons nourri tout le monde. Il y a des gens qui avaient apporté de quoi manger. Ils faisaient des petits feux de camp et mangeaient ce qu'ils avaient. Nous, nous servions ceux qui n'avaient rien apporté.

La garde nationale a déposé des vivres par hélicoptère, mais c'étaient des trucs comme des biscottes, des tablettes de chocolat, du Coca-Cola, le genre de trucs qui peut couper la faim, mais qui n'est pas très sain pour des gens qui ne dorment pas pendant des jours. On s'est dit qu'en allant acheter des légumes aux producteurs du coin, on leur donnerait de bonnes choses à manger.

Les bénévoles sont arrivés quand on a commencé à servir. On fournissait les ingrédients et les gens préparaient et servaient. Ils se proposaient pour donner un coup de main. […] Personne ne pouvait rester en permanence devant la scène, il y avait trop de monde. Les bénévoles ont pris leur boulot très au sérieux, parce qu'on était dans une sorte de grande ville, et beaucoup de gens ont décidé de nous aider.

Quand il a fallu aller chercher des légumes, j'ai trouvé un camion et on est allés chez un maraîcher du coin, à qui on a acheté des quantités de nourriture. […] "Donnez-moi ce rang de maïs, donnez-moi ce rang de choux." On chargeait le camion avec des grandes caisses et on retournait au festival.» LISA LAW

«C'est vrai que les gens n'avaient pas apporté beaucoup de choses à manger, mais je me souviens que, de temps en temps, des gros sacs de 2 ou 4 kilos d'oranges passaient de main en main – le deuxième jour peut-être – ou des gros sacs de pommes. Quand on en recevait un sac, on disait juste "Merci", on se servait et on faisait passer. Avec ça, on tenait une demi-journée de plus.» DIANA THOMPSON, FESTIVALIÈRE

« Je suis sorti de la Woodstock Nation épuisé,
sans un rond et plein de sang. C'était une
expérience incroyable, mais ça m'a ouvert
les yeux sur ce que je voulais être en tant
qu'adepte d'une révolution culturelle. »

ABBIE HOFFMAN

Entre le non-conformisme cool des hippies et le militantisme actif des membres radicaux des SDS (Students for a Democratic Society), le Youth International Party (Parti international de la jeunesse), ou Yippies, fondé par Abbie Hoffman, sa femme Anita, Jerry Rubin et quelques autres, est un mouvement anarchiste qui relève davantage du « théâtre de guérilla » ou de farces commises en public que de la confrontation destinée à attirer l'attention. Les Yippies publient des manifestes absurdistes appelant à d'étranges actions de désobéissance civile, encouragés par les discours et les écrits incendiaires (mais délibérément humoristiques) d'Hoffman. Les actions directes qu'ils proposent consistent, par exemple, à encercler le Pentagone pour le faire entrer en lévitation et à répandre du LSD dans le service d'eau d'une ville.

Lorsqu'ils s'engagent dans des opérations plus réalistes, en coopération avec divers mouvements de contestation lors de la convention du Parti démocrate à Chicago en 1968, ils se font tabasser par la police. Hoffman et Rubin écopent même de cinq ans de prison, peine annulée en appel.

À Woodstock, Abbie Hoffman menace de perturber le festival avec une manifestation de masse des Yippies. Les organisateurs leur proposent plutôt de monter un stand où diffuser leur propagande, à condition qu'ils apportent aussi leur aide sur le plan pratique, ce qu'ils acceptent avec une contrepartie. Grâce aux 10 000 dollars que leur donne Woodstock Ventures, ils réalisent un bulletin d'information contenant des renseignements d'ordre médical, ainsi que sur les drogues. Mais une grande partie de cette somme aurait servi à payer les frais de justice du procès imminent d'Hoffman, à la suite de son arrestation à Chicago.

La crédibilité des Yippies au festival en prend un coup lorsque Hoffman bondit sur la scène en plein concert des Who et se lance dans une diatribe pour dénoncer l'arrestation du militant John Sinclair, du parti des White Panthers. Hors de lui, Pete Townshend l'expédie dans la fosse des journalistes à coups de pied, sous les acclamations du public.

Abbie Hoffman a livré ses réflexions sur l'« esprit » de Woodstock, et sur des questions politiques en rapport avec le festival, dans son livre *Woodstock Nation* (1969), rédigé juste après les faits sur le mode du « courant de conscience », en attendant son procès.

« Abbie Hoffman était un déviant génial, un type
merveilleusement inventif – tout foutre en l'air, tout casser,
se moquer de tout, ridiculiser, détruire, tout était bon – pour le
plaisir, pour voir ce que ça allait donner. J'ai rencontré Abbie
à sa demande, invitation qui ne se refuse pas, et je lui ai dit :
"Écoute, Abbie, je sais que tu as envie de faire une sorte
de grande présentation à Woodstock, mais ce n'est pas le lieu,
c'est du rock'n'roll, c'est un week-end de paix et de musique."
Il me répond : "J'en ai rien à foutre. Faites un gros chèque
pour mon mouvement et on restera cools. – De combien ?
– Je veux 10 000 dollars." » JOEL ROSENMAN

« On a fait un deal en leur offrant 10 000 dollars [...] : « Puisque les gens vous intéressent tant que ça, alors aidez-les. On vous donnera de l'argent si vous faites un bulletin de survie pour expliquer aux gens comment rester vivants jusqu'à la fin du week-end, si c'est ce qui vous intéresse." L'idée leur a beaucoup plu, ils ont accepté, ils ont même apporté une presse. L'argent qu'on leur a donné nous a donc un peu servi. »

Ci-contre : Abbie Hoffman (au centre) manifestant lors d'une convention du Parti démocrate à Grant Park, Chicago, en août 1968. En médaillon : la couverture de son livre *Woodstock Nation*.

mountain

Samedi, 21 h-22 h

Leslie West : guitare, voix
Felix Pappalardi : basse
Steve Knight : claviers
Norman « N. D. » Smart : batterie

Diplômé du conservatoire de musique du Michigan, Felix Pappalardi traîne dans les milieux du folk à Greenwich Village (il est le bassiste de Tim Hardin pendant une courte durée), avant de se faire un nom comme musicien de studio, arrangeur et producteur. Il produit trois albums pour Cream, *power trio* (guitare, basse, batterie) de Grande-Bretagne. Très influencé par cette expérience, il crée le groupe Mountain et lui donne une forme qui va bientôt devenir le hard rock. Pappalardi découvre Leslie West qui joue dans The Vagrants, un groupe new-yorkais qu'il produit, et l'invite à le rejoindre. Il trouve ensuite le batteur Norman Smart, dit « N. D. ». Soucieux de ne pas se contenter d'imiter le grand groupe britannique, il recrute également Steve Knight, originaire de Woodstock.

Leur concert débute avec « Blood of the Sun », qui deviendra leur morceau d'ouverture systématique, et se poursuit avec « Stormy Monday » – sans doute jamais joué avec un tempo aussi hard – et « Theme for an Imaginary Western », écrit par Pete Brown et Jack Bruce, respectivement parolier et bassiste de Cream.

Lorsqu'il passe à Woodstock, Mountain n'a fait que trois concerts auparavant, mais son rock ultra-fort et mâtiné de blues est totalement en phase avec les vibrations du festival et précurseur d'un rock encore plus hard. Peu de *roadies* de Woodstock figurent dans les livres sur l'histoire du rock, mais Corky Laing, qui s'occupe alors de Mountain, en deviendra le batteur quelques mois plus tard.

Morceaux : Blood of the Sun, Stormy Monday, Theme for An Imaginary Western, Long Red, Who Am I But You And The Sun [Pour la ferme de Yasgur, alors sans titre], Beside The Sea, Waiting to Take You Away, Dreams of Milk and Honey, Guitar Solo, Southbound Train

« D'habitude – on n'arrivait jamais la veille au soir –, la limousine venait nous chercher le matin et on allait sur le lieu du concert en voiture. On a appris que ce ne serait pas possible, que les routes étaient entièrement bloquées, et que c'était le bordel. La voiture n'est pas venue nous chercher à dix heures, mais environ deux heures plus tard parce qu'il fallait y aller en hélicoptère. Au lieu de nous emmener au festival, le chauffeur nous a déposés à l'héliport de l'East Side [à New York]. Évidemment, en approchant du site, on a vu les voitures toutes garées à angle droit avec la route. [...] En tout cas, je crois que la première fois qu'on a vraiment réalisé que ce festival était vraiment extraordinaire, c'est quand on est montés sur scène. J'ai levé les yeux du clavier de mon [Hammond] B3 et j'ai vu des petites flammes, des petits briquets, des petites lumières à perte de vue dans l'obscurité. [...] C'était énorme, mais c'était aussi impossible de jouer pour autant de gens. Alors il faut jouer pour ses partenaires, là où on est, et avec un peu de chance, on a de bons techniciens qui savent faire passer la musique. Côté sécurité, c'était très bien organisé. L'hélico s'est faufilé jusqu'à un endroit qui se trouvait sur la colline, derrière la scène. Il y avait des passerelles, on était obligés de les prendre pour aller d'un point à un autre. À chaque bout, des gens laissaient passer ceux qui se produisaient et pas les autres. »

STEVE KNIGHT, MOUNTAIN

« L'hélicoptère a dû faire deux tours pour nous emmener parce que j'étais beaucoup plus gros à l'époque. Mon manager avait apporté cinq poulets rôtis. Janis Joplin s'était enfilé tous les bagels. On a fait un petit feu de camp derrière la scène et, à deux heures du matin, on était contents d'avoir les poulets. » LESLIE WEST, MOUNTAIN

Page ci-contre : le guitariste Leslie West. En insert : Felix Pappalardi, fondateur de Mountain.
Ci-contre : West et le batteur « N. D. » Smart à l'arrière-plan.

GRATEFUL DEAD

114

« C'est le pire concert qu'on ait fait. C'était le chaos total. Dans le public, ça hurlait que la scène s'effondrait. Jerry Garcia se faisait électrocuter chaque fois qu'il touchait sa guitare. »

MICKEY HART, GRATEFUL DEAD

Samedi, 22 h 45 - Dimanche, 0 h 30

Jerry Garcia : guitare, voix

Bob Weir : guitare

Ron « Pig Pen » McKernan : claviers, voix

Tom Constanten : claviers, voix

Phil Lesh : basse

Bill Kreutzmann : batterie

Mickey Hart : batterie

Ils n'étaient pas réputés pour leur sens de la cohésion (s'étant fait un nom en accompagnant musicalement les fameuses fêtes « acid test » au LSD de Ken Kesey en 1966). Pourtant, même selon leurs critères anarchiques, les Grateful Dead n'ont pas fait leur meilleur concert à Woodstock. Manifestement défoncés en arrivant d'un pas tranquille sur la scène, déjà en retard en raison d'une série de problèmes électriques, ils ont un matériel sonore très lourd qui menace la stabilité de la scène. Pour couronner le tout, la pluie diluvienne met réellement le groupe en péril. Jerry Garcia et Bob Weir reçoivent de violentes décharges électriques. Weir se voit même projeté à travers la scène.

Ils ont du mal à interpréter correctement leurs succès les plus connus et enchaînent problèmes de son, faux départs et longues pauses. Il se passe même dix bonnes minutes entre deux morceaux, pendant lesquelles ils échangent des propos incohérents. Alors que les problèmes de sono ne sont pas encore résolus, ils concluent avec « Turn on Your Lovelight », une jam de quarante minutes. Même les fans les plus fervents – surnommés les « Deadheads » – s'accordent à dire que la prestation de Woodstock a été une belle pagaille. Mais d'autres estiment que le chaos musical collait bien avec l'anarchie générale du festival.

Morceaux : St. Stephen, Mama Tried, Dark Star/High Time, Turn on Your Lovelight

Ci-contre : des *roadies* se reposent. Au moment du festival, les Grateful Dead sont connus pour avoir le matériel sonore le plus volumineux de tous les groupes. Ci-dessous : Jerry Garcia.

grateful dead

« Chaque fois que je touchais ma guitare, je recevais une décharge électrique. Comme la scène était mouillée, l'électricité passait à travers moi. Je faisais conducteur ! J'ai failli y passer en touchant à la fois ma guitare et le micro. Il y a eu une grosse étincelle bleue de la taille d'une balle de base-ball, et je me suis retrouvé à 3 mètres en arrière, à côté de mon ampli. » BOB WEIR, GRATEFUL DEAD

Ci-dessus : Ron «Pig Pen» McKernan, claviers et voix, et, page ci-contre, avec sa partenaire Veronica «Vee» Barnard. Ci-dessous : (de gauche à droite) Jerry Garcia, Bill Kreutzmann, Bob Weir et Mickey Hart.

« Les gens étaient tout de même contents du spectacle, ils pensaient moins à la pluie, au vent et à la boue, sans se soucier de ce qui se passait sur scène. Si on avait fait un bon concert, on les aurait sans doute transportés dans une autre réalité. Certains groupes ont fait carrière grâce à Woodstock. Nous, on a mis une vingtaine d'années à se faire pardonner. » BOB WEIR

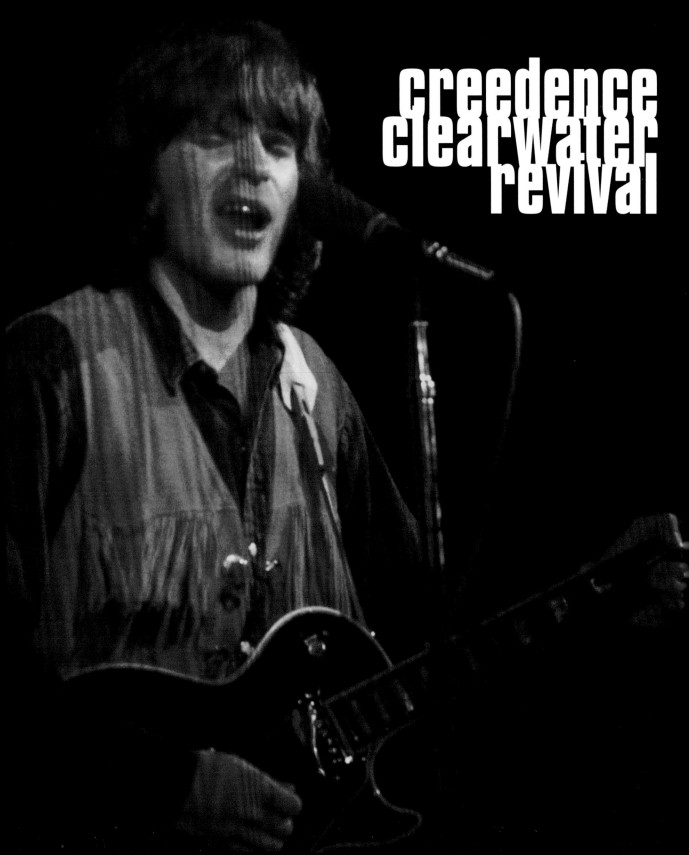

creedence clearwater revival

Dimanche, 1 h-1 h 50

John Fogerty : voix, guitare, harmonica, piano
Tom Fogerty : guitare rythmique, voix
Stu Cooke : basse
Doug « Cosmo » Clifford : batterie

Du point de vue commercial, Creedence Clearwater Revival est le groupe qui connaît alors le plus grand succès. Ils ont à leur actif deux titres dans le hit-parade des 45-tours de *Billboard* en 1969 – « Proud Mary » et « Bad Moon Rising » – et sont sur le point d'en avoir un troisième, « Green River », au moment où ils passent à Woodstock. Au début de 1969, leur album *Bayou Country* est classé dans les dix meilleures ventes et le suivant, *Green River*, va bientôt être en tête de liste.

Au cours des deux mois qui précédent Woodstock, Creedence a partagé l'affiche avec les plus grands groupes de l'époque : les Mothers of Invention et Jimi Hendrix au festival pop de Denver en juin ; Hendrix, Jethro Tull et les Byrds le même mois au festival Newport '69 en Californie ; Janis Joplin, Canned Heat et Blood, Sweat and Tears au festival d'Atlanta en juillet. Ce sont donc de vieux routiers des festivals.

Leur concert de onze morceaux de rock basique aux accents de blues est très bien accueilli par le public, mais ne figure pas sur le triple album *Woodstock*, en raison d'insolubles problèmes de contrat entre leur label, Fantasy, et Atlantic Records, productrice de la compilation.

Morceaux : Born on the Bayou, Green River, Ninety-Nine and a Half (Won't Do), Commotion, Bootleg, Bad Moon Rising, Proud Mary, I Put a Spell on You, Night Time Is the Right Time, Keep on Chooglin, Suzy Q

« Creedence a eu le privilège de passer après Grateful Dead vers 2 h 30 [*sic*] du matin le deuxième jour. À l'époque, on était le groupe le plus connu de la terre. On était prêt à leur en donner, du rock. On a attendu, attendu, attendu et c'était enfin notre tour. Je me suis dit : "Eh ben ! On passe après le groupe qui a réussi à endormir un demi-million de personnes." J'arrête pas de chanter du rock et de hurler, mais au bout de trois chansons, je regarde au-delà des projecteurs et je vois des corps emmêlés sur cinq rangs : ils sont tous en train de dormir. Et ils sont défoncés. J'ai regardé le public et j'ai fait : "Sur la scène, on s'amuse bien. J'espère qu'une partie d'entre vous aussi." Je voulais simplement savoir s'il y en avait qui ne dormaient pas. Parce qu'ils étaient un demi-million à roupiller. Ils étaient H.S. J'avais beau faire ce que je pouvais, ils étaient ailleurs. On aurait dit un tableau d'une scène de Dante, des corps en enfer, entremêlés et endormis, couverts de boue.

C'est là que s'est passé un truc que je n'oublierai jamais. À l'autre bout de cette cuvette, à 400 mètres dans le noir, un type fait clignoter son [briquet] Bic et j'entends une voix qui dit : "T'en fais pas, John. On est avec toi." Le reste du concert, je l'ai fait pour ce gars-là. » JOHN FOGERTY, CREEDENCE CLEARWATER REVIVAL

Page ci-contre : John Fogerty. Ci-dessous : (de gauche à droite), Tom Fogerty, Stu Cooke, Doug Clifford, John Fogerty.

Dimanche, 2 h 30 - 3 h 30

Janis Joplin : voix

Terry Clements : saxophone ténor

Cornelius « Snooky » Flowers : saxophone baryton

Luis Gasca : trompette

John Till : guitare

Richard Kermode : claviers

Brad Campbell : basse

Maury Baker : batterie

Le passage à Woodstock de Janis Joplin, accompagnée de son nouveau groupe, The Kozmic Blues Band, est marqué par les discordances et les fulgurances propres à la chanteuse. La petite Texane qui beugle le blues est devenue un grand nom de la musique à San Francisco entre 1966 et 1968, avec son premier groupe, Big Brother and the Holding Company. C'est en 1967 qu'on peut la voir à son apogée, au festival pop de Monterey, ainsi que dans le film consacré à cette manifestation. Fidèle à sa double image de reine du psychédélisme et de diva très portée sur la boisson, elle est rongée par l'alcool et la drogue. À Woodstock, après une longue attente, la jeune femme de vingt-six ans ne montre pas son plus beau visage, d'autant qu'elle cherche encore ses marques avec le Kozmic Blues Band car les musiciens ne jouent ensemble que depuis décembre 1968. Elle fait un concert de dix chansons, bien reçu par le public, mais que beaucoup de connaisseurs ne trouvent pas à la hauteur de Janis.

La majeure partie du concert est composée de morceaux de *I Got Dem Ol' Kozmic Blues Again Mama!*, son premier album solo, sur le point de sortir, ainsi que d'une reprise de « Raise Your Hand », du chanteur soul Eddie Floyd, d'une interprétation très originale du « Summertime » de George Gershwin, et du classique d'Otis Redding « Can't Turn You Loose » dans lequel le saxophoniste « Snooky » Flowers chante également, un peu aidé par Janis. Le public reconnaît aisément les deux bis, « Piece of My Heart » et « Ball and Chain », qui appartiennent au répertoire de Big Brother and the Holding Company.

À peine plus d'un an après Woodstock, le 4 octobre 1970, Janis Joplin est retrouvée étendue sur le sol d'une chambre de motel à Los Angeles. Elle a succombé à une surdose d'héroïne.

Morceaux : Raise Your Hand, As Good As You've Been to This World, To Love Somebody, Summertime, Try (Just a Little Bit Harder), Kozmic Blues, I Can't Turn You Loose, Work Me Lord, Piece of My Heart, Ball and Chain

janis joplin

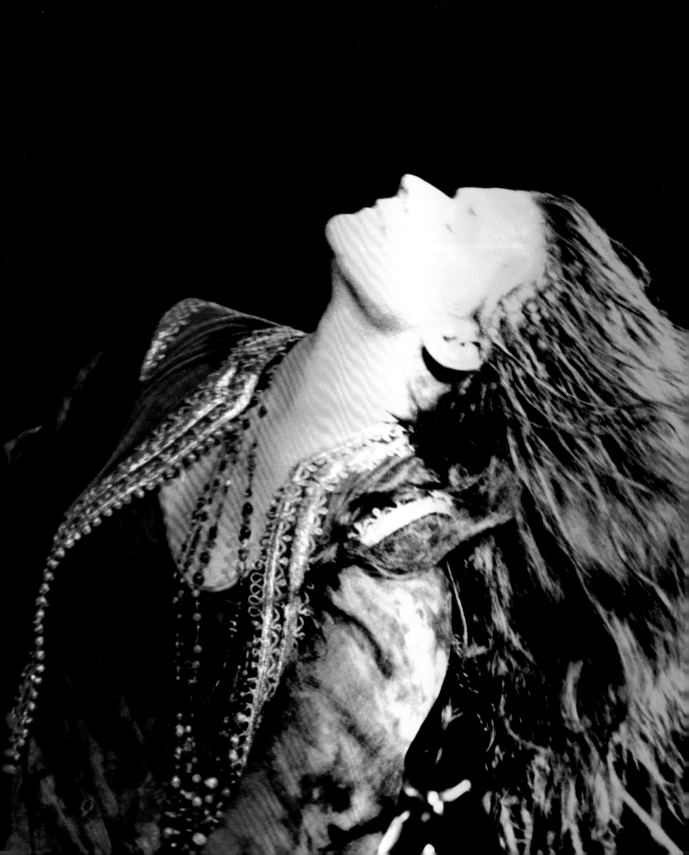

« À mon avis, Janis était fabuleuse. »
BILL HANLEY, INGÉNIEUR DU SON

« On est arrivés plusieurs heures avant qu'elle passe. On avait beau être mi-août, c'est plus d'un mois avant l'équinoxe et il ne fait pas noir de bonne heure. En tout cas, on a attendu dans la tente derrière la scène. Moi, j'essayais de m'occuper, mais Janis, elle, s'est mise à discuter avec quelqu'un qu'elle connaissait et à boire.

Je crois que ce soir-là, le problème est en partie venu du fait que, même s'ils avaient eu une journée pour rattraper le retard du début, avec le concert légendaire de Richie Havens, pendant deux heures et quelque, ça traînait encore au bout d'une journée et demie. Tous les groupes étaient décalés.

Janis devait passer à neuf ou dix heures du soir. Il y a plein de gens qu'elle connaît. Elle est entourée de musiciens, de gens de son milieu. Au lieu de faire les cent pas en se disant "Faut que je monte sur scène, merde !", elle bavarde et discute. Il y a peut-être eu un moment dans la soirée où elle s'est dit : "Je commence à fatiguer, je veux chanter, rentrer chez moi et dormir." Mais je crois que, comme tous les copains étaient là [...], elle est restée dans la tente à discuter et, dans ces cas-là, elle buvait.

Personne ne nie qu'elle avait sans doute trop bu. Avant un concert, elle mettait la pédale douce et se faisait plaisir après. Elle disait toujours qu'elle buvait un verre ou deux avant de monter sur scène pour se donner un petit coup de fouet. C'est ça qu'elle voulait avant de chanter. Pas boire des cocktails pendant des heures. En même temps, elle n'aurait pas pu y aller mollo entre huit heures et onze heures et demie. »

JOHN BYRNE COOKE, MANAGER DES TOURNÉES DE JANIS JOPLIN

Page ci-contre : Janis Joplin (à droite) derrière la scène de Woodstock avec Peggy Caserta, amie de longue date et parfois amante.
Ci-contre : Janis en compagnie de son saxophoniste « Snooky » Flowers qui chante ici avec elle.

« Janis Joplin, la chanteuse texane devenue si célèbre
comme membre de Big Brother and the Holding Company, groupe
de San Francisco aujourd'hui dissous, s'est produite samedi soir
avec son propre groupe, qui n'a pas encore de nom.
Si ce concert a une importance particulière pour Mlle Joplin, c'est parce que
sa carrière a reçu son plus gros coup de pouce en 1967 au festival de Monterey,
en Californie, la toute première de ces grands-messes du rock.
Son passage ici a fait moins impression. Elle a chanté de sa voix forte et rauque
et a été très applaudie, mais c'était un concert problématique. Mlle Joplin est une chanteuse
très émotive qui peut avoir de soudaines explosions d'énergie. C'était aussi le cas de Big Brother
and the Holding Company. La précision cédait le pas à la spontanéité et l'enthousiasme,
et tout le monde y gagnait. Son nouveau groupe est dix fois plus précis et techniquement en place
que Big Brother, mais beaucoup moins intéressant. Mlle Joplin a interprété ses chansons
connues comme « Piece of My Heart » et « To Love Somebody » des Bee Gees. Parmi ses nouvelles
chansons, l'une des meilleures est « Work Me, Lord », écrite par Nick Gravenites,
chanteur d'un autre groupe défunt, The Electric Flag. » MIKE JAHN, *NEW YORK TIMES*

Ian Gibson est un ancien député au Parlement britannique. En 1969, il était jeune chercheur en sciences à l'université du Michigan et probablement l'un des rares Britanniques parmi le public de Woodstock.

« Au labo, des étudiants m'avaient dit : "On va dans un gros festival, tu viens ?"

J'y suis allé en voiture avec eux trois, ils n'étaient même pas en licence. Ils avaient eu des billets et on a fini par y aller ensemble.

Les étudiants américains ont toujours été très amicaux, ils ont un faible pour les Britanniques. […] On a beaucoup bu de… Comment s'appelle ce whisky du sud des États-Unis, déjà ? Du Jack Daniels. C'est comme ça que j'ai découvert le Jack Daniels.

Il y avait deux splendides blondes. Je crois que l'une venait de New York et l'autre de l'Indiana. Elles avaient le look américain […] des New Christy Minstrel [groupe de musique folk américaine des années 1960], qui avaient toujours des cheveux bruns ou des cheveux blonds. Elles ressemblaient à ce genre de groupes folk.

Tout le monde glandait. On n'était pas venus que pour la musique. On se baladait, on mangeait des hamburgers, on parlait avec les gens. De toute façon, on était parfois trop loin de la scène. Dès qu'on bougeait, on perdait sa place, mais personne ne se fâchait. Il n'y avait pas de bagarres, ni de coups de couteau. Ça baisait dans tous les coins. C'était l'ambiance qui voulait ça, puisqu'on ne parlait que d'amour. Je crois qu'on n'a pas beaucoup dormi. On ne s'en préoccupait même pas. On a vu tout le festival et on est même restés une nuit de plus parce que c'était impossible de sortir.

Je n'ai jamais oublié tout ça. Pour moi, c'était formateur parce que je voyais toute une nation de jeunes se lever contre la guerre. C'étaient des jeunes ordinaires. […] C'était leur truc à eux, leur fête, leur mouvement. […] Ils n'étaient pas du tout fiers d'être américains. La moitié des gens n'a vu aucun concert, ils y étaient pour en être.

Quand on regarde la vidéo [le film], on ne saisit pas bien l'atmosphère du festival, c'est un peu formaté pour le marché de la vidéo.

C'était un vrai cirque ! Il a même plu, un jour – il pleut toujours dans les festivals –, alors on a fait des glissades. En gros, on n'en avait rien à foutre, on faisait n'importe quoi. Après ça, il a fallu retourner à l'université et faire comme s'il ne s'était rien passé ! » IAN GIBSON

Cette page : le drapeau du Royaume-Uni signale l'existence d'une enclave britannique au festival.

Barnard Law Collier, du *New York Times*, est l'unique correspondant d'un grand journal à avoir été présent pendant les trois jours du festival, et même le seul journaliste à y avoir assisté pendant les deux premiers jours. Ses articles sont marqués par l'urgence sincère qui caractérise les reportages de guerre. Celui du 16 août contient l'avertissement sévère d'une possible catastrophe sanitaire.

300 000 PERSONNES

BETHEL, État de New York, 16 août

La plupart des jeunes prêts à se déhancher n'ont entendu la musique provenant de la scène que sous la forme d'une rumeur lointaine. Il leur était presque impossible de dire qui jouait et il est probable que la moitié des spectateurs n'a pas pu entendre la moindre note. Ils sont pourtant restés par milliers, souvent avec de la boue jusqu'aux chevilles, payant parfois 25 cents un verre d'eau à des vendeurs qui ont le sens des affaires. Ce soir, les routes qui partent du site du festival étaient encombrées de milliers de jeunes épuisés qui tentaient de se rendre là où ils pouvaient se ravitailler et trouver un moyen de transport.

Les responsables médicaux de la manifestation ont déclaré qu'au cours des vingt-quatre premières heures du festival, 1 000 personnes avaient été reçues dans les tentes de premiers secours pour des maux divers, hypothermie notamment, et quelques accidents. Environ 300 sont tombés malades à la suite de mauvaises réactions aux drogues.

NEW YORK TIMES, 17 AOÛT 1969

Ci-dessus et ci-dessous : la débrouillardise woodstockienne concerne l'aide médicale, les conseils sur les différentes drogues et la solidarité en général, surtout quand une véritable crise paraît inévitable.

DES MÉDECINS ENTRENT EN SCÈNE

BETHEL, État de New York, 16 août

Répondant à un appel des financeurs du festival, une douzaine de docteurs sont arrivés de New York en avion sur les lieux situés à 110 kilomètres de la ville, près des petites villes touristiques de Liberty et de Monticello, dans les monts Catskill.

Michael Lang, l'organisateur du festival, âgé de vingt-quatre ans, a précisé que l'aide médicale avait été sollicitée non parce que des maladies s'étaient déclarées, mais en raison de la menace potentielle d'une épidémie de grippe ou de pneumonie dans un rassemblement d'une telle envergure.

NEW YORK TIMES, 17 AOÛT 1969

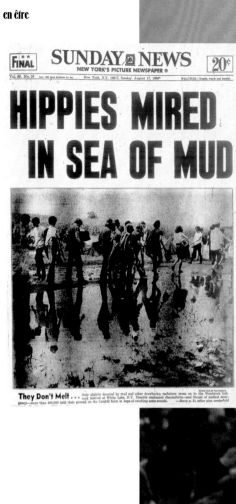

Ci-dessus : « Bain de boue pour
des hippies ».
Ci-contre : Nick et Bobbi Ercoline
ne savaient pas qu'ils étaient
photographiés par Burk Uzzle pour une
image qui allait devenir un symbole de
Woodstock. C'est en voyant la pochette
du disque à sa sortie quelques mois
plus tard qu'ils l'ont découverte. « On
était cinq assis par terre et l'un de nous
avait acheté l'album. En l'écoutant,
nous nous sommes passé la pochette.
Tout d'un coup, l'un de nous a fait :
"Eh ! Mais c'est le papillon d'Herbie !
Et là, c'est Bobbi et Nick !" » Ils se sont
mariés deux ans après Woodstock
et vivaient toujours ensemble lorsqu'ils
ont été interviewés à propos de cette
photo en 2005.

«Le samedi soir, même le moins futé des managers de groupe a commencé à se dire qu'on avait peut-être des difficultés financières. On a reçu des appels, vers minuit, je crois, des managers des Grateful Dead et des Who : "Il paraît que vous êtes fauchés, les gars, et que vous allez nous faire des chèques en bois. Nous, on veut du liquide." Je leur réponds : "Je vous comprends, mais on est samedi, il est minuit, je ne vais pas pouvoir trouver du liquide à cette heure-ci, on verra ça demain. Faites jouer vos groupes et on vous paiera sans faute, ne vous inquiétez pas." Et ils me disent : "Mais si, on s'inquiète […] ta parole et ton chèque, ça ne suffit pas. On veut du liquide ou un chèque de banque." J'ai fini par dire : "Je peux toujours appeler Charlie Prince [le directeur de la banque] […] Il aura peut-être une idée de génie."

Je l'appelle : "Tu penses que tu pourrais me trouver 50 000 dollars ?" Lui : "Ça, je ne crois pas. On met tout dans des coffres avec retardateur, les chèques de banque et tout le liquide. […] Attends ! Je viens de réaliser qu'il y a peut-être un tiroir de chèques de banque que je n'ai pas verrouillé vendredi soir. Ça se pourrait. […] Je vais voir."

Alors je lui dis : "Ce serait génial, Charlie. Tu me rappelles ?" Lui : "Bien sûr. […] Mais comment faire pour vous rejoindre ? La dernière fois que j'ai essayé, c'était impossible." Je réponds : "Ça, je m'en occupe. Attends dans ton jardin, je t'envoie un hélico." Je raccroche, je fais décoller un hélicoptère et, vingt minutes plus tard, il est chez Charlie qui l'attend en peignoir. On aurait dit une scène de *Rencontres du troisième type* quand l'hélico s'est posé, avant de l'emmener jusqu'à la succursale de White Lake.

Une fois arrivé à la banque, il me téléphone pour me dire qu'il y est et qu'il va chercher : "Je pose le téléphone sur le bureau et je te reprends dès que j'ai trouvé les chèques."

Ci-dessus : Michael Lang et Artie Kornfeld. Page ci-contre, en haut : Joel Rosenman et John Morris. Page ci-contre, en bas : Artie Kornfeld (à gauche).

Il pose le téléphone, je l'entends farfouiller dans la banque, avec des bruits de tiroir, et tout d'un coup : "Ça y est ! Je les ai !" Dans notre bureau de White Lake, tout le monde s'est écrié : "Ouais !!" »

JOEL ROSENMAN

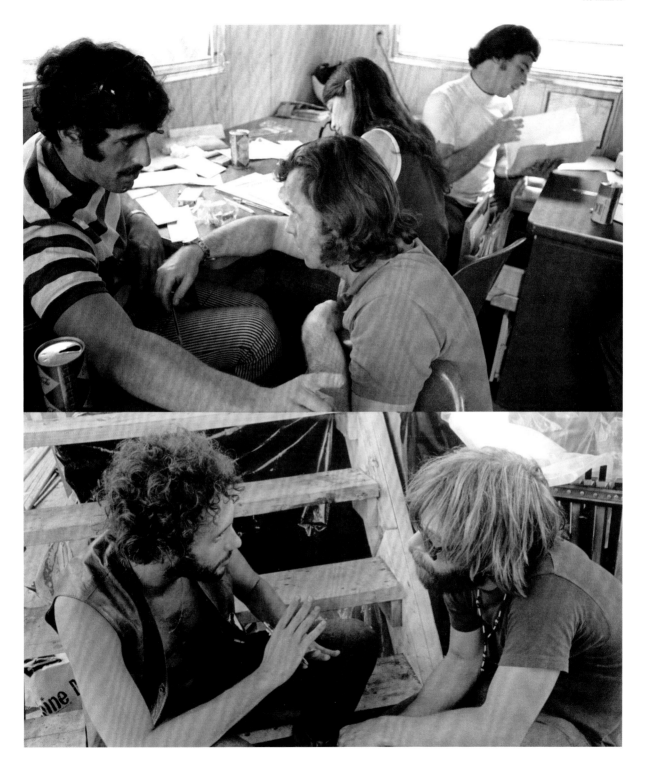

sly and the family stone

Dimanche, 4 h - 5 h

Sly Stone : voix, clavier, harmonica

Freddie Stone : guitare, voix

Jerry Martini : saxophone

Cynthia Robinson : trompette

Rosie Stone : clavier, voix

Larry Graham : basse

Gregg Errico : batterie

C'est en 1966 que Sylvester Stewart, dit « Sly Stone », fonde son groupe de musique soul, composé de femmes et d'hommes noirs et blancs. Lorsqu'il est programmé, tardivement, à Woodstock, plusieurs de ses chansons ont déjà été des tubes aux hit-parades, dont « Dance to the Music », « Everyday People » (nº 1 du hit-parade de *Billboard*) et « Hot Fun in the Summertime ».

Si les organisateurs ont hésité à programmer ce groupe de San Francisco, c'est qu'il a la réputation d'être « difficile », après s'être illustré dans le déclenchement d'hystéries collectives – alimentées depuis la scène par le charismatique Sly – à la limite de l'émeute. L'incident le plus grave s'est produit un mois plus tôt au festival de jazz de Newport, lorsque des centaines de spectateurs sans billet ont forcé les barrières pour s'engouffrer parmi les 21 000 spectateurs payants qu'ils ont fait fuir, tandis qu'une bataille rangée avec les responsables de la sécurité a eu lieu à coups de pierres.

Pourtant, la programmation de Sly and the Family Stone a quelque chose de visionnaire car son funk psychédélique jouera un rôle crucial dans le développement de la musique soul et, par voie de conséquence, sur celui du disco au début des années 1970. En outre, le message politique d'une grande partie de ses chansons est dans l'esprit du temps avec ses appels à la paix, à l'amour et à la tolérance, marqués toutefois par une forte conscience noire.

Morceaux : M'Lady, Sing A Simple Song, You Can Make It If You Try, Everyday People, Dance To The Music, Music Lover, I Want To Take You Higher, Love City, Stand!

« **Sly faisait un effet incroyable sur les foules. À Woodstock, ils dormaient tous dans leurs sacs de couchage et il les a fait sortir de leurs duvets. Quand il était sur scène, Sly devenait Napoléon ou Hitler. Il était capable de les pousser à l'émeute. De les faire s'asseoir. De leur faire faire n'importe quoi quand il avait les choses en main.** » JERRY MARTINI, SLY AND THE FAMILY STONE

« On pensait que ça allait être un festival comme les autres. On ne se doutait pas que ce serait aussi énorme. On était logés dans un petit motel. On n'a joué que le deuxième soir. Quand on y est allés, on a marché dans la boue. Ils ne nous ont pas emmenés en hélicoptère parce que les hélicos étaient pour les secours. Ils nous ont conduits en limousine à travers ce labyrinthe et on a été reçus comme une famille royale. On devait jouer à dix heures du soir. Mais on a attendu dans les tentes jusqu'à trois heures et demie du matin. Tout le monde dormait dans des duvets. Nous, on était un peu shootés, mais les gens sont sortis de leurs sacs de couchage. Il y avait un de ces retards. On est montés sur scène, on avait une pêche d'enfer. » JERRY MARTINI, SLY AND THE FAMILY STONE

« On avait la trouille. J'ai entendu les autres groupes qui sont passés dire la même chose. On regardait le public et on avait un de ces tracs. Même avant de voir les gens, on ressentait toute l'énergie et on savait que c'était fort. On devait passer à huit heures du soir. On était installés dans la caravane, gonflés d'adrénaline, prêts à y aller. Mike Lang se pointe, il nous dit qu'il y a du retard et qu'il faut attendre. Deux heures passent. On n'est montés sur scène qu'à trois heures et demie du matin. Physiquement, on était fatigués, avec toute cette adrénaline qui faisait des yoyos, à ressentir des coups de fouet pour y aller, pendant six ou sept heures d'affilée. […] Les gens dormaient, c'était en pleine nuit. Il venait de pleuvoir. Le simple fait de se montrer devant ce public, c'est le genre de truc que personne n'avait prévu. Ça faisait déjà vingt-quatre heures, peut-être même trente-six, qu'ils étaient là à écouter de la musique, à trouver de quoi manger, à faire la queue pour aller aux toilettes. Ils étaient épuisés. C'était la nuit. Nous, ça faisait des heures qu'on attendait. Ils étaient au fond de leurs duvets, fatigués, complètement à plat, affamés et tout, et il fallait monter sur scène pour les secouer. Ça se sentait. Au début, on a fait ce qu'on a pu. On sentait que ça se traînait et puis, tout d'un coup, au troisième morceau, je crois, on commence à voir des têtes remuer, des gens qui se mettent vaguement à bouger. Sly l'a ressenti. Il était rodé. Il n'y en avait pas deux comme lui pour amener un public à faire n'importe quoi. Il s'est mis à leur parler. On a senti que tout le monde commençait à écouter la musique, à se réveiller, à se mettre debout et à danser. » GREGG ERRICO, SLY AND THE FAMILY STONE

Ci-contre : Sly et son frère Freddie chantent ensemble.

« Je ne me doutais pas que ce serait un festival aussi gros que ça. En arrivant sur place, j'ai compris qu'il y avait beaucoup de monde, mais c'est quand on est montés sur scène que j'ai vraiment réalisé. On a enchaîné les chansons mais on sentait que le public était mou. Quand on s'est arrêtés de jouer, on a entendu un rugissement comme on n'en avait jamais connu. Il faisait noir, on ne voyait pas les gens, mais bon sang ! on les a entendus. »

LARRY GRAHAM, SLY AND THE FAMILY STONE

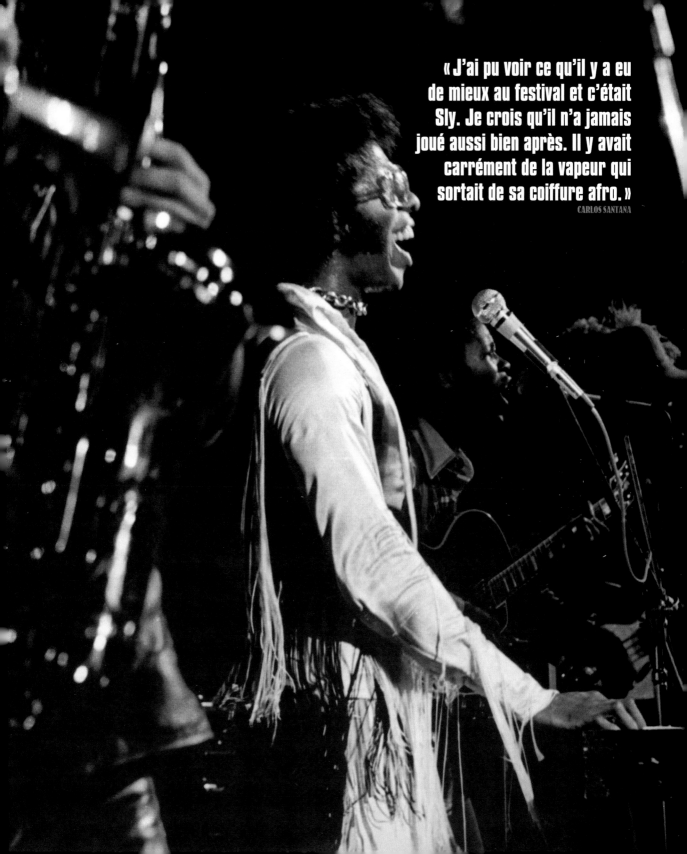

« J'ai pu voir ce qu'il y a eu de mieux au festival et c'était Sly. Je crois qu'il n'a jamais joué aussi bien après. Il y avait carrément de la vapeur qui sortait de sa coiffure afro. »

CARLOS SANTANA

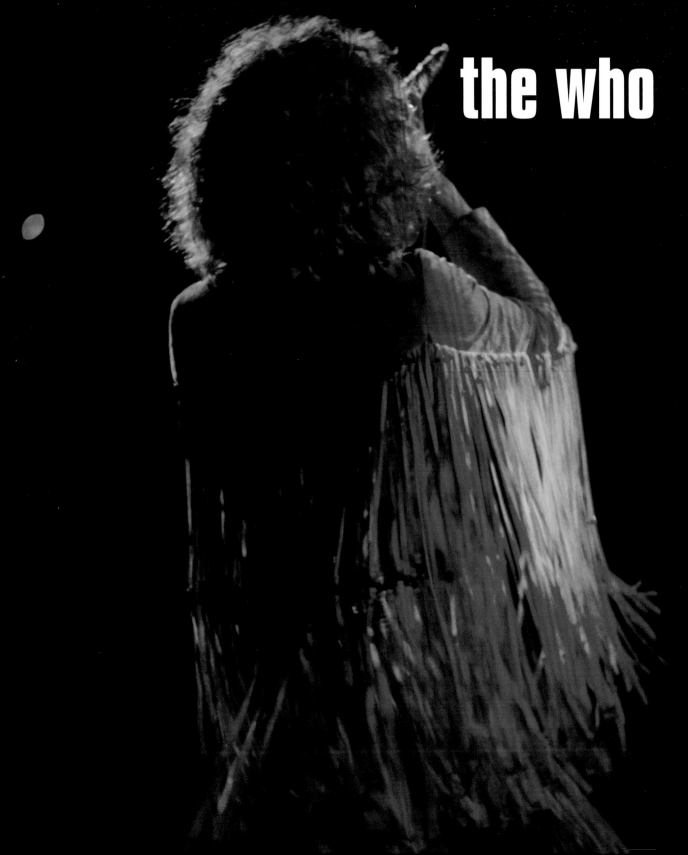

« C'était le bordel ! Ce qui se passait autour de la scène était incompréhensible. Il y avait des civières, des cadavres, des gens qui gerbaient, des mauvais trips. […] J'avais l'impression que toute l'Amérique était devenue complètement dingue. » PETE TOWNSHEND, THE WHO

Dimanche, 5 h 30-6 h 35
Roger Daltrey : voix
Pete Townshend : guitare
John Entwistle : basse
Keith Moon : batterie

Les Who, c'est d'abord l'archétype du groupe de *mod rock* britannique, créateur de « My Generation » (1965), cet hymne d'adolescents qui, comme le groupe, connaîtra une grande longévité et convient aussi bien au public de Woodstock qu'à la jeunesse britannique du milieu des années 1960. Ils se font une réputation aux États-Unis avec leur apparition explosive au festival pop de Monterey en 1967. À la fin de 1968, sept 45-tours dans les hit-parades, un album dans le Top 40 et une intense tournée américaine ont fait d'eux des superstars. Leur jeu de scène dynamique n'a d'égal que la créativité musicale de Pete Townshend qui, en 1969, produit ce que beaucoup considèrent comme leur chef-d'œuvre, le « concept album » *Tommy*. Cet album fait son entrée dans le hit-parade de *Billboard* en juin et monte très vite à la quatrième place. À l'exception des deux premiers morceaux et des quatre derniers du long concert qu'ils donnent à Woodstock, leur prestation est composée de chansons extraites de cet « opéra rock » qui raconte l'histoire de Tommy, garçon sourd, muet et aveugle, mais « sacrément bon au flipper ». D'après des témoins, l'aube commençait à éclairer la scène quand les Who ont entamé le finale de *Tommy*, « See Me – Feel Me ». Si leur concert a été l'un des plus appréciés du festival, Pete Townshend n'a cessé de critiquer la manifestation. C'est sans doute à cause de l'incident provoqué par Abbie Hoffman : l'agitateur a bondi sur la scène à la fin du morceau « Pinball Wizard » et harangué la foule afin de protester contre l'arrestation injuste de son ami militant John Sinclair. « Je trouve que tout ça, c'est de la merde, alors que John Sinclair moisit en taule », hurle Hoffman. Furieux d'avoir été interrompu, Townshend lui rétorque : « Casse-toi ! Casse-toi de ma scène, bordel ! » en le frappant à la tête avec sa guitare, avant de l'expulser à coups de pied. Hoffman a toujours prétendu que c'était faux et que Townshend l'avait simplement bousculé sans le faire exprès en s'accordant pour le morceau suivant.

Morceaux : Heaven And Hell, I Can't Explain, It's A Boy, 1921, Amazing Journey, Sparks, Eyesight To The Blind [The Hawker], Christmas, The Acid Queen, Pinball Wizard, Do You Think It's Alright?, Fiddle About, There's A Doctor, Go To The Mirror, Smash The Mirror, I'm Free, Tommy's Holiday Camp, We're Not Gonna Take It/See Me, Feel Me, Summertime Blues, Shakin' All Over, My Generation/Naked Eye

« Woodstock, c'était sans doute le plus grand festival de l'histoire. Townshend n'aime pas Woodstock parce que c'est un imbécile… » ROGER DALTREY, THE WHO

« Tous ces hippies qui glandaient en se disant que le monde allait changer à partir de ce jour-là ! En petit con d'Anglais cynique que j'étais, je suis passé à travers tout ça avec l'envie de leur cracher à la figure et de leur faire comprendre que rien n'avait changé et que rien n'allait changer. Et qu'en plus, ce qu'ils prenaient pour une société nouvelle, ce n'était qu'un champ où on s'enfonçait dans deux mètres de boue arrosée de LSD. Si c'était ça, le monde qu'ils voulaient, ils pouvaient aller se faire foutre. » PETE TOWNSHEND

De gauche à droite : John Entwistle, Roger Daltrey, Keith Moon, Pete Townshend.

« Quand on regarde cette époque du *flower power*, c'est complètement crétin. Je suis particulièrement cynique parce qu'à l'époque, je trouvais ça crétin. [...] J'aimais pas Haught-Ashbury, j'aimais pas Abbie Hoffman, j'aimais pas Timothy Leary et j'aimais pas Woodstock. » PETE TOWNSHEND

« Abbie Hoffman a interrompu le concert des Who samedi soir et s'en est pris à la foule venue écouter de la musique alors que John Sinclair, un militant du Michigan, vient d'être condamné à une longue peine de prison pour avoir donné de la marijuana à un flic. Pete Townshend lui a donné un coup de guitare, ce qui en dit davantage sur les rapports entre rock et politique que toute la morale à la gomme diffusée par *Rat* [magazine de rock underground]. »

ELLEN WILLIS, *NEW YORKER*

« Pendant le concert des Who, Abbie Hoffman, fondateur des Yippies, s'est emparé d'un micro sur la scène pour se plaindre de l'arrestation d'un de ses amis. Le guitariste Pete Townshend lui a froidement donné un coup de guitare sur la nuque et l'a chassé à coups de pied. Dans le public, personne n'a protesté contre ce geste. »

VARIETY

jefferson airplane

Dimanche, 7 h - 8 h 45

Marty Balin : voix ; Grace Slick : voix

Paul Kantner : guitare, voix

Jorma Kaukonen : guitare, voix

Jack Casady : basse

Spencer Dryden : batterie

Nicky Hopkins : piano

Groupe préféré des adeptes du *flower power* de la Côte ouest depuis le « Summer of Love » en 1967, Jefferson Airplane est déjà sur le déclin en 1969, même si une partie de ses membres retrouvera le succès dans les années 1970 sous le nom de Jefferson Starship. Programmé pour clôturer la soirée du samedi, le groupe a dû attendre pendant des heures à cause de l'incroyable accumulation de retards dus à la pluie et aux problèmes techniques. Ce n'est que vers 7 heures du matin le dimanche qu'ils montent sur scène. Nicky Hopkins, pianiste de studio britannique, se joint à eux. Elle participe parfois à leurs séances d'enregistrement et réside alors dans la région de San Francisco. Malgré les efforts vaillants que fournit le groupe, leurs morceaux les plus mémorables – dont « White Rabbit » et « Somebody to Love », deux de leurs tubes du Top 40, extraits de leur grand album de 1967, *Surrealistic Pillow* – ne suffisent pas à réveiller un public épuisé et shooté.

Morceaux : The Other Side Of This Life, Somebody To Love, 3/5 Of A Mile In 10 Seconds, Won't You Try/Saturday Afternoon, Eskimo Blue Day, Plastic Fantastic Lover, Wooden Ships, Uncle Sam Blues, Volunteers, The Ballad Of You & Me & Pooneil, Come Back Baby, White Rabbit, The House At Pooneil Corners

> **« Quand on est montés sur scène, c'était l'aube. La plupart des gens dormaient. On n'a pas fait un bon concert parce qu'on avait le soleil levant dans les yeux et qu'on n'avait pas dormi de la nuit, évidemment, on avait fait la fête. Je n'ai jamais vu le film, mais je me souviens qu'on s'est dit : "Oh, là ! C'est mal parti." »** MARTY BALIN, JEFFERSON AIRPLANE

Ci-contre : Grace Slick. Page suivante : (en haut) le batteur Spencer Dryden et Marty Balin ; (en bas) Paul Kantner, Jack Casady, Grace Slick, Spencer Dryden (avec le chapeau) et Country Joe McDonald (debout) avec l'organisateur de concerts Bill Graham.

« Mes amis, maintenant que vous avez vu les costauds, vous allez avoir droit à une musique de dingues pour le matin, c'est moi qui vous le dis. C'est l'aube nouvelle. » GRACE SLICK, JEFFERSON AIRPLANE

« Les musiciens
étaient trempés
jusqu'aux os.
Tout le monde
a été ramené à
la même réalité.
C'était la plus
belle chose du
festival. Tous
les egos se sont
évaporés. »

JACK CASADY

« Tout le monde a des souvenirs de Woodstock plus roses que les miens.
J'ai une vessie minuscule et c'était impossible de quitter la scène pour aller aux toilettes.
Ce n'était pas très bien organisé. Mais c'était exceptionnel parce qu'un demi-million
de personnes étaient rassemblées et qu'elles ne se sont pas entretuées. » GRACE SLICK

« Je suis arrivé en hélicoptère et j'ai regardé cette foule gigantesque. La radio disait que c'était la plus grande ville de l'État de New York à ce moment-là. Je pensais qu'on avait atteint le summum idéal des festivals avec des événements comme Monterey. Mais il y a eu Woodstock et là, c'était encore plus fort. C'est de l'hélicoptère que j'ai vraiment compris l'idéalisme de tous ces musiciens et l'excitation d'en être. Je me suis dit : "Génial ! Il y aura peut-être des vibrations positives que le monde entier va pouvoir découvrir." J'étais vraiment très enthousiaste.

On avait entendu ça à la radio. Les reporters disaient : "Impossible d'y accéder. Les routes sont bloquées. Il y a tellement de monde. On ne peut y aller qu'à pied." Effectivement, les gens y allaient à pied. Les bagnoles étaient garées n'importe comment le long des routes. C'était incroyable.

Je suis allé dans le public une ou deux fois, parce qu'on y a passé deux ou trois jours. Et je crois que, pendant tout le festival, je me suis soûlé et j'ai dessoûlé trois fois. Je suis donc allé écouter la musique de temps en temps, j'ai vu quelques groupes et suis resté dans le coin. Je traînais avec des gens, je regardais ce qui se passait, les Diggers [collectif d'aide sociale de San Francisco] et différents groupes.

Je me rappelle qu'une fois, j'étais sous la pluie et je m'étais abrité sous une tente des Diggers, là où on pouvait trouver de quoi manger. Il y avait des gens connus comme Peter Coyote, Emmett Grogan [cofondateur des Diggers], des gens comme ça. Je me souviens que Gravy parlait d'acide de mauvaise qualité et qu'il avait fait une annonce. Après, tout le monde disait : "Eh ! Faites gaffe !" Tout le monde faisait très attention à ce qui se passait. Évidemment, je faisais déjà tout le temps super gaffe, moi aussi. » MARTY BALIN

3ᵉ jour

« C'était un bombardement des sens, avec les bruits, les odeurs, la stimulation visuelle. Ça sentait le marécage, la fumée du bois qui brûlait, l'herbe, les corps. On était bombardés. On sentait l'odeur de la pluie qui allait venir. Il faisait humide. Le ciel était sombre et gris. On entendait une rumeur, des bruits, des voix, de la musique en fond sonore. Ça ne venait pas seulement des concerts, c'étaient des guitares, des flûtes, des bébés qui pleuraient. Et puis, il y avait les annonces faites au micro sur la scène pour le public, à propos d'enfants qui s'étaient perdus, ou genre "Ta femme va accoucher". On était bombardés. Les bruits, les odeurs, et le mouvement aussi, l'activité, la confusion permanente. Il y avait des gens qui dansaient. D'autres mangeaient, dormaient ou faisaient l'amour, ou s'agressaient. Pas physiquement, mais verbalement, et encore, c'était rare. Il y avait une petite dispute de temps en temps, c'est tout. Et on riait, qu'est-ce qu'on riait ! Quand le soleil s'est couché et que la nuit est tombée, le ciel rougeoyait. »

BOBBI ERCOLINE, FESTIVALIER

Dimanche, 14 h-15 h 30

Joe Cocker : voix
Chris Stainton : claviers
Henry McCullough : guitare ; Alan Spenner : basse,
Bobby Torres : congas ; Bruce Rowlands : batterie

Alors que son premier album, *With a Little Help From My Friends*, vient d'être classé dans les 40 meilleures ventes de *Billboard* en juillet, Joe Cocker ne s'est pas encore vraiment fait un nom aux États-Unis. Pourtant, depuis octobre 1968, il est déjà très connu chez lui, au Royaume-Uni, avec une version sensationnelle de la chanson des Beatles, «With a Little Help From My Friends», succès obtenu après des années passées sur la route à se produire comme chanteur de rock. C'est en 1961 que Cocker a fait ses débuts professionnels sous le nom de Vance Arnold, dans les pubs de Sheffield, sa ville natale du nord de l'Angleterre. C'est sous ce nom de scène qu'il a eu un aperçu de la vraie scène rock, en faisant, avec son groupe, The Avengers, la première partie des Rolling Stones au City Hall de Sheffield en 1963.

Ci-dessous : (de gauche à droite) Henry McCullough, Alan Spenner, Joe Cocker, Bruce Rowlands.

Premier groupe programmé pour la dernière journée du festival de Woodstock, Joe Cocker and The Grease Band jouent à partir de 15 h 30 environ. Ce concert a été précédé d'au moins deux morceaux instrumentaux non identifiés, interprétés par ses musiciens pendant la balance. Après un début accueilli avec une certaine indifférence, Cocker parvient, au milieu de sa prestation, à mettre le public dans sa poche, grâce à sa voix rauque aux vocalises à la Ray Charles. Son passage à Woodstock présage sa renommée américaine. En moins d'un an, il est nᵒ 2 avec un 45-tours. Puis, une tournée déterminante, «Mad Dogs and Englishmen», donne lieu à un album *live* et à un film éponymes qui rencontreront un immense succès.

Morceaux : Who Knows What Tomorrow May Bring? (Grease Band), 40,000 Headmen (Grease Band), Dear Landlord, Something's Goin' On, Do I Still Figure In Your Life, Feelin' Alright, Just Like A Woman, Let's Go Get Stoned, I Don't Need No Doctor, I Shall Be Released, Hitchcock Railway, Something To Say, With A Little Help From My Friends

joe cocker & the grease band

« En un an, je suis passé, avec Chris Stainton (on a grandi tous les deux à Sheffield), on est passés de boire des bières tous les soirs à toute la panoplie de la drogue, fumer de l'herbe, prendre de l'acide, et on a laissé pendre nos cheveux parce qu'on n'était plus des loubards à moto. Tout s'est passé tellement vite que, pour nous, c'était un bouleversement.

Il y a eu un moment de liberté, de 67 à 72 environ, et puis, tout a changé. Je crois que c'est pour ça que plein d'artistes comme nous de cette époque-là ont eu du mal à faire la transition. C'était le début de groupes comme Genesis. Nous, on était habitués à faire des jams et à ne pas être très en place, mais tout d'un coup, c'est devenu plus carré. Pareil pour notre culture en général : elle était passée où ? Parce que c'était comme une nouvelle Renaissance, c'est la seule façon dont je peux la décrire. C'était une époque fantastique, on s'habillait n'importe comment. Je me rappelle qu'on a souvent partagé l'affiche avec des groupes comme les Byrds et Little Richard. Bill Graham, le célèbre organisateur de concerts, était très bon pour faire ce genre de mélange. Ça faisait partie de l'époque. » JOE COCKER

« On a joué à Atlanta devant 50 000 personnes et après ça, on n'arrêtait pas d'entendre dire qu'un truc énorme allait se faire. Avant le concert, on était à l'hôtel dans le Connecticut. On nous a emmenés en hélicoptère parce que c'était impossible autrement. C'était incroyable de voler au-dessus du site. Le groupe est parti en premier dans un hélico et moi, j'ai suivi dans un autre, un petit machin à bulle de verre.

Je n'ai pas eu le temps de m'angoisser parce que, quand l'hélicoptère a atterri, le groupe avait déjà fait une petite balance. Michael Lang m'a accueilli en me disant : "T'es prêt à y aller ?" "Évidemment", j'ai répondu. Je suis monté jusqu'à la scène et on a démarré aussitôt. Je n'ai même pas eu le temps d'avoir le trac. [...]

Si vous vous souvenez du film, on voit quelqu'un qui me dit : "Joe, retourne-toi." Il y avait un énorme nuage gorgé de pluie. C'est là que ça a commencé, que le festival s'est transformé en bourbier. [...] Je me rappelle avoir passé des heures avec des hippies, dans une caravane, avant de pouvoir sortir.

Je crois qu'on a quand même eu de la chance, c'était une journée réussie. [...] Quand on chante pour autant de gens... Jouer devant 50 000 personnes, c'est encore un concert, mais quand on dépasse ce nombre d'un seul coup – ce qui m'est arrivé trois ou quatre fois –, c'est autre chose. Je me souviens qu'à la moitié du concert, je trouvais qu'on n'arrivait pas du tout à toucher le public. Et puis, on a fait « Let's Go Get Stoned » [On va se défoncer] [de Ray Charles] qui était totalement dans l'ambiance. Et là, tout le monde s'est réveillé.

On a terminé avec "With a Little Help From My Friends", qui fait partie de mon histoire, sans doute. » JOE COCKER

« Deux ans avant Woodstock, je n'avais jamais chanté pour plus de 300 personnes dans un bar. C'était pas de la tarte d'attirer l'attention d'une foule pareille. Quand j'ai chanté "With a Little Help From My Friends", on y est quand même arrivés. **Dès qu'on a terminé, il y a un énorme nuage noir qui s'est pointé et ça a été le déluge pendant des heures.** » JOE COCKER

L'EXODE COMMENCE POUR DES FANS DE ROCK ÉPUISÉS

BETHEL, État de New York, 18 août

La journée avait été ensoleillée et ventée, mais à 16 h 30, l'orage a éclaté. Des spectateurs moins obstinés auraient été emportés par les eaux. Mais au moins 80 000 jeunes sont restés assis ou debout devant la scène, en hurlant des obscénités à la face des cieux assombris, tandis que des déchets en tout genre dévalaient la colline dans la boue. D'autres se sont protégés de la pluie sous des tentes peu étanches, de petits abris, dans des voitures et des camions.

Les organisateurs du festival ont décidé de continuer, tout en essayant de convaincre le plus de spectateurs possible de quitter le site afin de se mettre à l'abri dans leurs voitures ou ailleurs.

L'ennui, c'est que la plupart de ceux qui ne trouvaient pas d'abri avaient garé leur voiture à des kilomètres du site du festival.

« C'est un gros problème parce que les jeunes sont déjà trempés jusqu'à la moelle et qu'ils ont des kilomètres à faire à pied avant d'espérer pouvoir se mettre au sec », nous a déclaré Michael Lang, producteur exécutif du festival.

Selon les médecins qui sont sur place, les pluies torrentielles ont aggravé le risque de bronchite et de grippe. Beaucoup de garçons et de filles marchaient nus sur une terre détrempée, le corps recouvert de boue rouge.

Lorsque l'orage a éclaté, le chanteur qui se produisait, Joe Cocker, s'est arrêté et les centaines de personnes qui se trouvaient sur les structures en acier et en contreplaqué ont pris leurs jambes à leur cou, de peur d'être balayées par les rafales qui ont atteint les 65 km/h.

Il a fallu protéger les amplificateurs et autres appareils électroniques pour éviter des dégâts. De la musique enregistrée a été diffusée.

Les musiciens qui se hasardaient sur la scène pour observer la foule et décider s'ils allaient jouer étaient accueillis par des cris. Un homme nu est monté sur la scène et s'est mis à danser.

À 18 h 15, le soleil est revenu et l'optimisme aussi.

Artie Cornfeld [*sic*], l'un des associés de la société productrice du festival, a fait le constat suivant : « Ça devait arriver, mais tout le monde est encore là. La musique va continuer toute la nuit. »

NEW YORK TIMES, 18 AOÛT 1969

«On savait bien que la pluie arrivait. Tout le monde voyait bien qu'il y avait des nuages noirs. À un moment donné, ils nous ont prévenus au micro qu'on allait se faire rincer.

Mais on a décidé de ne pas partir. Tant qu'ils joueraient sur scène, on n'allait pas quitter la colline pour retourner dans nos tentes ou nous abriter. On avait des ponchos, de quoi manger, on a décidé de rester. Ça avait l'air dangereux à cause de la foudre et du matériel. Ceux de la scène demandaient aux gens qui étaient dans les échafaudages de descendre pour ne pas se faire électrocuter, mais en fait [...] on n'avait pas vraiment peur. Nous, on était plus haut sur la colline et on ne se sentait pas en danger. Et puis, il s'est mis à pleuvoir. Beaucoup. Sans arrêt.

Mais on finit par être tellement trempé que... Au début, on essaie de ne pas mouiller ses chaussures. On fait attention de ne pas marcher dans les flaques de boue, on les évite, on passe d'un papier journal à l'autre, mais au bout d'un moment, ça ne sert plus à rien. On dégouline de partout et ça n'a plus d'importance. À ce stade, on change complètement d'état d'esprit par rapport à la pluie. On ne pense plus à se mettre à l'abri pour sécher. Ce n'est plus ça qui compte. C'est un peu comme quand on est dans une piscine et qu'il pleut. Qu'est-ce que ça change ? On est déjà mouillé. »

MARK KOSLOW, FESTIVALIER

« On pataugeait tous ensemble. Woodstock était devenu une immense porcherie, un bourbier. Tout le monde se bousculait, on glissait les uns contre les autres, comme dans un parc pour enfants.

C'était impossible de ne pas être mouillé et couvert de boue. On n'avait plus qu'à oublier ce qu'on avait imaginé et à vivre dans l'instant. Et ça, c'était une sacrée expérience, je trouve, d'abandonner tout ce qu'on avait imaginé. »

SUSAN COLE, FESTIVALIÈRE

Un étang appartenant à une association d'agriculteurs, et qui jouxte les terres de Max Yasgur, a été loué à Woodstock Ventures pour approvisionner le festival en eau. Au nom de cette association, William Filippini a cédé les droits de pompage de l'eau pour 5 000 dollars. Mais cet étang est surtout entré dans la légende folklorique de Woodstock, entretenue par les médias, lorsque des centaines de jeunes trempés de boue ou couverts de terre desséchée se sont déshabillés pour se jeter nus dans l'eau.

« Il faisait une chaleur à crever, il y avait plein de gens debout autour de l'étang – l'étang de Filippini – et ils restaient au bord. On sentait qu'ils avaient envie d'y aller, mais ils étaient un peu timides : "Comment je fais avec tous ces gens ?" David [Myers] et moi, on a enlevé nos pantalons et piqué une tête. On n'a pas réfléchi plus que ça, on s'est déshabillés et on s'est jetés à l'eau. C'était pas plus compliqué que ça. Et aussitôt, tout le monde s'est autorisé à se mettre tout nu et à sauter dans l'eau.

On peut remercier les uns ou les autres d'avoir fait telle ou telle chose à Woodstock. Moi, on peut me remercier d'avoir été le premier à inciter les gens à nager nus. » BARRY LEVINE, PHOTOGRAPHE

« À *Playboy*, personne ne savait de quoi il s'agissait, comme presque tout le monde d'ailleurs. Je voulais aller à Woodstock, mais en sachant pourquoi j'y allais. Je ne voulais pas être perdu dans une masse de 300 000 personnes. Je voulais être au premier rang et monter sur la scène. J'avais déjà travaillé pour *Playboy*, j'avais fait une couverture pour eux, en 1968 je crois. Je les appelle et je leur dis : "Il va y avoir un gros concert. Vous voulez que je le couvre ?" […] Ils n'avaient pas la moindre idée de ce que je leur racontais, mais ils m'ont dit : "D'accord, vas-y au nom de *Playboy*." Mais ça ne les intéressait pas plus que ça. Quand ils ont vu l'ampleur que ça avait pris, ils m'ont rappelé après : "Alors, t'as des photos de cul ?" Quand ils ont regardé mes photos, ils m'ont dit que ça ne les intéressait pas parce qu'il n'y avait pas de cul.

Moi, j'y suis allé pour écouter de la musique, pas pour prendre en photo des gens à poil. Sur place, je n'avais aucune envie de braquer mon objectif, du style "Je bosse pour *Playboy*, fais-voir tes nichons". C'était pas le genre. En tout cas, pas pour moi. »

ROWLAND SCHERMAN, PHOTOGRAPHE

Dimanche, 18 h 30-19 h 50

Country Joe McDonald : guitare, voix
Barry « The Fish » Melton : guitare
Mark Kapner : claviers
Doug Metzner : basse
Greg « Duke » Dewey : batterie

Après l'orage qui a interrompu le concert de Joe Cocker et duré plusieurs heures, Country Joe McDonald et son groupe, The Fish, montent sur scène au début de la soirée de ce qui doit être officiellement le dernier jour du festival. Greg Dewey interprète un solo de batterie inspiré, pendant que Ten Years After se prépare. Puis Country Joe et sa formation font un concert complet avant de céder la place au groupe britannique. C'est le second passage de Country Joe à Woodstock, puisqu'il a joué les bouche-trous seul en acoustique la veille quand la scène était inondée.

Parmi tous les artistes qui se sont produits à Woodstock, Country Joe et son groupe sont sans doute ceux qui collent le mieux à l'esprit contre-culturel du festival, en raison de leur participation notable au mouvement de contestation politique de la Côte ouest depuis le milieu des années 1960.

Pourtant, la majorité des chansons qu'ils interprètent ne sont pas des *protest songs*. Joe se méfie même des positions extrêmes que peut adopter le « mouvement ». En 1968, il a annulé un concert à Chicago, programmé pendant les manifestations qui ont eu lieu à l'occasion de la convention démocrate, car il craignait des violences et ne voulait pas s'en sentir responsable. Il aurait aussi déclaré un jour : « L'acte le plus révolutionnaire qu'on puisse faire dans ce pays, c'est de changer d'avis », allusion à peine voilée à ses anciens « camarades » qui lui reprochaient d'avoir changé d'opinion à propos des aspects plus militants de leur programme de lutte.

Morceaux : Rock And Soul Music, Love, Not So Sweet Martha Lorraine, Sing Sing Sing, Summer Dresses, Friend, Lover, Woman, Wife, Silver And Gold, Maria, The Love Machine, Ever Since You Told Me That You Love Me (I'm A Nut), Improvisation, Rock And Soul Music (reprise), The « Fish » Cheer/I-Feel-Like-I'm-Fixin'-To-Die-Rag

Ci-dessous : Country Joe McDonald. Page ci-contre : Barry « The Fish » Melton.

country joe
& the fish

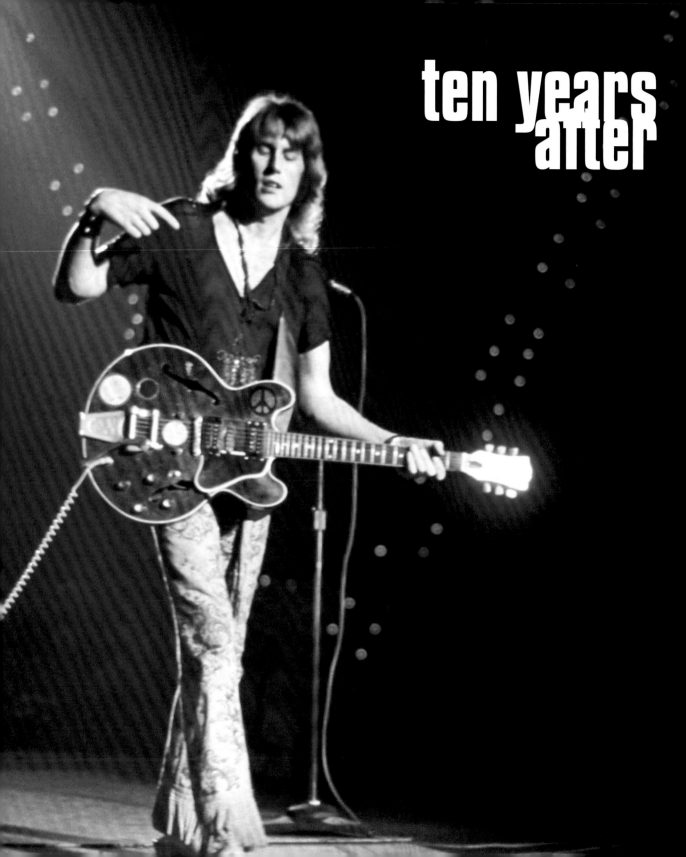

ten years
after

Dimanche, 20 h 30-21 h 30

Alvin Lee : guitare, voix
Chick Churchill : claviers
Leo Lyons : basse
Ric Lee : batterie

Archétype des groupes de la deuxième vague de blues britannique (après celle du début des années 1960 avec les Rolling Stones, les Yardbirds et les Animals, entre autres), Ten Years After se distingue par son virtuose génial de la guitare, Alvin Lee. Considéré par la presse comme le guitariste le plus rapide du monde, Lee se signale autant par ses prouesses techniques que par son sens artistique, soutenu par la dynamique de son groupe. Aux États-Unis, ils remportent un très grand succès avec leurs albums *Stonedhenge* et *SSSH* en 1969 et des concerts qui font d'eux un groupe de choix dans les tournées. Cette réputation est confirmée par leur passage à Woodstock : pour les spectateurs, « I'm Going Home », qui dure plus de onze minutes, est l'un des grands moments du festival. Mais pour Lee et ses partenaires, les retombées du festival, puis du film, ne sont pas entièrement positives, à cause de l'image de *guitar hero* accolée à Alvin Lee et qui deviendra vite un stéréotype du rock au début des années 1970.

Morceaux : Spoonful, Good Morning Little Schoolgirl (dont deux faux départs), Hobbit, I Can't Keep From Crying Sometimes, Help Me, I'm Going Home

Ci-dessus et page ci-contre : le guitare Alvin Lee lors du concert sensationnel de Ten Years After.

« Ten Years After s'est retrouvé avec une image dont je ne voulais pas, celle du groupe de hard rock, alors qu'on a tout fait pour ne pas tomber là-dedans. Après Woodstock, beaucoup de gens nous ont vus d'une manière très différente. Avant, ça n'avait pas tellement d'importance, on y allait, on se fumait un bon joint et les gens s'éclataient. Et tout d'un coup, on a fait des concerts énormes. Fallait jouer note pour note. Avec 12 000 ou 15 000 personnes, on a commencé à moins s'amuser. » ALVIN LEE, TEN YEARS AFTER

« Je pense que [Woodstock] a bouleversé tout le milieu du rock. Avant la sortie du film, c'était une sorte d'artisanat, animé par des gens enthousiastes, avec quelques escrocs. Et puis, les médias s'en sont emparés et c'est devenu un gros bizness. Même avec des organisateurs de concerts comme Bill Graham : c'était un excellent homme d'affaires et entrepreneur, mais avant tout un fan de musique. Du point de vue de Ten Years After, c'est devenu trop gros pour Alvin. Après le film, il y a eu un changement délibéré. Il y avait toutes sortes de rumeurs. […] À l'époque, on avait un manager américain. D'après l'un des mecs qui ont fait le film – Michael Wadleigh ou un autre –, ce manager aurait dit : "Je veux 80 % des images sur Alvin dans le film, sinon on le retire, et Joe Cocker avec." Il y a donc eu une volonté délibérée de mettre le paquet sur Alvin Lee et Ten Years After à l'époque. On peut trouver que c'était une bonne idée ou pas. Si j'avais été un homme d'affaires, j'aurais sans doute dit que c'était une bonne idée. Mais ça a changé beaucoup de choses et il y a eu vraiment trop de pression. » LEO LYONS, TEN YEARS AFTER

« Quand on passait dans l'ancienne salle du Fillmore, on jouait ce qu'on voulait. À ce moment-là, le public aimait bien qu'on se fasse une jam ou qu'on improvise dans le genre swing. Après Woodstock, le public est devenu très bruyant et ne voulait plus entendre que des trucs comme "I'm Going Home". » ALVIN LEE

the band

« C'était bizarre. On avait l'impression de partir à la guerre.

Je crois qu'on est allés en voiture à l'aéroport Stewart d'où on nous a emmenés en hélicoptère jusqu'à l'aire d'atterrissage, puis dans des camping-cars où on a attendu l'heure du concert. Je me souviens que j'étais allé voir la scène de 9 mètres, les monte-charge à l'arrière, les échafaudages immenses et une armée de gens couverts de boue sur la colline. C'était le dernier jour du festival et il n'y avait plus d'eau ni de produits frais. Il n'y avait pas de loges non plus, parce qu'elles avaient été transformées en postes d'urgence. L'acide circulait en quantité – les gens étaient prévenus par des annonces faites au micro – et les spectateurs étaient sous l'influence de tout ce qui est possible et imaginable. C'était le dimanche, certains avaient déjà passé quatre nuits sur place. Les spectateurs étaient vraiment fatigués et pas très en forme. Nous, on est restés en coulisses à faire ce qu'on fait dans ces cas-là : arriver, serrer des mains, manger, faire le concert, s'en aller. On ne traînait jamais.

Une fois qu'on était sur place, il s'est mis à tomber des trombes d'eau, un vrai orage d'été dans les Catskill. Ils ont interrompu les concerts, puis redémarré. Je crois qu'on est passés entre Ten Years After et Johnny Winter. On a entendu Chip Monck, la voix de Woodstock, annoncer : "Mesdames et messieurs, et voici maintenant… The Band."

Et là, un rugissement inhumain monte dans le noir de la colline. On s'est regardés, incrédules. Garth secouait la tête. Il s'est mis à jouer, j'ai embrayé. Je donne un coup de cymbale, il appuie sur la pédale d'expression et déforme le son de son orgue Lowrey et on fait un petit duo jusqu'à ce qu'il entame "Chest Fever". C'était parti. On fait un concert qui, pour nous, était plutôt lent : "Tears of Rage", "We Can Talk", "Don't You Tell Henry", "Ain't No More Cane", "Long Black Veil", "This Wheel's on Fire", "I Shall Be Released", "The Weight"… Pour le rappel, on a joué "Loving You", que Rick a chanté devant un demi-million de personnes trempées jusqu'aux os, qui tenaient des briquets allumés et des allumettes.

Après ça, on s'est tirés, vous pouvez me croire. On est montés dans un break de location attaché à un bulldozer par une courte chaîne, qui nous a tractés dans la boue à travers un champ et deux ou trois fossés avant d'arriver sur une route en dur. On a mis plus de deux heures pour faire les quatre-vingts kilomètres jusqu'à Woodstock. » LEVON HELM, THE BAND

Dimanche, 22 h-22 h 50

Robbie Robertson : guitare, voix
Garth Hudson : orgue, clavier, saxophone
Richard Manuel : piano, batterie, voix
Rick Danko : basse, voix
Levon Helm : batterie, mandoline, voix

Résidents de la ville de Woodstock, les membres de The Band ont joué un rôle essentiel dans la genèse du festival. Anciennement nommé The Hawks – quand il accompagnait le chanteur de rock'n'roll Ronnie Hawkins –, le groupe travaille de temps en temps avec Bob Dylan depuis 1965. Après l'accident de moto de Dylan en 1966 (il habite alors Woodstock), le groupe s'installe aussi dans la petite ville, précisément dans le hameau de West Saugerties, dans une maison baptisée « Big Pink ». C'est là, pendant la convalescence de Dylan, que le chanteur enregistre avec The Band la plupart des morceaux qui sortiront sous le titre de *The Basement Tapes*. Le lieu est aussi mentionné dans le titre de *Music From Big Pink*, leur premier album, très bien accueilli, en 1968.

Ce sont ces enregistrements, ainsi que d'autres activités musicales à Woodstock et dans les environs, qui donnent à Michael Lang et à ses associés l'idée de construire un studio d'enregistrement ultramoderne dans la ville. Le festival devait simplement servir à recueillir le capital nécessaire à cette construction. Ainsi The Band est-il d'emblée partie prenante du projet qui pourrait même n'avoir jamais vu le jour sans le groupe.

Dès les premiers accords de « Chest Fever », les musiciens ne sont pas entièrement satisfaits de la sonorisation. Pourtant, The Band personnifie l'esprit de Woodstock et le public est aux anges. Le concert s'achève avec « The Weight », qu'on entend dans la bande originale d'*Easy Rider*, film emblématique de la contre-culture sorti au début de l'été 1969. Mais les fans ne laissent partir le groupe qu'après son interprétation de « Loving You (Is Sweeter Than Ever) » en rappel. Malgré l'accueil frénétique par le public, The Band ne figure ni dans le film de 1970, ni sur l'album de la bande originale, car leur manager, Albert Grossman, trouvait que le cachet proposé était beaucoup trop faible.

Morceaux : Chest Fever, Baby Don't You Do It, Tears Of Rage, We Can Talk, Long Black Veil, Don't Ya Tell Henry, Ain't No More Cane, This Wheel's On Fire, I Shall Be Released, The Weight, Loving You Is Sweeter Than Ever

> **« Pour moi, [le concert] était affreux. On n'avait pas notre sono à nous, c'était une sono qui appartenait à d'autres, et on ne maîtrisait rien. Quand on ne peut pas contrôler sa sono, j'estime que les gens n'en ont pas pour leur argent. »** RICK DANKO, THE BAND

Page ci-contre : Robbie Robertson (à gauche) et Levon Helm. Ci-contre : (en haut) Robbie Robertson ; (en bas) Rick Danko. Pages suivantes : The Band quitte le festival en compagnie d'Albert Grossman, leur manager (à gauche).

« Le public venait de passer trois jours à se faire bombarder par la musique et les intempéries. Ce n'était pas facile de sentir l'ambiance. On a joué des morceaux de musique traditionnelle, lente et lancinante. Comme on habitait dans le coin, à Woodstock, on pensait que c'était le bon choix. On a fait des chansons comme "Long Black Veil" et "The Weight". Tout cela était un peu solennel. Même les morceaux plus rapides faisaient presque religieux. Et je me suis dit : "Je me demande si c'est le bon endroit pour jouer ça." J'ai regardé le public et j'ai cru voir des jeunes qui nous lançaient des regards bizarres. On jouait comme si on était dans notre salon. [...] Je n'ai jamais pensé que c'était une expérience musicale incroyable. Comme dans le film, la musique n'est qu'un élément parmi d'autres. Quant au festival proprement dit, on se sent fier d'y avoir participé, on se dit que c'était incroyable, que c'était un sommet, que ça disait des choses. De tous ces points de vue, c'était un truc énorme. Mais comme expérience musicale, nous, les membres de The Band, on était comme des orphelins dans la tourmente. »** ROBBIE ROBERTSON, THE BAND

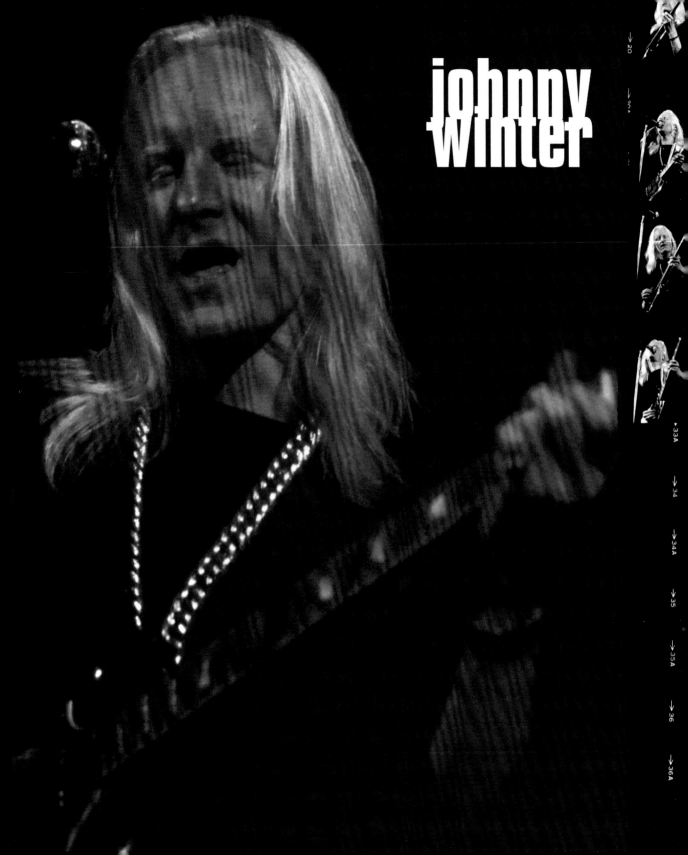

johnny winter

Lundi, 0 h-1 h 10
Johnny Winter : voix, guitare
Edgar Winter : claviers
Tommy Shannon : basse
« Uncle » John Turner : batterie

Qualifié de nouveau virtuose de la guitare par Columbia, sa maison de disques, Johnny Winter, le rocker texan albinos, est connu de tous les fans de rock quand il passe à Woodstock.

Après avoir joué du blues et du rock pendant des années dans le circuit ardu des clubs, c'est en 1968 qu'il perce vraiment, quand Larry Sepulvado et John Burks le citent dans un article paru dans *Rolling Stone* et consacré à la scène musicale du Texas. S'ensuit une rivalité entre maisons de disques que remporte finalement Columbia. Son premier album pour ce label, qui porte simplement son nom, contient des reprises audacieuses de classiques du blues, comme « Good Morning Little Schoolgirl » de Sonny Boy Williamson II et « When You Got a Good Friend » de Robert Johnson, ainsi que quelques titres originaux. Le disque passe continuellement sur les radios FM et se classe à la 24ᵉ place dans le hit-parade de *Billboard*, environ un mois avant Woodstock.

Sa prestation au festival est très bien accueillie, avec des standards comme « Johnny B. Goode » et « Tobacco Road », second des deux morceaux dans lesquels Edgar Winter accompagne son frère aux claviers (et avec lequel il joue par intermittence depuis l'adolescence).

Morceaux : Mama, Talk To Your Daughter, Leland Mississippi Blues, Mean Town Blues, You Done Lost Your Good Thing Now/Mean Mistreater, I Can't Stand It (avec Edgar Winter), Tobacco Road (avec Edgar Winter), Tell The Truth (avec Edgar Winter), Johnny B. Goode (avec Edgar Winter)

« Il y avait beaucoup de boue. Beaucoup de monde aussi. »
JOHNNY WINTER

Lundi, 1 h 45-2 h 45

David Clayton-Thomas : voix, guitare

Steve Katz : guitare, harmonica, voix

Dick Halligan : claviers, trombone, flûte

Jerry Hyman : trombone

Fred Lipsius : saxophone alto, piano

Lew Soloff : trompette, bugle

Chuck Winfield : trompette, bugle

Jim Fielder : basse ; Bobby Colomby : batterie

Si Blood, Sweat and Tears, ensemble de jazz-rock qui connaîtra un grand succès au début des années 1970, occupe une place de choix sur l'affiche de Woodstock, c'est parce qu'il est déjà n° 2 au hit-parade de *Billboard* en 1969, avec deux 45-tours – « You've Made Me So Very Happy » et « Spinning Wheel » – et que son premier album éponyme est aussi en tête de liste. Lorsque le groupe passe à Woodstock, Al Kooper, son fondateur, ne fait plus partie de cette formation dominée par les cuivres. La parfaite combinaison de jazz, de soul et de rock est un changement bienvenu par rapport à la musique des autres groupes – où prédominent les guitares aux sons moins précis – même si, de l'avis du saxophoniste Fred Lipsius, c'était leur pire concert.

Morceaux : More And More, Just One Smile, Something's Coming On, I Love You More Than You'll Ever Know, Spinning Wheel, Sometimes In Winter, Smiling Phases, God Bless The Child, And When I Die, You've Made Me So Very Happy

« Blood, Sweat and Tears est l'un des groupes qui allaient passer à Woodstock environ un mois et demi après s'être produit au festival de jazz de Newport. Leur succès était foudroyant dans toute l'Amérique, après le remplacement d'Al Kooper, leur fondateur et chanteur, par le dynamique David Clayton-Thomas. Le concert sensationnel qui avait enthousiasmé le public de Newport leur valut d'être à l'affiche de Woodstock. »

JAMES PERONE, *AN ENCYCLOPEDIA OF THE MUSIC AND ART FAIR*

Ci-contre : David Clayton-Thomas, chanteur de Blood, Sweat and Tears.

blood, sweat
& tears

Lundi, 3 h 30-5 h

David Crosby : guitare, voix

Stephen Stills : guitare, voix

Graham Nash : guitare, voix

Neil Young : guitare, voix

Greg Reeves : basse

Dallas Taylor : batterie

Avant de se réunir en trio et de constituer l'un des véritables « supergroupes » de l'époque, Crosby, Stills et Nash se sont déjà chacun imposés sur la scène du rock : David Crosby avec les Byrds, Stephen Stills avec Buffalo Springfield et Graham Nash avec le groupe britannique The Hollies.

Crosby quitte les Byrds en 1967. Buffalo Springfield se dissout au début de 1968 et Stills se retrouve sans groupe. Nash, qui a fait la connaissance de Crosby lors de la tournée des Byrds en Grande-Bretagne en 1966, le revoit lorsque les Hollies se produisent en Californie en 1968. C'est une jam impromptue au début de 1969 qui persuade les trois musiciens qu'ils ont quelque chose à créer ensemble. Peu après, Nash (qui n'est plus satisfait des Hollies) rejoint les deux Américains.

Alors que leur premier album, *Crosby, Stills & Nash*, est déjà sorti et que le 45-tours *Marrakesh Express* est entré dans les hit-parades américains en juillet, ils ne jouent ensemble que depuis peu avant de passer à Woodstock. Ce concert n'est d'ailleurs que leur deuxième apparition en public. Peu après la sortie de l'album, ils ont commencé à répéter avec Neil Young, qui a fait ses premières armes avec Stephen Stills au sein du défunt Buffalo Springfield. Le quatrième homme les rejoindra sur la scène de Woodstock après leur première partie acoustique. Stills a d'abord eu quelques doutes sur la participation de Young à CS & N, en raison de leurs relations tendues quand ils jouaient dans Buffalo Springfield. Mais le Canadien est tout de même engagé, la formation devient un « supergroupe ».

À Woodstock, la prestation de Young commence par un simple duo acoustique avec Stills et la chanson « Mr. Soul » de Buffalo Springfield (nom sous lequel ils sont d'ailleurs annoncés !). Trois morceaux plus tard, Crosby et Nash reviennent, un bassiste et un batteur se joignent au quatuor pour un concert électrique. Crosby, Stills, Nash et Young concluent ce concert exceptionnel avec deux morceaux acoustiques en rappel. Par la suite, les quatre musiciens exprimeront l'esprit de Woodstock en reprenant une chanson emblématique de Joni Mitchell, « Woodstock », succès des hit-parades d'avril 1970.

Morceaux :

[acoustiques, CS&N]

Suite: Judy Blue Eyes, Blackbird, Helplessly Hoping, Guinnevere, Marrakesh Express, 4 + 20

[acoustiques, Stills et Young en duo]

Mr. Soul, I'm Wonderin', You Don't Have to Cry

[électriques, CSN&Y avec basse et batterie]

Pre-Road Downs, Long Time Gone, Bluebird, Sea of Madness, Wooden Ships

[acoustiques, CSN&Y] Find the Cost of Freedom, 49 Bye-Byes

Ci-dessous : (de gauche à droite) Stephen Stills, David Crosby, Neil Young et Graham Nash.

« C'est seulement la deuxième fois qu'on joue ensemble en public et on a une trouille bleue. » STEPHEN STILLS, AU PUBLIC DE WOODSTOCK

crosby
stills, nash
& young

« […] On avait la trouille, comme le dit Stephen dans le film. Mais ce que le film ne dit pas, c'est pourquoi on avait aussi peur : tous ceux qu'on respectait dans ce foutu milieu de la musique étaient en cercle derrière nous quand on est montés sur scène. Ils étaient tous curieux. On était les petits nouveaux, c'était notre deuxième concert, personne ne nous avait encore vus, tout le monde avait écouté le disque et se disait : "C'est quoi, cette musique ?" Quand la rumeur a circulé qu'on allait passer, ils sont tous venus. Tous ceux qui ont joué à Woodstock, y compris ceux qui ne sont pas dans le film, étaient debout en cercle derrière nous. C'était drôlement intimidant. Je pense à Hendrix, à Robbie Robertson, à Levon Helm, aux Who, à Janis, à Sly, à Grace et à Paul, à tous ceux que je connaissais et que je ne connaissais pas.

On était si heureux que ça se soit bien passé que c'était presque trop. » DAVID CROSBY

Ci-dessus : Stephen Stills. Ci-contre : David Crosby. Page suivante : Neil Young.

« Quel effet a eu Woodstock sur la musique ?
C'est à partir de ce moment que le marché a pris
assez d'ampleur pour que le bizness s'en empare.
Ils ont eu la possibilité de cerner les gens qui
écoutaient cette musique et de les cibler comme
consommateurs, et ils y sont arrivés. Ils se sont
servis de la musique. Ça, c'est l'effet à long terme.
Notre concert de Woodstock était nul. De la
merde. On a joué comme des cons. Y en a pas un
qui était dans la musique. Je crois que Stephen
était complètement submergé par la foule. Ils se
croyaient tous à Hollywood avec leurs caméras
de merde. C'est pas pour le public qu'ils jouaient,
mais pour les caméras. Ils étaient partout, ces
putains de cameramen. Ça nous empêchait de
jouer. [...] Au bout d'un moment, on s'y habitue.
Mais au début, je n'ai jamais imaginé me faire
filmer pendant que je jouais. Je voyais les autres
qui changeaient leur façon de jouer pour ces
conneries de caméras et je trouvais que c'était de
la foutaise. Tous ces connards qui nous filment,
les autres qui trouvent ça trop cool. [...] Moi,
je n'ai rien changé. Je ne voulais pas être filmé,
c'est pour ça que je ne suis pas dans le film.

Je leur ai dit : "Si l'un de vous vient
me faire chier trop près, je lui file
un coup de guitare dans la gueule.
Moi, je fais de la musique. Ne me filmez
pas." Paix, amour et fleurs : c'était
ça mon trip quand on est passés à
Woodstock. J'y étais... et je n'y étais
pas. J'ai laissé une trace. » NEIL YOUNG

« On installait des tipis pour les tentes de premiers secours.

Il fallait que ces tentes-là soient prêtes pour les médecins. Ensuite, on a monté des petites tentes pour les trips et une autre pour le ravitaillement, près de la cuisine. Il y avait des tentes de trip dans le secteur de la Hog Farm et derrière la scène. Quand les médecins trouvaient quelqu'un qui faisait un mauvais trip, ils le dirigeaient vers ces tentes. Quand on voyait quelqu'un qui avait besoin de soins, on l'envoyait aux toubibs. Des gens étaient malades, d'autres s'étaient coupés. Il y en a aussi beaucoup qui avaient oublié d'apporter leurs médicaments habituels, pour l'asthme ou pour ce qu'ils avaient. Alors, on passait notre temps à transmettre des mots à la scène pour dire que quelqu'un avait besoin de tel ou tel truc. » LISA LAW

Ci-dessus et page ci-contre : les problème médicaux allaient de l'hypothermie à de petites coupures ou blessures, jusqu'à des cas qu'il fallait évacuer en civière et en hélicoptère pour les emmener dans les hôpitaux de la région.

« Je transmettais les messages aux équipes des premiers secours. Je les ai accompagnées pour emporter des antibiotiques dans le premier hélicoptère médical qui est allé à Woodstock. [...] On ne nous a jamais payé les antibiotiques, qui représentaient pourtant une jolie somme, mais on n'a jamais voulu être payés pour ça. On se disait que [...] c'était à chaque habitant du coin de faire sa part pour que le week-end se finisse bien, parce qu'en fait, c'était une zone sinistrée. Beaucoup de gens se sont bien amusés au festival et n'ont pas eu de regrets ou quoi que ce soit. Mais moi, j'ai vu l'envers du décor, les tentes de secours, avec plein de gens qui avaient eu des expériences pas très heureuses.

La première personne que j'ai vue se glisser dans la tente rose était un homme qui avait une coupure à la tête parce qu'il avait fait un mauvais trip dans l'étang de Ben Leon : il avait plongé sans se rendre compte qu'il n'y avait pas assez d'eau.

Je suis infirmière diplômée, mais je n'avais aucune expérience de la drogue ou des réactions aux drogues. Ça m'a ouvert les yeux de me retrouver dans une situation comme celle-là. Et ça s'est reproduit des dizaines de fois. » BARBARA HAHN, HABITANTE DE LA RÉGION

« C'était comme une ville. [...] Il y avait des gens qui s'étaient coupés aux doigts, qui avaient oublié leur traitement contre le diabète, qui accouchaient, qui faisaient des surdoses.

Il y avait beaucoup de LSD qui circulait. Certains en prenaient pour la première fois et ne savaient pas comment s'y prendre. Notre boulot consistait à faire en sorte qu'ils puissent redescendre tranquillement de leur trip. Au début, un des médecins leur donnait de la chlorpromazine. On est allés tout de suite le trouver pour lui dire : "Si tu donnes de la chlorpromazine, ça coupe le trip net et ce n'est pas bon du tout. Envoie-les-nous plutôt et on les mettra dans des tentes de trip."

Il y en a un qui était sous acide et qui flippait à mort. Je l'ai ramené dans la tente, je l'ai assis et je lui ai dit : "Ça va aller. Nous, on t'aime et tous les autres t'aiment aussi." Il s'est calmé et je lui ai dit : "Fais une petite sieste, OK ?" [...] Il s'est bien calmé et il en est sorti. » LISA LAW

« Ce que j'ai trouvé de plus intéressant, c'était d'être du côté de la tente de la Hog Farm et d'observer ceux qui recevaient les hippies en état de dissociation mentale avec des drogues contenant du LSD. Pour moi, c'étaient des héros. Ils étaient hyper compétents. Ils ont aidé beaucoup de gens qui flippaient totalement. C'est peut-être ce qui m'a décidé à devenir conseiller auprès des toxicomanes plusieurs années après, ce que je suis toujours. » ROBERT KIRKMAN, FESTIVALIER

« Ceux qui ont été vraiment super, c'étaient John Sebastian, Rick Danko et Bobby Neuwirth, un comparse de Dylan. Ils sont venus jouer pour ceux qui étaient dans la tente de trip. C'était pendant la nuit et on les a laissé entrer dans la "Grande Rose", la tente de trip. C'est comme ça qu'on appelait la tente hôpital [rose]. Ils ont fait des petits concerts improvisés et c'était gé-nial !

Ils ont joué de la guitare acoustique, au pied levé, sans micro, sans rien. C'était vraiment sympa. » WAVY GRAVY (HUGH ROMNEY)

Lundi, 5 h-7 h 15

Paul Butterfield : harmonica, voix

Buzzy Feiten : guitare

Steve Madaio : trompette

Keith Johnson : trompette

Gene Dinwiddie : saxophone ténor

David Sanborn : saxophone alto

Trevor Lawrence : saxophone baryton

Teddy Harris : piano

Rod Hicks : basse

Phillip Wilson : batterie

Le Paul Butterfield Blues Band est tout autant apprécié des musiciens que des auditeurs pour son rhythm and blues électrique dans le style de Chicago. Jusqu'au milieu des années 1960, le groupe jouit d'un public très nombreux dans les clubs et les concerts. Né à Chicago, Butterfield a appris la musique à l'adolescence, en faisant des jams dans le South Side, avec des légendes du blues comme Muddy Waters, Little Walter et Howlin' Wolf. Pour former son propre groupe en 1963, il fait appel à Jerome Arnold, ex-bassiste de Howlin' Wolf. Butterfield est reconnu comme l'un des premiers Blancs à avoir su jouer de façon authentique le blues à l'harmonica. Il gagne en crédibilité au sein de la contre-culture naissante lorsque son groupe – sans lui, mais avec Mike Bloomfield à la guitare et Al Kooper à l'orgue – accompagne Bob Dylan au festival folk de Newport en 1965, pour des morceaux électriques qui vont marquer une rupture. Fidèle à ses racines, Butterfield interprète à Woodstock des standards du blues, comme «Born Under a Bad Sign», écrit par Booker T. Jones et popularisé par Albert King, et «Driftin' Blues», succès du bluesman texan Charles Brown en 1945.

Morceaux : Born Under A Bad Sign, No Amount Of Loving, Driftin' And Driftin', Morning Sunrise, All In A Day, Love March, Everything's Gonna Be Alright

À l'exception d'images, visibles ici, qui n'ont pas été retenues dans le montage final du film, il n'existe pas de trace photographique du concert du groupe de Butterfield, peut-être en raison de son passage à six heures du matin.

paul
butterfield
blues
band

Lundi, 7 h 45 - 8 h 15

Donald « Donny » York : voix

Rob Leonard : voix, **Alan Cooper** : voix

Frederick « Dennis » Greene : voix

Dave Garrett : voix

Richard « Richie » Joffe : voix

Scott Powell : voix

Joe Witkin : claviers

Henry Gross : guitare

Elliot Cahn : guitare rythmique

Bruce Clarke III : basse

Jocko Marcellino : batterie

La programmation à Woodstock de Sha Na Na, qui remet au goût du jour l'âge d'or du rock'n'roll des années 1950 (avec costumes et mise en scène idoines), est assez incongrue. Fondé par des étudiants de l'université Columbia à New York, le groupe se spécialise dans les vocalises à onomatopée, style « ouap-dou-ouap » (d'où son nom), et un répertoire de reprises de succès d'Elvis, des Coasters, de Gene Chandler et de Danny and the Juniors. Leur concert est d'abord accueilli avec perplexité par une grande partie du public, comme on le voit dans le film. Mais ils emportent bientôt l'adhésion quand les spectateurs comprennent qu'ils n'ont rien de parodique. Avec leurs cheveux gominés, leurs costumes en lamé et leurs rouflaquettes, ils sont tout ce qu'il y a de sérieux.

Morceaux : Get A Job, Come Go With Me, Silhouettes, Teen Angel, (Marie's The Name) His Latest Flame, Wipe Out, The Book Of Love, Little Darlin', At The Hop, Duke Of Earl, Get A Job (reprise)

« Ça y était, j'étais sur scène ! J'étais un étudiant de Columbia qui s'était retrouvé au bon endroit au bon moment, aux claviers de la formation originale de Sha Na Na ! On a joué tard le dimanche soir, ou plutôt le lundi matin. Ils n'arrêtaient pas de nous décaler. Nous, on était en tee-shirts avec les manches relevées et il faisait froid sur ces collines, la nuit ! Je me souviens que je m'étais mis au chaud à l'arrière d'une grosse fourgonnette derrière la scène et que j'écoutais les groupes qui auraient dû passer APRÈS nous ! On a fini par être avant-derniers, juste avant Jimi ! Je devrais faire encadrer mon badge, non ? » JOE WITKIN, SHA NA NA

jimi
hendrix

Lundi, 9 h-11 h 15

[sous le nom de Gypsy Sons and Rainbows]
Jimi Hendrix : guitare, voix
Larry Lee : guitare rythmique, voix
Billy Cox : basse
Juma Sultan : percussions
Gerardo « Jerry » Velez : congas
Mitch Mitchell : batterie

Après des débuts américains spectaculaires à Monterey en 1967, Jimi Hendrix – déjà très connu en Grande-Bretagne – devient rapidement une superstar dans son pays, grâce à trois albums dans le Top 10 de *Billboard* (*Electric Ladyland* atteignant la première place), avant son passage à Woodstock. Il fréquente aussi régulièrement la petite ville de Woodstock et, en juillet 1969, s'installe à Shokan, village tranquille des environs, pour y passer l'été.

Programmés sous le nom des Gypsy Sons and Rainbows, formation éphémère constituée après la dissolution du Jimi Hendrix Experience quelques semaines auparavant, Hendrix et son groupe représentent, selon le point de vue, l'apothéose ou le point faible de Woodstock. S'il en est le point faible, c'est uniquement parce que ce concert a eu lieu le lundi matin, près d'une demi-journée après la fin prévue du festival, devant un public très réduit,

entre 30 000 et 60 000 personnes. La plupart des festivaliers ont commencé à rentrer chez eux à pied, dans un exode boueux face aux intempéries et aux embouteillages prévus pour toute la journée. L'ironie, c'est que le manager d'Hendrix a tenu à ce que Jimi clôture le festival, puisqu'il est « tête d'affiche ».

En revanche, musicalement, c'est l'apothéose de ces trois jours et demi. Dans une forme éblouissante, Hendrix enchaîne les morceaux à un rythme effréné pendant deux heures, parmi lesquels « Foxy Lady », « Gypsy Woman » et « Hey Joe ». Mais le summum du concert reste sa version psychédélique et sensationnelle de l'hymne national des États-Unis, « The Star-Spangled Banner », qui résume à elle seule l'esprit musical et politique de Woodstock, avec une émotion teintée de blues et une improvisation quasi surhumaine. Hendrix termine avec « Hey Joe » et, à 10 h 30, le Festival musical et artistique de Woodstock s'achève.

Morceaux : Message to Love, Hear My Train a-Comin'/Getting My Heart Back Together Again, Spanish Castle Magic, Red House, Master Mind (voix : Larry Lee), Here He Comes (Lover Man), Foxey Lady, Beginnings/Jam Back at the House, Izabella, Gypsy Woman (voix : Larry Lee), Fire, Voodoo Chile (Slight Return)/Stepping Stone, The Star-Spangled Banner/Purple Haze, Improvisation/Villanova Junction, Hey Joe

« **Comme on se retrouve !**
Hmm. Ouais, bon. Ça va vous plaire.
Je voudrais dire un truc pour que
ce soit clair. Le groupe Experience,
on s'en est lassés et, de temps en
temps, on se fait un peu trop péter
la calebasse. Alors on a décidé de
tout changer et j'ai appelé le groupe
"Gipsy Sons and Rainbows"
pour faire court. Parce qu'on n'est
qu'une bande de gitans. [...]
    Attendez une minute et demie
qu'on s'accorde, OK ? Comme on
a fait que deux répètes ensemble,
on va rester dans du rythme primaire.
Voix dans la foule :
"Tu planes, Jimi ?"
"Ouais, j'plane, merci.
Je plane, merci, *baby*." »
JIMI HENDRIX

« Woodstock est le premier concert que j'ai fait avec Jimi. Ce groupe-là ne devait durer que le temps d'une saison parce que Jimi essayait de trouver une nouvelle voie musicale. Il avait appelé le groupe "Gipsy Sons and Rainbows". Jimi nous a dit qu'il fallait qu'on soit bien prêts. Alors, on a répété pendant trois semaines. Dans une maison qu'il avait à Shokan. […]

C'était un très bon concert. On était tous bien en place. Jimi était un perfectionniste, il ne nous laissait pas jouer tant qu'il ne nous sentait pas prêts. En musique, il était comme ça. Il ne voulait jamais faire les choses à moitié. Il fallait y aller à fond. Il a fait en sorte qu'on soit bien rodés avant le concert. […]

Il y avait beaucoup d'énergie qui venait du public et Jimi nous a dit : "On va prendre cette énergie et la leur renvoyer." C'est comme ça qu'on a joué. Des gens étaient partis, mais beaucoup se sont rassemblés au centre pour bien profiter de la musique, parce que tous ceux qui étaient là étaient à fond dans ce qu'on faisait. Jimi était la tête d'affiche. Tout le monde était impatient de le voir. On est restés deux heures en scène. Après, on nous a fait disparaître. Je crois qu'on a dû aller manger un truc dans le coin et puis on est retournés à Shokan. […]

C'était vraiment un bon concert. Il y avait de la paix, de l'amour et de l'harmonie, de bonnes vibrations aussi, et tout le monde était pacifique. » BILLY COX, BASSISTE DE JIMI HENDRIX

« Jimi Hendrix voulait clôturer le festival parce que c'est ce que font les têtes d'affiche en général. C'est son manager, Michael Jeffries [Jeffery], qui y tenait. Moi, je lui avais dit : "Ça ne marche pas comme ça. Tout le monde est tête d'affiche. Passez plutôt vers minuit." Jeffries a refusé, il voulait qu'Hendrix termine le festival. J'ai accepté, mais je savais que ce n'était pas le meilleur moment, parce qu'il allait attendre toute la nuit et que beaucoup de gens seraient déjà partis. Le lundi matin, Hendrix a fait un concert incroyable, mais quand il est monté sur scène, il n'y avait plus que 40 000 spectateurs. »

MICHAEL LANG

« C'était un champ de bataille. Ça puait comme un tas d'ordures, à cause de ce qui avait pourri, de la pluie, des sacs de couchage, des nattes et des boîtes de lait. C'est pour ça qu'on nous a embauchés pour le nettoyage. On avait de grands bâtons avec un clou au bout. On ramassait les déchets, on les mettait en tas et les camions de la ville venaient les charger. » DUKE DEVLIN, GUIDE DU MUSÉE DE BETHEL WOODS

« Une fois tout le monde parti, il y avait tellement de boue que les sacs de couchage en étaient couverts et qu'on ne pouvait pas les porter. Il devait y avoir entre 30 000 et 80 000 duvets qu'on a rassemblés en tas. Il y a des gens qui en ont emportés, mais il a fallu en jeter d'autres.

C'est à ce moment-là qu'il y a eu un mort. Il dormait dans un duvet pas loin de la scène et le camion d'assainissement lui a roulé dessus. […] C'est dans les bras de Tom, mon mari, qu'il est mort. […] Le conducteur croyait que le sac de couchage était vide.

On a donc tout nettoyé, les ordures et les duvets, avec des camions et des remorques. On faisait le tour du champ pour ramasser les déchets et les mettre en tas […]. Après ça, on nous a ramenés en car à l'aéroport.

À la toute fin du festival, il restait beaucoup d'hélium qui avait servi à gonfler des ballons. Et on avait de grands sacs en plastique, tout en longueur, qu'on a remplis d'hélium et attachés les uns aux autres pour faire un symbole de la paix qu'on a laissé s'envoler dans le ciel. » LISA LAW

« Mon souvenir le plus frappant, c'est mon départ en hélicoptère.
John et Joel étaient déjà partis, j'avais rendez-vous avec eux à la banque. Quand
on s'est élevés au-dessus du champ, on a vu un énorme symbole de la paix
et des jeunes qui déversaient des déchets dedans. C'est l'image que j'ai laissée
derrière moi et ensuite, j'ai atterri à Wall Street ! Le réveil a été rude ! » MICHAEL LANG

« Beaucoup de jeunes – il y avait des ordures partout – se sont mis à arpenter le champ avec des sacs, à ramasser leurs déchets et à nettoyer le site eux-mêmes. Ça m'a aussi beaucoup touché de voir que tout le monde ne jetait pas ses ordures n'importe où. Évidemment, il y en avait beaucoup, des tonnes. C'est le dimanche soir qu'ils ont commencé à nettoyer. Ils étaient déjà nombreux à partir. Les groupes jouaient toujours. Mais je savais qu'il était en train de se passer quelque chose. Je savais que c'était quelque chose de beau.

Je ne sais pas comment le décrire, mais, une fois rentré chez moi et après avoir vu tant de monde, j'ai encore mieux compris. »

JOE SCARDA, POLICIER EN REPOS ENGAGÉ POUR ASSURER LA SÉCURITÉ

Alors que la foule débraillée quitte le site de Bethel à la fin du festival, plus d'un témoin oculaire compare la scène à une armée médiévale abandonnant un champ de bataille après de rudes combats. Pourtant, dans un article intitulé « Grooving on the Sounds », paru dans le journal britannique *The Guardian* le 19 août 1969, le grand journaliste et homme de radio Alistair Cooke évoque un conflit plus récent ayant eu lieu sur le sol américain :

« On a entendu un grand soupir de soulagement aujourd'hui, dans la résidence du gouverneur, dans tous les services de police de l'État, dans les hôpitaux et les cliniques, et probablement aussi dans l'esprit de milliers de parents de tout le pays, lorsqu'une foule réunissant deux fois plus de forces que celles engagées dans la bataille de Gettysburg a levé le camp de la petite commune de Bethel, dans l'État de New York, pour rentrer à la maison. »

L'éminent observateur détaille ensuite les périls auxquels « s'exposait » Max Yasgur, comme beaucoup le craignaient, dans « une version rurale des émeutes de la convention démocrate de Chicago qui ont épouvanté le pays il y a tout juste un an ».

> **« Il allait y avoir, avait-on dit [à Yasgur], au mieux une consommation d'herbe généralisée, au pire d'héroïne, un océan d'ordures, des incivilités érigées en système, une orgie de partouzes et, sans doute, des affrontements sauvages et sanglants avec la police. »**

Après avoir répertorié les malheurs en tout genre qu'a connus le festival – deux morts, quatre fausses couches, quatre cents personnes traitées pour mauvais trip, plus de trois mille blessés légers –, Cooke n'en conclut pas moins que, par rapport à la masse de spectateurs (qu'il sous-estime nettement), le festival est resté étonnamment pacifique :

> **« Toutefois, malgré ces accidents, au moins 296 000 personnes ont gardé une forme assez bonne et un optimisme indestructible. La ville la plus proche est Monticello, mais elle ne possède que vingt-cinq policiers dont le chef a déclaré à la fin : "En dépit de leur tempérament, de leurs tenues vestimentaires et de leurs idées, ce sont les jeunes les plus courtois, les plus prévenants et les plus sages que j'ai rencontrés en vingt-quatre ans de service dans la police." »**

Cooke souligne ensuite que si une catastrophe a pu être évitée, c'est en grande partie grâce à l'aide apportée par les habitants des environs, les services médicaux et les bénévoles :

> **« Les équipements disponibles à la campagne n'ont jamais été faits pour faire face à l'invasion de 300 000 êtres humains, guerriers ou pacifiques. Indubitablement, les jeunes ont su redorer le blason de leur étrange tribu. Ils étaient à la merci de la nature jusqu'à ce que les habitants de la région, agriculteurs, médecins et infirmières, ainsi que quelques hélicoptères militaires, les nourrissent, les soignent et s'occupent d'eux. Il n'est pas facile, mais pas impossible non plus, d'éviter à 300 000 hippies la faim et la maladie lorsqu'une force de soutien et de ravitaillement se met courageusement à disposition, composée de médecins et de radiologues qui ne dorment pas, de fermiers affables, de vieilles dames, de membres de la base aérienne de Stewart, de conducteurs d'ambulance bénévoles, de femmes d'une association juive locale et des sœurs du Couvent de Saint-Thomas. »**

« Ces beaux jeunes gens qui pensaient que la nature serait là pour les nourrir ont eu la chance d'avoir tant de gens prêts à faire preuve de cette bonne vieille charité chrétienne et juive. » ALISTAIR COOKE

Woodstock en chiffres et en faits

Prix d'un billet pour une journée acheté à l'avance : 7 dollars • Prix d'un billet pour une journée acheté sur place : 8 dollars • Prix d'un billet pour deux jours acheté à l'avance : 13 dollars • Prix d'un billet pour trois jours acheté à l'avance : 18 dollars • Prix d'un billet pour trois jours acheté sur place : 24 dollars • 186 000 billets vendus en tout • 4 062 détenteurs d'un billet n'ont pas pu accéder au site et ont été remboursés par chèque • Plus de 6 000 malades soignés par 18 médecins et 36 infirmiers et infirmières • 50 médecins supplémentaires arrivés de New York en hélicoptère le 16 août • Deux naissances et quatre fausses couches pendant le festival • Un décès par surdose d'héroïne et un accident mortel quand un spectateur est écrasé par un tracteur • Durée moyenne pour parcourir les 160 kilomètres qui séparent New York de Bethel : 8 heures • Distance moyenne parcourue à pied après abandon des voitures : 24 kilomètres • Longueur maximale de l'embouteillage sur la Route 17B : 27 kilomètres • Durée moyenne de l'attente pour téléphoner : 2 heures • Durée minimum de l'attente entre deux groupes : 40 minutes • Durée maximum de l'attente entre deux groupes (excepté les retards dus à la pluie) : 120 minutes • 36 policiers municipaux de New York en repos, embauchés à 50 dollars par jour et par personne, en plus de 150 policiers bénévoles, 100 shérifs et 100 policiers d'État et leurs adjoints appartenant à 12 comtés • 450 vaches sans enclos accompagnent les campeurs pendant les trois jours • 600 toilettes mobiles • 590 kilos de boîtes de conserve, de sandwichs et de fruits apportés par des hélicoptères de secours • 30 000 sandwichs préparés par le groupe des femmes de l'association juive de Monticello et distribués par les sœurs du Couvent de Saint-Thomas

Environ 250 000 personnes n'ont jamais pu accéder au site.

« Les jeunes gens arrivés par grappes hier soir à la gare routière centrale de New York, à l'angle de la 41e Rue et de la 8e Avenue, étaient mouillés, hirsutes et enclins à des excentricités vestimentaires associant, par exemple, un haut de forme cabossé à un maillot crasseux, un blue-jean et des sandales. Selon Richard Biccum, chauffeur de car, c'étaient "des jeunes bizarrement accoutrés mais sympas". Âgé de vingt-six ans, M. Biccum ajoute : "Je préfère de loin transporter des jeunes que des banlieusards, car ils sont extrêmement polis et ordonnés." Reginald Dorsey, responsable de l'entreprise Short Line Bus, confirme que ces jeunes sont des "gens merveilleux" qui n'ont causé aucun ennui. »

NEW YORK TIMES, 18 AOÛT 1969

« Refuseniks »

Plusieurs groupes et musiciens ont décliné l'invitation à se produire à Woodstock ou renoncé à y passer à la dernière minute, sans avoir conscience de l'ampleur que prendrait l'événement.

La veille de son arrivée prévue à Bethel, Joni Mitchell annule son passage car elle pense que les embouteillages l'empêcheront de revenir à New York à temps pour participer au « Dick Cavett Show », prestigieuse émission télévisée. Pourtant, Jefferson Airplane, Stephen Stills et David Crosby parviennent à rentrer du festival le mardi et rejoignent Joni pour l'émission.

Programmé à Woodstock, le Jeff Beck Group – qui comprend Rod Stewart et Ronnie Wood, futur guitariste des Rolling Stones – se dissout une semaine avant le festival. Lorsque le groupe de hard rock Iron Butterfly exige qu'un hélicoptère l'emmène de New York sur le site, Michael Lang refuse et Woodstock Ventures annule son concert.

Procol Harum décline l'invitation au motif que le festival a lieu à la fin d'une longue tournée du groupe et que l'un de ses membres, qui va bientôt devenir papa, doit rentrer en Angleterre. Les Doors sont eux aussi programmés, mais annulent au dernier moment car leur chanteur Jim Morrison déteste faire de grands concerts en plein air et craint d'être assassiné s'il se produit à Woodstock. Ses partenaires Robbie Krieger et John Densmore seront tout de même sur place, mais ne joueront pas.

Parmi les autres groupes célèbres ayant refusé de participer au festival, on compte Jethro Tull (son leader Ian Anderson aurait déclaré qu'il « n'avai[t] pas l'intention de passer [son] week-end dans un champ de hippies crasseux »), Led Zeppelin, Tommy James and the Shondells, Paul Revere and the Raiders, Free et Spirit. Les Moody Blues, initialement programmés (et cités sur les affiches) au festival de Wallkill, se produisent au même moment à Paris.

Avant et pendant le festival, les rumeurs vont bon train à propos d'un concert surprise des Beatles. S'ils ne se sont pas produits aux États-Unis depuis leur tournée de 1966, l'idée est confortée par leur célèbre apparition sur le toit de leur bureau londonien en janvier 1969. Michael Lang a pris contact avec John Lennon via Chris O'Dell, à la maison de disques Apple, et Lennon semble trouver que c'est une bonne idée. Mais les négociations sont abandonnées en mai car Lennon est interdit de séjour aux États-Unis pour délit de possession de drogue l'année précédente.

L'événement le plus attendu, mais qui ne s'est pas concrétisé, est le passage de Bob Dylan. Après tout, il habite à Woodstock – c'est même l'une des raisons initiales pour lesquelles le festival a lieu dans la région – et il est considéré, à son corps défendant, comme un symbole de la contre-culture. D'aucuns estiment donc que son passage sur la scène de Bethel est inévitable. En vain.

Dylan a souvent déclaré qu'à la fin des années 1960, les hippies qui se rendaient à Woodstock précisément parce qu'il y habitait avaient rendu sa vie et celle de sa famille impossibles. En outre, il ne s'est jamais vu en « porte-parole » d'une génération à laquelle, pour beaucoup de raisons, il ne s'identifiait pas.

Au moment de Woodstock, Dylan doit passer à la fin du mois d'août au festival de l'île de Wight, en Angleterre. Le 15 août, premier jour du festival à Bethel, il monte avec sa famille à bord du *Queen Elizabeth II*, paquebot en partance pour la Grande-Bretagne. Mais, juste avant le départ, Jesse, son fils âgé de trois ans, se cogne la tête dans un bouton de porte. Toute la famille débarque et rentre à Woodstock. Une fois qu'il est sûr que son fils n'a rien de grave, Dylan prend l'avion pour l'Angleterre.

Ci-contre : parmi les « refuzniks » de Woodstock se trouvent les membres de Led Zeppelin, (de gauche à droite) Robert Plant, John Paul Jones, John Bonham et Jimmy Page.

« On nous a demandé de passer à Woodstock. Notre label, Atlantic, était très pour, ainsi que Frank Barsalona, notre tourneur aux États-Unis. J'ai refusé parce qu'on n'aurait été qu'un groupe parmi d'autres à Woodstock. »

PETER GRANT, MANAGER DE LED ZEPPELIN

Ci-dessus : Yoko Ono et John Lennon.
Ci-contre : les Doors, (de gauche à droite) Ray Manzarek,
Robbie Krieger, Jim Morrison et John Densmore.

La chanteuse et compositrice Joni Mitchell était programmée à Woodstock, mais après avoir lu les bulletins d'information, David Geffen, dirigeant de sa maison de disques, envoie Crosby, Stills, Nash & Young sur le site sinistré de Bethel, tandis qu'il passe la soirée dans son appartement new-yorkais et suit l'actualité du festival à la télévision avec Joni. C'est là qu'elle écrit sa chanson «Woodstock», hymne à ces trois jours de paix et de musique, dont CSN & Y feront un succès international au printemps suivant.

« Comme il était impossible que j'aille à Woodstock et que j'étais coincée dans une chambre d'hôtel à New York, j'ai un point de vue très intense sur le festival. J'étais une spectatrice parmi d'autres. J'étais dans la même situation que des jeunes qui n'auraient pas pu y aller. Alors j'ai passé mon temps à suivre les médias. En plus, à l'époque, j'étais dans un trip "retour au christianisme". Pourtant, je n'allais pas à l'église, j'avais renoncé au christianisme très jeune, en pleine séance de catéchisme. Mais tout d'un coup, nous les musiciens, nous étions dans une situation où tous ces gens nous prenaient pour des guides. Pour une raison que j'ignore, j'ai pris ça au sérieux et j'ai voulu aussi avoir un guide et me suis tournée vers Dieu. J'étais donc un peu "folle de Dieu" – je ne trouve pas d'autres mots – et je me disais : "Où sont les miracles de notre époque ?" J'ai vu en Woodstock une sorte de miracle moderne, une version moderne de la parabole de la pêche miraculeuse et de la multiplication des pains. Que des gens réunis en si grand nombre s'entendent si bien, c'était remarquable et l'optimisme était incroyable. C'est avec ces sentiments-là que j'ai écrit "Woodstock". » JONI MITCHELL

« Ensuite, ils [CSN & Y] ont entendu la chanson et l'ont enregistrée. Et c'est devenu l'hymne de Woodstock. Quant au film, j'ai accepté qu'ils gardent les images de Crosby, Stills, Nash & Young à condition que la chanson de Joni chantée par eux en soit le thème musical. »

DAVID GEFFEN, MANAGER ET RESPONSABLE D'UNE MAISON DE DISQUES

« À l'époque de Woodstock, Joni Mitchell et moi sortions ensemble. Nous étions à New York et elle allait passer à l'émission de télé "The Dick Cavett Show". Toutes sortes de rumeurs couraient à propos du festival. D'abord, on entend dire qu'il y aura 20 000 personnes, ensuite 100 000 ! Joni voulait y aller, mais je lui ai dit : "Si tu y vas, je ne suis pas sûr de pouvoir te ramener à temps pour l'émission." C'était une émission importante à l'époque.

Joni n'y est donc pas allée et c'est avec ce que Sebastian et nous lui avons raconté qu'elle a composé "Woodstock". » GRAHAM NASH, CROSBY, STILLS, NASH & YOUNG

« J'étais en train d'emmener Crosby, Stills, Nash & Young [...] et Joni Mitchell à Woodstock. Arrivé à l'aéroport de La Guardia [à New York], j'attrape un exemplaire du *New York Times* et je lis : "400 000 personnes assises dans la boue." Là, je me dis : "Pas question d'aller à Woodstock." Ils y sont allés sans moi. Joni et moi sommes retournés dans mon appartement du sud de Central Park et on a regardé le festival à la télé. C'est dans mon appartement de la 59ᵉ Rue qu'elle a écrit la chanson "Woodstock". »

DAVID GEFFEN

Page ci-contre : Joni Mitchell chez elle à Laurel Canyon, en Californie, en 1969.

« Le festival de Woodstock [...] est le résultat de toutes ces conneries. Et j'avais l'air d'être pour quelque chose dans cette histoire de "Woodstock Nation" et de tout ce que cela représentait. On ne pouvait plus respirer. Il n'y avait plus de place pour moi ni pour ma famille. » BOB DYLAN

« Woodstock, je ne voulais pas en être. J'aimais bien cette petite ville.
Mais ils ont exploité ça à fond, en faisant venir quinze millions de personnes et en les entassant au même endroit. Ça m'emballait pas. C'était donc ça, la *flower generation* ? C'était pas du tout mon truc. Pour moi, c'était juste une foule de gamins avec des fleurs dans les cheveux qui se défonçaient à l'acide. Qu'est-ce que vous voulez que je vous dise ? » BOB DYLAN

Ci-dessus : Bob Dylan sur la scène du festival du 25e anniversaire de Woodstock (ou « Woodstock II »), à Saugerties (État de New York) en août 1994. Page ci-contre : Dylan lors d'une conférence de presse en Grande-Bretagne, avant son passage au festival de l'île de Wight en 1969, deux semaines après Woodstock.

les retombées

« "C'était comme baiser pour la première fois", explique une festivalière, la voix éraillée, l'esprit embrumé par la drogue. Oui, ils recommenceront, tous ces jeunes dissidents qui tissent des liens entre eux, de Paris à Prague, de Fort Lauderdale à Berkeley, de Chicago à Londres, pour créer un réseau de plus en plus dense jusqu'à ce que la carte du monde dans lequel nous vivons soit viable et visible pour tous ceux qui en font partie et pour tous ceux qu'elle recouvre comme un linceul. » *ROLLING STONE, 20 SEPTEMBRE 1969*

APRÈS WOODSTOCK

1969 **29-31 août** Festival de musique de l'île de Wight, en Angleterre **30 août-1er septembre** Festival pop international du Texas **1er septembre** L'ouragan Camille, de catégorie 5, dévaste la côte du golfe du Mexique, provoquant la mort de 248 personnes et plus d'un milliard de dollars de dommages **2 septembre** Décès d'Ho Chi Minh, président du Nord-Vietnam, à l'âge de 79 ans **(1)** **5 septembre** Le lieutenant américain William Calley est inculpé de six assassinats prémédités pour son rôle dans le massacre de My Lai où 109 Vietnamiens ont péri **(2)** **24 septembre** Début du procès des « huit de Chicago » à la suite des manifestations contre la guerre à la convention démocrate de 1968 **(3)** **15 octobre** Manifestations dans tous les États-Unis contre la guerre au Vietnam **6 décembre** Le festival d'Altamont s'achève dans la violence, avec un mort

1970 **22 avril** Première « journée de la Terre », point de départ de la cause environnementale **4 mai** Quatre étudiants sont tués par la garde nationale lors d'une manifestation pacifiste à l'université d'État de Kent, dans l'Ohio **(4)** **18 mai** Les Beatles sortent *Let It Be*, leur ultime album **28 juin** Première « Gay Pride » organisée à New York **(5)** **18 septembre** Jimi Hendrix est retrouvé mort à Londres, probablement victime d'une overdose **4 octobre** Janis Joplin est retrouvée morte d'une overdose d'héroïne à Los Angeles **30 décembre** Paul McCartney entame la procédure juridique qui met un terme au partenariat entre les quatre musiciens des Beatles, première étape de leur dissolution

1971 **2 janvier** Interdiction de la publicité pour les cigarettes à la radio et à la télévision aux États-Unis **12 janvier** Premier épisode d'*All in the Family*, série télévisée comique, qui connaîtra une longue destinée sur CBS, contre les préjugés et l'ignorance **28 mars** Dernière édition de l'émission télévisée « The Ed Sullivan Show » **9 avril** Charles Manson est condamné à mort pour le meurtre de Sharon Tate, peine commuée par la suite en réclusion criminelle à perpétuité lorsque la Californie abolit provisoirement la peine de mort **(6)** **19 avril** Lancement de la première station spatiale habitée, *Saliout I*, par les Soviétiques **27 juin** L'organisateur de concerts Bill Graham ferme les portes de sa célèbre salle de Fillmore East à New York **3 juillet** Jim Morrison, chanteur des Doors, est retrouvé mort dans son appartement à Paris **(7)** **1er août** 40 000 personnes assistent au concert pour le Bangladesh, organisé par George Harrison à New York pour réunir des fonds **(8)**

1972 **29 avril** John Lindsay, maire de New York, apporte son soutien à John Lennon, menacé d'expulsion des États-Unis **(9)** **17 juin** À Washington, le siège du Parti démocrate est cambriolé dans l'immeuble du Watergate **5-6 septembre** Des terroristes palestiniens assassinent onze athlètes israéliens et un policier allemand lors d'une prise d'otages aux Jeux olympiques de Munich

1973 **14 janvier** Plus d'un milliard de téléspectateurs du monde entier regardent la retransmission du concert d'Elvis Presley à Hawaï, *Aloha From Hawaii* **(11)** **22 janvier** Une décision de la Cour suprême des États-Unis (« Roe vs. Wade ») légalise l'avortement dans tout le pays **27 janvier** Fin de la participation des États-Unis à la guerre du Vietnam avec la signature des accords de paix de Paris **29 mars** Départ du Vietnam du dernier soldat américain **4 avril** Inauguration du World Trade Center à New York **(12)** **15 août** Fin des bombardements américains au Cambodge **Décembre** Ouverture à New York du club CBGB, la future Mecque du punk • À la suite de l'embargo arabe sur le pétrole, pénurie et augmentation spectaculaire des prix des carburants **(10)**

1974 **4 janvier** Le président Nixon refuse de produire plus de 500 enregistrements et documents devant la commission d'enquête du Sénat sur le Watergate **4 février** L'Armée de libération symbionaise, organisation terroriste urbaine, kidnappe Patty Hearst, riche héritière de dix-neuf ans **(13)** **30 mars** Les Ramones, groupe punk, font leur premier concert au Performance Studio à New York **15 avril** L'Armée de libération symbionaise, dont Patty Hearst fait désormais partie, dévalise une banque de San Francisco **9 août** Richard Nixon démissionne de ses fonctions de président des États-Unis à la suite du scandale du Watergate **(14)**

1975 **30 janvier** L'organisation terroriste Weather Underground fait exploser une bombe au ministère des Affaires étrangères à Washington **10 mars** Première de la comédie musicale *Rocky Horror Show* à New York **(15)** **9 septembre** Diffusion du premier épisode de la série télévisée *Welcome Back, Kotter*, dont le célèbre thème musical (no 1 des hit-parades en 1976) est dû à John Sebastian **11 octobre** Diffusion de la première émission Saturday Night Live sur NBC, animée par George Carlin **6 novembre** Premier concert des Sex Pistols, groupe punk britannique, à Londres **(16)**

LE « DICK CAVETT SHOW »

Le mardi 19 août, lendemain de la fin du festival, Jefferson Airplane, Joni Mitchell, Stephen Stills et David Crosby passent dans le « Dick Cavett Show », émission télévisée d'une heure diffusée depuis New York sur ABC. Alors âgé de trente-deux ans, Cavett est le pendant intellectuel et « dans le coup » de Johnny Carson, animateur plus populaire d'une émission équivalente sur NBC. Diplômé de Yale et ancien rédacteur des saillies comiques de Carson, Cavett encourage davantage ses invités à discuter librement. Il est aussi plus à l'aise avec les personnalités jeunes.

Une grande partie de l'émission est consacrée à la promotion des vedettes du rock invitées. Âgée de vingt-cinq ans, Joni Mitchell paraît très jeune et sage dans sa longue robe de velours vert. Elle interprète seule à la guitare et au piano « Chelsea Morning », « Willy », « For Free » et « The Fiddle and the Drum ». David Geffen aurait tenu à ce qu'elle n'aille pas à Woodstock car il craignait qu'elle ne puisse pas participer à cette émission à cause des embouteillages. Stephen Stills joue une version acoustique de « 4 + 20 ». Jefferson Airplane ouvre et conclut l'émission avec des versions rock et abrégées de « We Can be Together », « Volunteers » et – avec Crosby et Stills – « Somebody to Love ». Dans leur premier morceau, on peut entendre la phrase immortelle « *Up against the wall, motherfuckers* » [Contre le mur, bande d'enfoirés] que les censeurs d'ABC n'ont manifestement pas pu couper.

Jim Hendrix devait aussi participer à l'émission, mais Cavett annonce d'emblée que le guitariste a dû annuler sa venue car il est épuisé, après avoir clôturé le festival si tard. David Crosby confirme qu'Hendrix a joué jusqu'à dix heures du matin le lundi.

Au cours de la brève discussion à bâtons rompus, les invités sont rassemblés en cercle sur des canapés. Cavett leur pose quelques questions générales sur le festival, mais aussi sur les signes astrologiques et les dangers d'arborer des cheveux longs en 1969. Mais les participants et l'animateur semblent mal à l'aise et les réponses claires sont rares. Le plus détendu et direct dans ses remarques sur Woodstock est David Crosby.

« Il y a deux soirs de ça, se risque-t-il, cet endroit était la deuxième ville de l'État de New York. Et sans violence. »

Cavett a plus de mal à faire parler Grace Slick, de Jefferson Airplane, sur ses activités quand elle n'était pas sur scène. « Que faisiez-vous au festival, Grace, lorsque vous ne vous produisiez pas ? », lui demande-t-il.

« On s'envoyait en l'air », marmonne Paul Kantner, partenaire musical et amoureux de Grace Slick. Ne sachant plus où se mettre, celle-ci se cache le visage, mais se reprend vite et dit : « J'aimerais pouvoir vous le dire, Jim. » À quoi rétorque Cavett, en prétendant l'exaspération : « Apprenez à retenir mon prénom, Mlle Joplin ! » Ainsi la discussion quitte-t-elle le terrain glissant de l'amour libre.

Si cette émission est dépourvue de grandes révélations sur le festival qui vient de s'achever, elle témoigne néanmoins de l'importance culturelle de Woodstock. Ceux qui n'étaient pas au festival étaient avides de comprendre ce qui s'était passé dans les prés de Bethel.

Ci-dessus : le présentateur de télévision Dick Cavett.
Ci-contre : David Crosby, Joni Mitchell et Graham Nash.

« Que pensez-vous du festival en général ? Est-ce que c'est une réussite ? » demande Cavett aux musiciens. « C'était incroyable, répond aussitôt Crosby. C'est sans doute le truc le plus bizarre qui soit jamais arrivé. Je peux vous décrire à quoi ça ressemblait, vu d'hélicoptère, *man* ? On aurait dit un croisement entre un campement de l'armée macédonienne sur une colline grecque et le plus grand rassemblement de gitans qu'on ait jamais vu. »

PRESSE GÉNÉRALISTE

Prenant conscience du phénomène social qu'est Woodstock, la presse généraliste réfléchit aux événements de Bethel dans les jours qui suivent la fin du festival. Sur un ton austère de réprimande, l'éditorial du *New York Times* fait la leçon aux organisateurs (et à l'ensemble de la contre-culture) comme s'ils étaient de vilains garnements. En revanche, le magazine *Newsweek* perçoit qu'il s'agit d'une expression radicale de la contre-culture au sein même de la société américaine, tandis que *Life* s'en tient à sa posture objective habituelle avec huit pages de photographies.

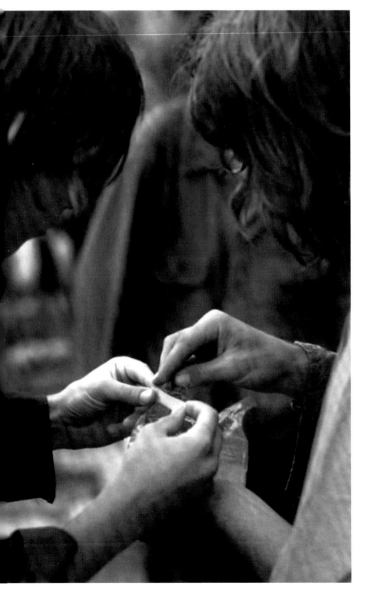

Cauchemar dans les Catskill

« Les rêves de marijuana et de musique rock qui ont attiré 300 000 fans et hippies dans les monts Catskill ne sont pas moins insensés que la pulsion qui conduit les lemmings à se diriger en masse vers la mer et une mort certaine. Ces rêves sont devenus un cauchemar de boue et de paralysie générale dans le comté de Sullivan pendant tout un week-end.

Quelle est donc cette culture capable d'engendrer un chaos aussi colossal ? Un mort et au moins trois jeunes hospitalisés pour cause d'overdoses. Un accident ayant causé la mort d'un jeune qui dormait en plein champ. Plus de trente kilomètres de routes impraticables, non seulement pour les jeunes exaspérés, mais aussi pour les habitants et les touristes ordinaires.

À coup sûr, les parents, les enseignants, tous les adultes même, qui ont contribué à bâtir la société contre laquelle ces jeunes gens se rebellent doivent assumer une part de responsabilité dans cet épisode scandaleux. On a peine à croire que l'herbe, l'acide et autres drogues illégales aient pu s'échanger librement et être consommées à une telle échelle.

Les promoteurs de cet événement, qui ne semblent pas s'être préoccupés le moins du monde des troubles qu'il allait causer, doivent répondre de leur inorganisation. Vouloir entasser plusieurs centaines de milliers de personnes sur un terrain agricole de 240 hectares, équipé de rares installations sanitaires édifiées à la hâte, c'est se montrer irresponsable.

Pour compliquer les choses, la confusion régnait au sein de la police municipale de New York, amputée des services de centaines de policiers en repos sur lesquels elle comptait pour assurer la sécurité. Un officier de police de haut rang aurait en effet incité ses hommes à se faire engager au festival.

Apprenant la situation, le commissaire divisionnaire Howard R. Leary est rapidement intervenu pour interdire à ses hommes de participer à ce genre d'activités. Celles-ci enfreignent manifestement la législation sur le travail au noir. Pareille idée n'aurait jamais dû être avancée lorsqu'on connaît le règlement de ces services de police.

Comme toujours, certains aspects ont racheté une situation dans l'ensemble lamentable. L'un d'eux est l'authentique gentillesse des habitants de Monticello et d'autres communes envahies, qui ont fait bouillir de l'eau et préparé des milliers de sandwichs pour les hordes de jeunes affamés et assoiffés. Il faut également citer les médecins, infirmières et infirmiers qui se sont rendus sur les lieux en hélicoptère.

Enfin, l'immense majorité des envahisseurs à l'allure effrayante s'est comportée étonnamment bien, quand on pense aux déceptions et à l'inconfort auxquels ils ont fait face. Ils ont ainsi montré que leur allure excentrique dissimulait une véritable bonté, pourvu qu'elle soit sollicitée dans un but plus heureux que la quête de LSD. » ÉDITORIAL DU *NEW YORK TIMES*, 18 AOÛT 1969

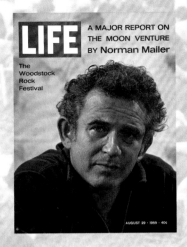

« C'était une véritable ville où l'on vivait, mourait et naissait – deux bébés ont vu le jour pendant le festival –, avec tous les problèmes urbains d'approvisionnement en eau et en nourriture, d'hygiène et de santé. De drogue aussi, évidemment, car nombre de ses habitants appartiennent à la culture de la drogue. Puisqu'ils n'attendaient que 50 000 clients par jour, les organisateurs avaient mis en place un système fragile et laxiste pour les accueillir. Submergé, poussé jusqu'à ses limites extrêmes, ce système ne s'est pourtant pas rompu, ce qui est stupéfiant. Trois jours durant, près d'un demi-million de personnes ont vécu au coude à coude dans la plus bondée, la plus détrempée et la plus inconfortable des colonies et on n'a même pas signalé de bagarre à coups de poing. » *LIFE*, 29 AOÛT 1969

« Événement de l'histoire sociale des États-Unis, Woodstock aura certainement été moins cosmique qu'aux yeux du poète beatnik Allen Ginsberg (pour lequel il s'agit d'un "très grand événement planétaire") et moins révolutionnaire que ne veut le croire Abbie Hoffman, du mouvement des Yippies (qui y voit "la naissance de la Woodstock Nation et la mort du dinosaure américain"). Pourtant, l'Amérique adulte y a vu, à juste titre, quelque chose de tranquillement, aimablement, mais profondément subversif. Pour les sociologues, c'est un sujet d'étude. Pour les éditorialistes, c'est un sujet d'énigme. Un beau matin, le *New York Times* a d'abord qualifié l'événement de "cauchemar de boue et de paralysie générale", puis laissé la nuit lui porter conseil et s'est réveillé le lendemain avec l'idée qu'il s'apparentait plutôt à "la folie des tulipes du XVIIᵉ siècle ou à la Croisade des enfants du XIIIᵉ siècle [...] bref à une manifestation de l'innocence". Le grand expert Max Lerner assure aux historiens qu'il s'agit d'"une révolution culturelle et non politique". Mais une révolution tout de même... Woodstock trouvera certainement sa place en gros caractères sur la carte de l'Amérique dans le vent. Le festival a déçu les militants politiques qui se souvenaient des confrontations sur les marches du Pentagone en 1967, dans les rues de Chicago en 1968 et du côté du People's Park à Berkeley cette année. Woodstock appartient plutôt à une tradition différente, et parallèle, née à San Francisco et au festival pop de Monterey en 1967, première des fêtes tribales à célébrer la culture du rock, de la drogue et de l'amour comme fin en soi. Woodstock marque un tournant vers l'intérieur, qui n'est pas sans rappeler l'élan d'où a surgi la *beat generation* des années 1950 sous Eisenhower : les jeunes se retirent de la politique pour trouver refuge dans leur jeunesse et leurs sens. » *NEWSWEEK*, 25 AOÛT 1969

Ci-contre : lorsque la presse généraliste commence à comprendre les événements, au lendemain du week-end du 15 au 18 août 1969, elle se préoccupe avant tout des jeunes Américains ordinaires (et non des membres actifs de la contreculture) qui ont pris de la drogue pour la première fois.

PRESSE UNDERGROUND

Facteur essentiel de la contre-culture des années 1960, la presse «underground» est composée de journaux et de magazines publiés et distribués de manière indépendante, qui se font l'écho des positions politiques et du mode de vie de la jeunesse radicale. Les plus importants sont *The Village Voice*, hebdomadaire new-yorkais gratuit fondé en 1955 (dont la parution a cessé fin août 2018), l'*East Village Other*, fondé en 1965 – dont le *New York Times* dit qu'il est «tellement contre-culturel que, comparé à lui, *The Village Voice* passe pour un bulletin paroissial» – et, sur la Côte ouest, *Rolling Stone*, dont le siège est à San Francisco, puissant organe de presse alternatif qui deviendra le magazine sur papier glacé que l'on connaît aujourd'hui. Il est caractéristique que les comptes rendus de Woodstock parus dans ces périodiques aient tous mis en valeur les conséquences sociopolitiques du festival davantage que son impact musical.

« Imaginez une version *hip* de Jones Beach [parc et plage prisés des New-Yorkais] téléportée dans une zone de guerre au Vietnam pendant la mousson et vous aurez une idée de ce à quoi ressemblait White Lake au lendemain de l'occupation du site par les cheveux-longs. [...] Le plus étonnant, c'est l'endurance physique, la tolérance et le bon esprit de gens – pour la plupart des citadins peu portés sur le plein air – piégés par des conditions atmosphériques abominables. Le festival a prouvé que les jeunes hips n'ont fondamentalement rien à voir avec les masses bagarreuses qui biberonnent de la bière qu'on a connues jadis à Fort Lauderdale. » *VILLAGE VOICE*, 21 AOÛT 1969

« Tout ce que je peux dire, c'est que c'était le frip le plus dingue. On plane encore trop et on est complètement ailleurs. On a encore plein d'histoires, mais il faudra que vous attendiez un peu. Trop difficile de faire le tri et de les raconter pour l'instant. On veut tous que nos familles et nos potes soient ici avec nous. La musique est sympa, mais pas originale. Ceux de la Hog Farm sont trop. On est chez nous et en paix avec chacun et avec soi-même. Je pense que vous allez nous trouver changés et grandis. Je n'ai pas envie de partir, mais il faudra bien. Le truc, c'est comment je vais revenir et faire comme avant ? C'est comme ça qu'on devrait vivre. On y arriverait ? ----- *Peace* – John. » *EAST VILLAGE OTHER*, 20 AOÛT 1969

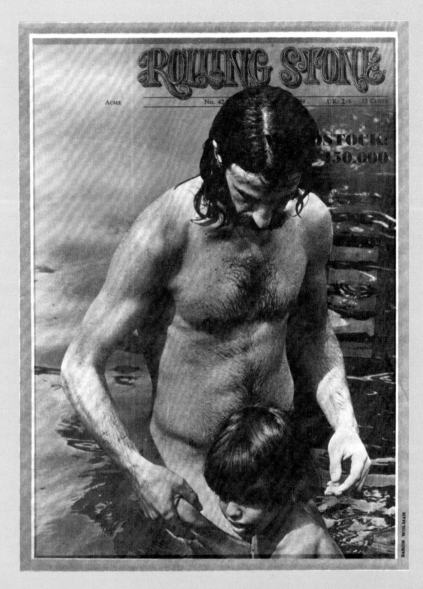

« Personne n'a jamais connu de société plus libérée. Tout le monde nageait nu dans le lac, il était plus facile de s'envoyer en l'air que d'avaler un petit déjeuner, et les "cognes" souriaient en faisant circuler les céréales. Pour ceux qui n'ont jamais connu l'intense proximité communautaire d'un combat militant – le People's Park à Berkeley, Paris en Mai, ou Cuba –, Woodstock doit rester le modèle de ce que sera l'après-révolution, quand on se sentira tous bien. » *ROLLING STONE*, 20 SEPTEMBRE 1969

WOODSTOCK LE FILM

En août 1969, Michael Wadleigh, cinéaste indépendant, et Bob Maurice, associé dans sa maison de production, ont concluent un accord avec Woodstock Ventures selon lequel ils filmeraient le festival à leurs frais et tenteraient ensuite de trouver un distributeur. C'est finalement Warner qui sortira le film, après avoir versé 100 000 dollars à Woodstock Ventures en échange de royalties sur le film et le disque, tandis que Wadleigh-Maurice Productions touche 90 000 dollars en échange des droits de distribution. Le contrat portant sur le film est négocié par John Calley, producteur chez Warner, par l'intermédiaire de Freddy Weintraub, l'un des vice-présidents du studio (contrairement à ce qu'affirmera plus tard Ahmet Ertegun

en prétendant que cet accord comprenait les droits de l'album qu'il avait négociés pour Atlantic Records, devenue entité du groupe Warner). À sa sortie en 1970, le film *Woodstock: Three Days of Peace and Music* connaît un immense succès commercial et fait du festival de Woodstock un phénomène international. En 1999, ses recettes se montaient à plus de 100 millions de dollars, de même que le triple album. Le film a été couronné par un oscar du meilleur documentaire.

« Au départ, j'ai acheté ça [les droits de l'album] car je croyais que beaucoup de nos musiciens seraient dessus. J'avais acheté les droits de l'ensemble, mais les musiciens n'étaient pas chez nous. Une fois le contrat signé, ils ont tous voulu être sur le disque.

On a obtenu l'autorisation des autres labels pour avoir leurs artistes. C'était un très grand disque. Je vais vous dire une chose : Paul Marshall [l'avocat de Woodstock Ventures], qui a négocié le contrat, m'a vendu les droits pour 75 000 dollars. Les droits d'enregistrer le concert. Et moi, je croyais que j'allais avoir, disons trois albums en public [...] avec des groupes différents.

En fait, je crois que Crosby, Stills, Nash & Young sont les seuls musiciens que nous avions au festival. »

AHMET ERTEGUN, PDG D'ATLANTIC RECORDS

Ci-contre : Ahmet Ertegun, patron d'Atlantic Records, qui a conclu le contrat de réalisation du disque de Woodstock.

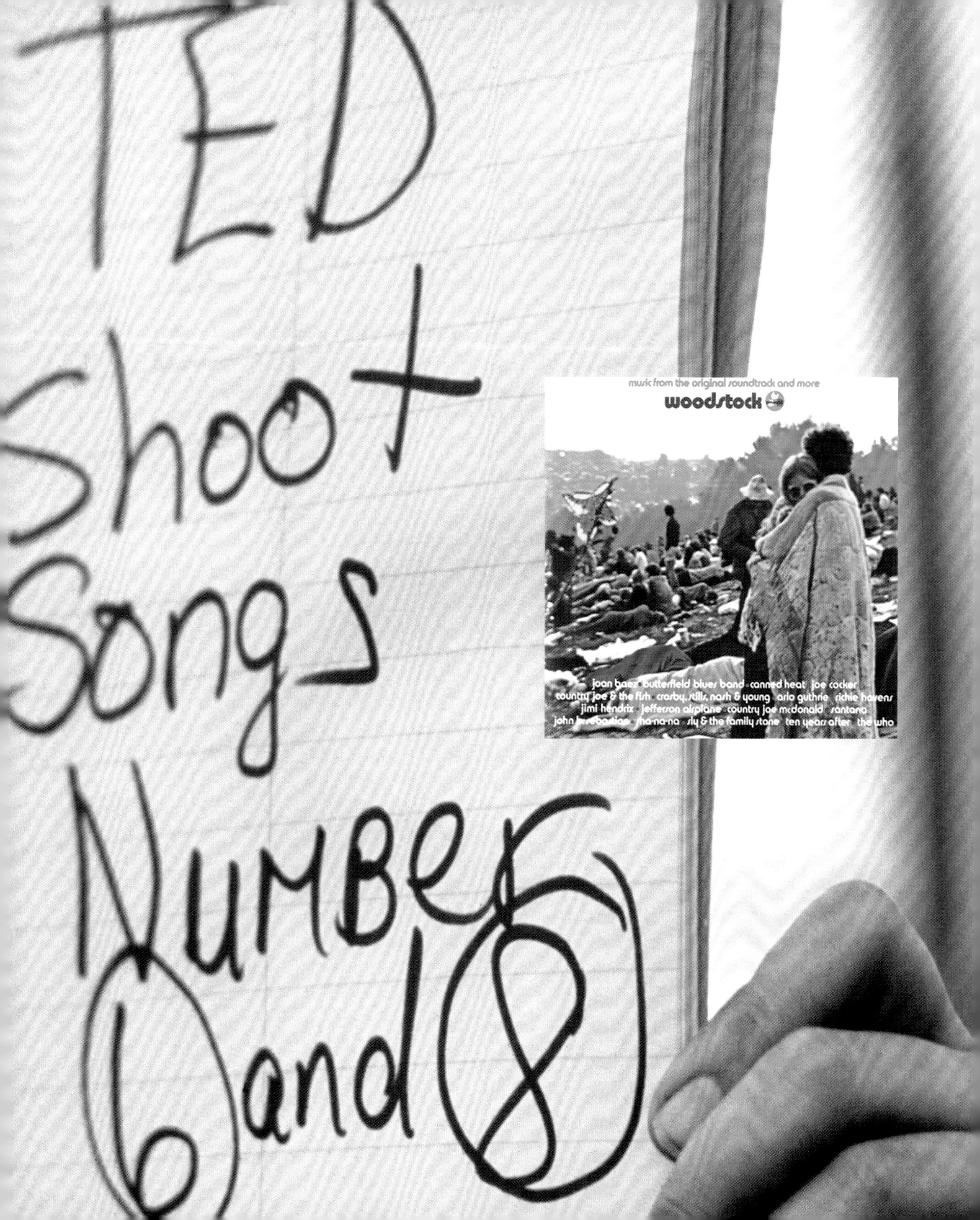
TED
Shoot
Songs
Numbers
6 and 8
music from the original soundtrack and more
woodstock
joan baez · butterfield blues band · canned heat · joe cocker
country joe & the fish · crosby, stills, nash & young · arlo guthrie · richie havens
jimi hendrix · jefferson airplane · country joe mcdonald · santana
john sebastian · sha-na-na · sly & the family stone · ten years after · the who

« À l'époque, Freddie Weintraub était le type qui comptait. Il était l'un des vice-présidents [de Warner], sous la direction de Ted Ashley, et c'est lui qui a pris la décision ce soir-là. C'était un vendredi soir. Nous, on était sur la scène et on était au courant de rien – Wadleigh, moi, Thelma Schoonmaker et tous ces excellents cadreurs.

L'année précédente, Michael Wadleigh et moi, on avait discuté d'un projet de concert pour remettre le rock'n'roll au goût du jour. À ce moment-là, des gens comme Chuck Berry, Fats Domino et Little Richard étaient mal considérés. Personne ne voulait se lancer là-dedans. C'était l'époque de Vanilla Fudge, des chansons qui duraient vingt minutes, mais il y avait aussi de bons groupes : les Doors, les Beatles et, évidemment, les Stones. Si bien que les années 1950, ça n'intéressait personne. On s'est dit : "Et si on réunissait ces gars-là ? Ils sont toujours là, on va faire un concert avec eux."

Et puis, Wadleigh m'a dit : "Dis donc, il paraît qu'il va y avoir un festival de rock'n'roll, dans un bled qui s'appelle Woodstock. Je crois qu'on devrait y aller pour faire un essai." On est allés sur place avec les cadreurs. Et au bout de quatre jours, on a appelé Wadleigh. Quand il a réussi à trouver un téléphone, il nous a dit : "Ça ne sera pas qu'un essai, vous savez. Ça va être autre chose."

Une fois arrivés, on s'est retrouvés coincés sur la scène le vendredi soir. On ne savait pas ce qui allait se passer. Je sais qu'on ne savait pas qui allait venir sur scène. Quand je dis "coincés", on était littéralement au bord de la scène. On filmait et on travaillait. On ne pouvait même pas aller derrière [la foule], il y avait 500 000 personnes. On ne pouvait pas aller chercher à manger. On ne pouvait absolument pas bouger. À la rigueur, on pouvait descendre de la scène et y remonter, mais c'était tout. Pour le reste, impossible.

Pendant ce temps-là, il y avait plusieurs personnes qui démarchaient pour essayer d'acheter les droits. Bob Maurice, le producteur, et Mike Wadleigh ont réussi à conclure un accord avec Freddie Weintraub qui, avant, s'occupait du Bitter End. Il comprenait le rock'n'roll et la nouvelle musique qui se faisait à Greenwich Village.

Il a dû réussir à convaincre Warner que c'était le genre de film pour le studio. Dans les années 1970, c'était un très grand studio qui produisait et distribuait des films remarquables. En tout cas, je suis resté pour participer au montage, mais je ne suis pas allé jusqu'au bout. C'est Thelma et Michael qui ont terminé le montage. » MARTIN SCORSESE

« Je travaillais en free-lance pour Columbia Records à New York et j'avais appris qu'il allait y avoir un festival. Quand je suis arrivé sur place, il n'y avait que de l'herbe et des champs et je tombe sur un gars que je connaissais, Larry Johnson, avec qui j'avais travaillé dans la pub, L. A. Johnson. [...] Il me dit qu'ils sont en train d'essayer d'organiser la réalisation d'un film. [...] Mais ils n'étaient pas sûrs de réussir à signer un contrat. [...] Et il me demande : "Qu'est-ce que tu fais en ce moment ? [...] Il nous faudrait un photographe de tournage, mais on n'a pas d'argent pour l'instant. Ça te dit ?" Et là, comme j'ai compris que je n'aurais pas d'avance, j'ai prononcé la phrase magique : "D'accord, mais je reste propriétaire des photos. Je garde les négatifs." Il m'a dit : "Ça marche."

Je suis allé chercher mon matériel chez moi et je suis revenu parmi les autres membres de l'équipe qui étaient sur place. Il y avait environ dix-sept cadreurs, qui venaient surtout du documentaire. Je me suis joint à eux et on nous a emmenés dans un ensemble de bungalows pas loin, où on était censés dormir. Ensuite, on nous a conduits en voiture sur le site. Il y avait une caravane pour nous, qui nous a servi de camp de base pendant le festival. En fait, personne n'est jamais retourné aux bungalows. [...] Tout le monde est resté sur le site du festival. J'ai dû dormir environ trois quarts d'heure sur quatre ou cinq jours. C'est sur la scène que j'ai dormi pendant ces trois quarts d'heure, sous la bâche du piano pendant Blood, Sweat and Tears.

Mike Wadleigh, le réalisateur, avait organisé des équipes. Il avait fait un film sur Aretha Franklin [...] il avait été en France en 1968 pendant l'insurrection étudiante [...] mais il connaissait mal les groupes qui allaient passer à Woodstock. Comme je travaillais pour des maisons de disques, dans le milieu de la musique, j'ai passé en revue tous les groupes pour lui et les équipes. Pour chaque groupe, je leur ai dit qui et combien ils étaient, le genre de musique qu'ils jouaient, s'ils bougeaient beaucoup ou pas, qui était le chanteur ou le musicien principal. Je les ai briefés, lui et les autres cadreurs, sur tous les groupes.

C'est lui qui a constitué les équipes. [...] À l'époque, la seule manière d'avoir un son synchrone, c'était de relier, littéralement, avec un câble, la caméra au micro, parce qu'on n'avait pas de caméra sonore. Le son était externe. Certains cadreurs avaient un preneur de sons avec eux, qui portait un magnéto à bandes, genre Nagra, et un micro, synchronisés avec la caméra. D'autres tournaient en muet, à la Erich von Stroheim.

Je me suis retrouvé associé à David Myers. C'était le vieux de l'équipe. La plupart avaient mon âge, vingt-cinq, vingt-six, vingt-sept ans. David devait avoir dans les cinquante ans à l'époque. La majorité des cadreurs venaient de New York, mais lui, il était de San Francisco. Wadleigh était allé à la New York University, où il avait connu Scorsese. Scorsese était assistant réalisateur, c'est Mike qui l'avait amené de New York, et Thelma Schoonmaker était sa monteuse. Voilà, en gros, l'équipe.

J'ai travaillé avec Mike Wadleigh et l'équipe jusqu'au premier montage, qui faisait cinq heures. [...] Il y avait une armada de monteurs. Thelma Schoonmaker était la chef monteuse, bien sûr, entourée d'une ribambelle d'assistants. [...] Étant donné que Wadleigh venait de la New York University et que Scorsese y était professeur associé, ils avaient beaucoup de contacts avec le milieu new-yorkais du cinéma documentaire et c'est là qu'ils ont puisé tout un tas de stagiaires. »

BARRY LEVINE, PHOTOGRAPHE DE TOURNAGE

Page ci-contre : le réalisateur Michael Wadleigh en compagnie de ses premiers monteurs, Thelma Schoonmaker et Martin Scorsese. Ci-contre : Michael Wadleigh.

« J'étais très jeune et c'était mon premier boulot à New York. Je reçois un coup de fil de Warner qui me demande si je veux du travail. Vous imaginez ma surprise ! J'allais faire partie de ceux qui étaient engagés pour Woodstock ! Entièrement tourné en 16 mm avec une quantité de caméras. [...] Je n'ai passé qu'une journée au festival et je suis revenue pour travailler sur le film. C'était un tel bazar là-bas que je ne suis pas restée.

Ils avaient une vingtaine de caméras et une seule bande-son qui ressemblait à une bonne vieille bande magnétique. Cette bande-son a ensuite été transférée sur pellicule. Pour un concert – Crosby, Stills, Nash & Young par exemple – on avait les prises de toutes les caméras qui les avaient filmés et il fallait les synchroniser avec cette bande-son. Ce qui n'était vraiment pas facile à l'époque, et tellement primitif du point de vue de la technologie, c'est qu'on ne pouvait synchroniser qu'en se calant sur les mouvements de bouche.

Comme assistante monteuse, j'étais chargée de synchroniser à vue, parce que c'était tellement chaotique à Woodstock qu'ils n'avaient pas le temps de faire des claps [...]. Vous imaginez vingt caméras un peu partout, où voulez-vous qu'on fasse le clap ? Impossible.

Tout a été filmé de cette façon et c'était un sacré puzzle à reconstituer. J'ai passé je ne sais combien de journées ou de semaines rien qu'à synchroniser un seul morceau.

Là où ça promettait d'être drôle, c'est qu'ils avaient prévu trois équipes. Il y avait l'équipe de jour, dont j'ai eu la chance de faire partie, ensuite l'équipe du soir. [...] Je travaillais de neuf heures à dix-huit heures. Après, l'équipe du soir arrivait, c'était un groupe de jeunes de mon âge. On était dans un immense loft qui donnait sur Broadway, tout près du Lincoln Center. C'était tout en haut, dans un ancien studio de danse, je crois. À l'angle de Broadway et de la 62e Rue, il me semble. Ils avaient entassé plein de tables de montage dans ce loft. On était tous assis à nos tables avec des écouteurs et on était vraiment très, très nombreux. [...] Je ne sais plus si on était vingt ou trente par équipe. Et ensuite, c'était le tour de l'équipe de nuit, ceux qui travaillaient de deux à huit heures du matin.

Le moment le plus sympa, c'était à la fin de la journée de l'équipe de jour, quand on projetait tout pour voir à quoi ça ressemblait. Vous imaginez les prises de vues de vingt caméras, projetées en même temps au fond de ce grand loft par des projecteurs 16 mm, pour voir tout ce qui avait été synchronisé. On aurait dit un spectacle son et lumière : ça commençait avec la caméra une et du son. Ensuite, s'ajoutaient les images de la deux, puis de la trois. [...] Le mur était très, très grand et c'était un moment incroyablement drôle [...] c'était la fête, quoi, une continuation de Woodstock, mais encore plus drôle parce que c'était nous qui étions là et qui la faisions.

Et puis, bien sûr, Scorsese venait aussi, et Thelma [Schoonmaker] qui était ma voisine à New York [...] c'était la chef monteuse et je l'admirais beaucoup, mais c'était ma voisine. » SUSAN STEINBERG, ASSISTANTE MONTEUSE DU FILM

« Je n'arrivais pas à croire dans quoi je m'étais fourré. Et puis, j'ai trouvé le car-régie. En fait, c'était l'arrière d'une remorque de tracteur. Et on n'en avait qu'une toute petite partie où étaient entassés une console douze-canaux, deux tables de mixage Shure, deux magnétophones huit-pistes, dont un installé dans un cageot à oranges. Très primitif, c'est le moins qu'on puisse dire. [...] On a surtout dormi sur le plancher de la remorque. À tour de rôle. On était deux. Quand je dormais, l'autre était aux manettes, mais on a très peu dormi pendant ces trois jours. [...] Pour le vent, on a mis des tonnes de mousse sur les micros, là où on pouvait, en espérant que tout se passe bien. Pour la pluie, on n'y pouvait rien, y avait plus qu'à s'abriter. C'est à ça que devait servir la bâche qui était au-dessus de la scène. Mais naturellement, le vent l'a déchirée. On ne renonçait pas, on faisait tourner la bande. Il fallait absolument que cette foutue bande tourne. Si on ne la faisait pas tourner, ou même s'il y avait un problème avec le micro, un court-circuit, une distorsion ou quoi, fallait faire avec. Fallait pas mollir et faire tourner la bande. En réalité, il y a beaucoup de grands moments que personne n'a jamais vus. Qui sait ? Peut-être qu'un jour ils vont refaire surface. »

EDDIE KRAMER, INGÉNIEUR DU SON

BILAN FINANCIER

Si Woodstock a tenu sa promesse de « trois jours de paix et de musique »,
l'amour et l'eau fraîche n'y ont pas suffi. Il a aussi fallu de l'argent. Beaucoup
d'argent. Au lendemain du festival, il est encore difficile de savoir ce qu'il a
coûté et quelles sont les recettes de Woodstock Ventures. Seule certitude, le
festival a été un gouffre financier. Quelques jours après sa clôture, les jeunes
organisateurs admettent qu'ils ont perdu plus d'un million de dollars.

Bien décidé à s'acquitter de toutes les dettes, John Roberts emprunte
plus d'un million de dollars en hypothéquant ses propres biens (il est l'héritier
d'une fortune amassée par un fabricant d'adhésif dentaire, le Polident).
Il rembourse aussi à l'aide de l'avance que lui a versée Warner/Atlantic
Records pour les droits du film et de l'album. Un an après le festival,
Joel Rosenman, son associé, déclare au *New York Times* que les dettes de
Woodstock Ventures se montent encore à 1,2 million de dollars. Afin de les
apurer, Rosenman et Roberts comptent sur les royalties du film et de l'album,
ainsi que sur l'exploitation de la marque Woodstock pour les produits dérivés.

Le pourcentage des royalties que touche Woodstock Ventures est très
modeste : 10 % sur les recettes nettes du film ct 0,5 % sur celles de l'album,
d'après Roberts. L'entreprise Warner/7 Arts a obtenu les droits de l'album
grâce à Ahmet Ertegun, le rusé PDG d'Atlantic Records, division du groupe,
contre une avance de 75 000 dollars sur les royalties. Warner a acquis
les droits du film pour 25 000 dollars seulement sur les futures royalties.
Le réalisateur Michael Wadleigh et le producteur Bob Maurice touchent une
avance de 90 000 dollars sur les droits de distribution de la part de Warner.
Quelques années plus tard, Roberts a reconnu qu'il avait eu une option sur
les droits de distribution du film (et sur une part beaucoup plus importante
des futures royalties), mais l'avait déclinée devant l'avalanche de dettes
qu'il subissait quelques jours avant le festival : « Parmi les très nombreuses
mauvaises décisions prises cet été-là, celle-ci est en tête de liste », déclara-t-il.

Pourtant, grâce à l'extraordinaire succès du film et de l'album, Woodstock
Ventures finit d'éponger ses dettes en 1980. Le film a alors enregistré plus de
50 millions de dollars de recettes. Fn 1999, ses recettes brutes se montaient
à plus de 100 millions de dollars, selon Roberts, et la bande originale du film
s'était vendue à plus de six millions d'exemplaires, avec plus de 100 millions
de dollars de recettes brutes également.

Voici les chiffres clés des livres de comptes de Woodstock, glanés
dans divers journaux et magazines (*Variety*, *The New York Times*, *Rolling
Stone*, *Billboard*).

PROFITS ET PERTES (SEPTEMBRE 1969)

Recettes (tirées principalement de la vente de billets à l'avance) : 1,4 million de dollars

✪ Dépenses : 2,7 millions de dollars ✪ Pertes initiales : 1,3 million de dollars

TARIFS DES BILLETS ACHETÉS À L'AVANCE

Une journée : 7 dollars ✪ Deux jours : 13 dollars ✪ Trois jours : 18 dollars

DÉTAILS DES DIVERSES DÉPENSES ANNONCÉES

Cachets : environ 172 000 dollars (voir détail ci-dessous) ✪ Publicité : 200 000 dollars ✪ Location des terrains de Max Yasgur : 50 000 dollars ✪ Location de terrains supplémentaires sur la commune de Bethel : 5 000 dollars ✪ Assurance en cas de dommages causés à la commune de Bethel : 65 000 dollars ✪ Lignes téléphoniques installées sur le site : 20 000 dollars ✪ Siège des Yippies : 10 000 dollars ✪ Avion affrété pour la Hog Farm : 16 000 dollars ✪ Sonorisation et éclairage de la scène : 200 000 dollars ✪ Éboueurs pour le nettoyage après le festival : 20 000 dollars ✪ Remboursement de 25 % après réclamation de 4 062 détenteurs de billets : 25 000 dollars ✪ Dépenses d'urgence (location d'hélicoptères, fournitures médicales, produits alimentaires) : 600 000 dollars ✪ Frais de production divers, comprenant notamment les salaires de 750 à 1 000 employés : 1,3 million de dollars (dont 500 000 dollars consacrés à des frais doublement engagés en raison du déménagement de Wallkill à Bethel)

APRÈS LE FESTIVAL : RACHAT DES PARTS DE WOODSTOCK VENTURES, INC.

Michael Lang et Artie Kornfeld perçoivent 31 750 dollars chacun

CACHETS VERSÉS AUX MUSICIENS

Jimi Hendrix : 18 000 dollars (+ 12 000 dollars pour l'utilisation de ses images dans le film) ✪ Blood, Sweat and Tears : 15 000 dollars ✪ The Who : 11 200 dollars ✪ Joan Baez : 10 000 dollars ✪ Creedence Clearwater Revival : 10 000 dollars ✪ The Band : 7 500 dollars ✪ Janis Joplin : 7 500 dollars ✪ Jefferson Airplane : 10 000 dollars ✪ Paul Butterfield Band + Bert Sommer : 7 500 dollars ✪ Sly and the Family Stone : 7 000 dollars ✪ Canned Heat : 10 000 dollars ✪ Richie Havens : 6 000 dollars ✪ Arlo Guthrie : 5 000 dollars ✪ CSN & Y : 5 000 dollars ✪ Ravi Shankar : 4 500 dollars ✪ Johnny Winter : 3 750 dollars ✪ Ten Years After : 3 250 dollars ✪ Country Joe and The Fish : 2 500 dollars ✪ Grateful Dead : 2 250 dollars ✪ Santana : 2 250 dollars ✪ The Incredible String Band : 2 250 dollars ✪ Mountain : 2 000 dollars ✪ Tim Hardin : 2 000 dollars ✪ Joe Cocker : 1 375 dollars ✪ Sweetwater : 1 250 dollars ✪ John Sebastian : 1 000 dollars ✪ Melanie : 750 dollars ✪ Sha Na Na : 700 dollars ✪ Keef Hartley : 500 dollars ✪ Quill : 375 dollars

ÎLE DE WIGHT

Souvent qualifié de « Woodstock britannique », le 2e festival de l'île de Wight a lieu deux semaines après l'événement américain (29-31 août 1969). L'importance de ce festival est surtout due à la présence d'un homme : Bob Dylan. Les trois jours de musique qui se tiennent sur la côte sud de l'Angleterre, à grands renforts de publicité, sont en effet marqués par le passage de Dylan – qui ne s'est pas produit à Woodstock – pour son premier grand concert depuis son accident de moto trois ans auparavant.

En 1968, le premier festival de l'île de Wight, dont la tête d'affiche était Jefferson Airplane, avait été beaucoup plus modeste avec environ 10 000 spectateurs. Mais son succès avait été suffisant pour que les trois frères qui en sont à l'origine – Ray, Ron et Bill Foulk – et Ricki Farr, organisateur de concerts rock, montent un événement de plus grande envergure en 1969. L'affiche est très ambitieuse : les Who, Joe Cocker et Richie Havens. Mais ces vedettes sont éclipsées lorsque les frères réussissent à programmer Dylan pour un cachet de 35 000 livres sterling (50 000 dollars), somme beaucoup plus importante, rapporte-t-on, que ce qu'on lui avait proposé pour Woodstock.

Après la soirée d'échauffement du vendredi, composée de quatre concerts seulement, les spectateurs commencent à se rassembler par milliers le samedi, en provenance des quatre coins de la Grande-Bretagne, pour parcourir la dernière ligne droite qui les conduit de Portsmouth à l'île en hydroglisseur. D'autres choisissent des embarcations plus individuelles, vedettes rapides de luxe ou simples canoës. À midi, les huit hectares du site, qui se trouve en périphérie du village de Wootton, sont déjà envahis. Comme à Bethel, le terrain est encerclé d'une armada de tentes : l'un de ces campements de fortune se baptise même « Desolation Row », d'après le titre d'une chanson de Dylan.

Tête d'affiche de la programmation du samedi, les Moody Blues passent à l'aube du dimanche. L'après-midi qui suit, on a la certitude que ce festival rassemble plus de spectateurs qu'aucun concert de rock au Royaume-Uni auparavant. Près de 250 000 personnes semblent venues dans un seul but : voir Bob Dylan. L'impatience enthousiaste est palpable lorsque arrivent des personnalités comme divers membres des Beatles et des Rolling Stones, ou des acteurs comme Jane Fonda et Terence Stamp.

À 22 h 20, The Band entre en scène et joue à un rythme soutenu pendant trois quarts d'heure. Puis, vêtu d'un costume blanc qui a l'air trop grand pour lui, Dylan paraît. Une heure et deux bis plus tard, le concert est terminé. Celui que la presse populaire britannique affuble du qualificatif de « messie » a donné un concert sensationnel et, comme tous les grands hommes de spectacle, abandonne la foule qui en redemande. Alors que le public réclame le retour de son héros sur la scène, Ricki Farr prend le micro, en maître de cérémonie :

« Il est parti [...] il est parti. Il est venu faire ce qu'il avait à faire, il l'a fait pour vous. Maintenant, il est parti. C'est vraiment terminé. »

L'année suivante, le festival de l'île de Wight prendra encore plus d'ampleur (non sans dangers), avec des vedettes de Woodstock comme Joan Baez, Ten Years After, Richie Havens, Sly and the Family Stone, John Sebastian, les Who, Melanie et Jimi Hendrix. Pourtant, c'est l'édition de 1969 qui, comme Woodstock, a véritablement incarné l'esprit du temps, en cette décennie finissante.

Ci-contre : Bob Dylan sur la scène du festival de l'île de Wight. Pages suivantes : dans la foule, on reconnaît le cinéaste Roger Vadim et sa femme Jane Fonda, l'acteur Terence Stamp et trois des Beatles, George Harrison, John Lennon et Ringo Starr.

« Un crépuscule d'une magnificence à ravir Turner. Un de ces ciels qui se prolongent indéfiniment, zébré de nuages roses, éclairé à contre-jour par une lumière émeraude, qu'infiltre l'obscurité imminente qui change les verts intenses en bleu, en cobalt, en indigo, tandis que les hélicoptères y font virevolter leurs lumières rouges et orange. Comme si Apollo nous avait remarqués en passant dans l'espace et, d'un simple signe, avait acquiescé au festival. » CHRISTOPHER LOGUE, POÈTE

ALTAMONT

Si Woodstock est considéré comme le zénith de la contre-culture associée au rock, Altamont, qui a lieu quatre mois plus tard, en est le nadir. Organisé par les Rolling Stones, qui en sont la tête d'affiche, ce festival est passé à la postérité pour un incident au cours duquel un spectateur a été poignardé à mort à quelques mètres de la scène où Mick Jagger et son groupe se produisaient.

L'événement, qui devait se dérouler au Golden Gate Park de San Francisco, est d'abord déplacé sur le circuit automobile de Sears Point, puis, l'avant-veille seulement, sur le circuit désaffecté d'Altamont, également situé dans le nord de la Californie. Cette manifestation d'une journée connaîtra de nombreux problèmes en raison de ces changements de dernière minute : manque d'installations sanitaires et médicales, sécurité insuffisante.

La question de la sécurité est au cœur de la confusion qui s'est produite le 6 décembre 1969. Ce serait sur les conseils des Grateful Dead que les Stones ont engagé des membres du club des Hell's Angels pour assurer la sécurité du festival. Par la suite, les Stones ont démenti et affirmé qu'ils avaient payé les motards (en bières !) uniquement pour qu'ils protègent leur matériel et tiennent les spectateurs à distance de la scène, haute d'un mètre vingt. Quelle que soit la vérité, l'idée assez naïve de confier le maintien de l'ordre à des Hell's Angels – sur la foi de leur rôle pacifique dans des concerts des Grateful Dead et de leur présence inoffensive au concert des Stones à Hyde Park, à Londres, quelques mois auparavant – s'avéra vite tragiquement fausse.

Au fil du festival (qui réunit également Santana, Jefferson Airplane, les Flying Burrito Brothers, Crosby, Stills, Nash & Young et Grateful Dead), l'ambiance se détériore parmi les 300 000 spectateurs. Les Hell's Angels, qui ont absorbé beaucoup d'alcool, sont de plus en plus agités et violents.

Les Angels sont équipés de queues de billard à l'extrémité sciée, dont ils se servent pour maîtriser la foule. Parfois, ils lancent même leurs motos sur les perturbateurs et font des blessés graves. La violence n'épargne pas la scène : Marty Balin, de Jefferson Airplane, est mis K.-O. en plein concert après une dispute avec l'un d'eux, qui est ivre. Après cet incident, les Grateful Dead refusent de jouer et quittent le festival.

L'horreur est à son comble lorsque Meredith Hunter, un adolescent noir de dix-huit ans, est tué après une altercation avec des Hell's Angels. Alors que les Rolling Stones, achèvent «Under My Thumb», Hunter – comme on le voit très bien dans *Gimme Shelter*, le film documentaire consacré à la tournée américaine des Stones – sort un pistolet à canon long et se dirige vers la scène. Plusieurs Hell's Angels se jettent sur lui, tandis que l'un d'eux, Alan Passaro, écarte l'arme et poignarde le jeune dans le dos. Hunter reçoit cinq coups de poignards et meurt sous les coups de pied des Angels. Sans voir que la bagarre a eu des suites mortelles, les Stones décident de poursuivre leur concert afin d'éviter une émeute. En 1972, un jury acquitte Passaro à l'issue d'un procès pour homicide, arguant la légitime défense car Hunter, qui aurait été sous l'influence de la drogue, avait sorti son arme le premier. Trois autres personnes sont mortes à Altamont : deux ont été écrasées par une voiture dans leur sommeil, une autre s'est noyée dans un canal d'irrigation.

Au terme des années 1960, la catastrophe d'Altamont est perçue comme le symbole de la fin d'une époque, celle de la paix et de l'amour – pour rependre le cliché, faute de mieux –, dont Woodstock avait été, quelques mois avant seulement, la plus célèbre expression.

« C'est peut-être injuste, mais Altamont est devenu le symbole de la fin de la Woodstock Nation. »

MARK HAMILTON LYTLE, HISTORIEN

Page ci-contre : armés de queues de billard à l'extrémité sciée, des Hell's Angels frappent un homme.
Ci-contre : Sam Cutler (à gauche), manager des tournées des Rolling Stones, et Michael Lang, appelant au calme au festival d'Altamont.

« C'est incroyable la violence qu'il y a eu devant la scène. Avec le recul, je pense que c'était une mauvaise idée de faire venir les Hell's Angels. Ce sont les Grateful Dead qui nous avaient conseillé de les engager. L'ennui, c'est qu'ils posent des problèmes de toute manière. Si vous ne les embauchez pas pour faire le service d'ordre, ils viennent quand même et créent des ennuis. »

KEITH RICHARDS, THE ROLLING STONES

Ci-contre : les Rolling Stones à Altamont ;
de gauche à droite, Keith Richards et (de dos) Mick
Taylor et Mick Jagger, à l'instant où Meredith Hunter
est poignardé tout près de la scène.

259

DU SUMMERFEST À GLASTONBURY

Au cours du demi-siècle qui s'est écoulé depuis Woodstock, les grands festivals de rock en plein air ont continué de faire partie intégrante de la culture des jeunes aux États-Unis, en Europe et dans d'autres régions du monde.

Le festival américain le plus ancien est le Summerfest (aussi connu sous le nom de «The Big Gig»), à Milwaukee dans le Wisconsin. Sa première édition date de 1968, avant Woodstock, et il a toujours lieu. Pendant onze jours, il attire chaque année jusqu'à un million de personnes dans le parc Henry Maier de la ville et figure dans le *Livre Guinness des records* comme le plus grand festival musical au monde. Depuis le milieu des années 1970, cette manifestation a toujours lieu de la fin juin à la fête nationale américaine du 4-Juillet. Lors de l'édition 2017, quarante groupes se sont produits sur onze scènes.

À Austin, au Texas, le festival de musique et de cinéma South by Southwest (SXSW) est devenu, depuis sa création en 1987, une vitrine du secteur de la musique pour les nouveaux groupes. Chaque année en mars, les dénicheurs de talent des maisons de disques vont y écouter plus de cinq cents jeunes espoirs pendant quatre jours. Ce festival en a inspiré d'autres du même type, comme North by Northeast à Toronto, avec trois jours de festival et de conférences sur la musique tous les deuxièmes week-ends de juin. Sur la Côte est, la plus grande manifestation du genre est le HFStival, organisé par la station de radio WHFS depuis 1990 durant les fêtes du 4-Juillet. Il a d'abord eu lieu à Washington jusqu'en 2005, date à laquelle il a déménagé avec la radio à Baltimore, où il s'est déroulé tous les mois de mai jusqu'en 2011.

Tremplin des groupes grunge du début des années 1990, Lollapalooza est né en 1991, initialement sous la forme d'un festival itinérant. Fondé par Peter Farrell, chanteur de Jane's Addiction, il s'est d'abord concentré sur le rock alternatif et punk, et les groupes hip-hop, et a joué un rôle essentiel

pour faire connaître Nine Inch Nails, The Smashing Pumpkins et Hole, entre autres. Chaque année, Lollapalooza accueille un spectre de styles de plus en plus large. Depuis 2005, il se tient dans le parc Grant à Chicago, sur les rives du lac Michigan, avec plus de soixante-dix groupes programmés sur cinq scènes pendant deux jours, puis trois à partir de l'année suivante. Il a passé un accord annuel avec la ville de Chicago et a également lieu en Allemagne, au Brésil, en Argentine, au Chili et en France.

À la périphérie de la toute petite ville de Manchester, dans le Tennessee, le festival Bonnaroo se déroule annuellement en juin pendant quatre jours, sur un terrain de plus de 280 hectares, qui accueille environ 80 000 personnes par an depuis sa création en 2002. De grands noms du rock s'y sont produits, comme Pearl Jam, Neil Young, Radiohead et U2, ainsi que de grands groupes de bluegrass et des *jam bands*.

Autre événement très apprécié ces dernières années, le festival musical et artistique de la Coachella Valley a lieu à Indio, en Californie, pendant trois jours fin avril, début mai. S'adressant principalement aux amateurs de rock indépendant et de *dance*, il acquiert une notoriété grandissante depuis sa création en 1999. Les groupes se produisent sur six scènes dans un cadre spectaculaire du désert du Colorado, où la température monte régulièrement à 38 °C dans la journée, mais chute brutalement dès le coucher du soleil.

Naturellement, depuis Woodstock, la dimension technique des festivals musicaux a profondément changé. En 2011, le festival de Coachella était retransmis en direct pour la première fois *via* YouTube et, en 2015, ce sont plus de vingt heures de direct qui ont été diffusées sur la chaîne de télévision musicale américaine AXS TV. En 2016, les spectateurs de ce festival ont reçu avec leur billet d'entrée une visionneuse de réalité virtuelle en carton, leur permettant de visiter le site du festival à 360 degrés. Avec des recettes brutes de plus de quatre-vingts millions de dollars, les organisateurs avaient en effet les moyens de proposer cette nouveauté !

Dans d'autres pays du monde, les festivals de rock existent aussi depuis longtemps. Au Royaume-Uni, celui de Reading a d'abord pris la forme d'un festival national de jazz en 1961, avant de se consacrer uniquement au rock au milieu des années 1960. Il a toujours lieu aujourd'hui, sous l'appellation de « Carling Weekend », en deux volets avec la même programmation – l'un à Reading, à l'ouest de Londres, l'autre à Leeds dans le nord de l'Angleterre –, pendant un week-end de fête nationale à la fin d'août.

Le « V Festival », du nom de Virgin, l'empire commercial de Richard Branson, est le premier festival britannique à avoir été organisé simultanément dans deux lieux, et l'un des plus importants du pays. Créé en 1996, il se tenait pendant deux jours au cours du troisième week-end d'août à Chelmsford, au nord-est de Londres, et dans le South Staffordshire, au nord-ouest de Birmingham. En octobre 2017, il a été remplacé par RiZE, manifestation organisée à la même date, mais uniquement à Chelmsford.

L'un des plus importants festivals européens est celui de Roskilde, au Danemark, créé en 1971 par un groupe de lycéens. Depuis 1972, il est organisé par la Fondation Roskilde, association à but non lucratif qui « promeut et soutient la musique, la culture et l'humanisme », et se tient en juin. En 2017, cent soixante-quinze groupes se sont produits sur neuf scènes pendant toute une semaine. Durant le dernier week-end de juin ou le premier de juillet, se tient, depuis 1976, le festival annuel Rock Werchter dans le village belge de Werchter. Plus de 200 000 personnes s'y rendent régulièrement pour écouter ce qui se fait de mieux en rock et pop alternatifs.

Plus à l'est, deux manifestations dominent le circuit des festivals. Chaque année en juillet, plus de 100 000 personnes se retrouvent pendant quatre jours pour le Festival EXIT, fondé par des étudiants en 2000 et organisé dans l'ancienne forteresse de Petrovaradine à Novi Sad, en Serbie. Durant une semaine au mois d'août, Budapest accueille chaque année le gigantesque festival Sziget avec plus de mille groupes rock, pop et alternatif. Cette manifestation d'envergure quasi woodstockienne a été fréquentée en 2016 par 496 000 spectateurs.

Toutefois, la seule manifestation directement issue du phénomène de Woodstock hors des États-Unis est le festival britannique de Glastonbury, organisé en juin de chaque année depuis 1970 dans cette petite ville du sud-ouest de l'Angleterre. Très inspirée de l'esprit contre-culturel *peace and love* de Woodstock, la toute première édition de ce qui s'appelait alors le festival de Pilton n'avait attiré que 1 500 personnes. Aujourd'hui, 150 000 à 200 000 personnes se pressent au plus grand festival de rock d'Europe occidentale, qui est cependant devenu une entreprise très commerciale, bien éloignée de l'idéalisme de ses débuts.

Seuls des musiciens britanniques s'étaient produits au festival de Pilton. Mais, en 1971, le premier festival « officiel » de Glastonbury programme de grands noms,

avec David Bowie en tête d'affiche, et deux chanteuses qui sont passées à Woodstock, Joan Baez et Melanie. Au cours des années suivantes, un petit nombre de ceux et celles qui étaient à Woodstock en 1969 ont « fait Glasto » : Melanie et Joan Baez à nouveau au début des années 1980, Joe Cocker en 1985, Neil Young en 2009 et les Who en 2015. Mais c'est pendant la majeure partie des années 1970 que le festival de Glastonbury a perpétué la tradition woodstockienne d'un festival musical fondé sur des valeurs humanistes et contre-culturelles plutôt que sur des considérations purement commerciales.

> **« Après Woodstock, je suis devenue la reine des festivals. On m'appelait "l'icône de Woodstock". Dès qu'un festival se montait, on me demandait. Je crois que c'est celui de Glastonbury qui était le plus proche, et l'héritier, de l'esprit de Woodstock. C'était très réconfortant de voir autant de gens se rassembler et partager un même esprit pour le bien de l'humanité. »** MELANIE

Ci-dessous : Lorde sur la scène de l'Other Stage à Glastonbury, le 23 juin 2017.

COMMÉMORATIONS

Depuis 1969, les commémorations de Woodstock n'ont pas manqué, d'abord sous la forme de rassemblements informels sur le site situé près de Bethel, puis d'événements commerciaux de grande ampleur visant à imiter, en vain, l'ambiance et l'esprit du festival original.

Au début des années 1970, un certain nombre de personnes se rendaient sur les lieux pendant les trois jours anniversaires, en se contentant d'y camper pour commémorer Woodstock. Max Yasgur est malheureusement décédé en 1973 et sa veuve Miriam est devenue propriétaire de la ferme. Au fil des ans, ce rassemblement a réuni de plus en plus de personnes du 15 au 17 août. Mais, face aux difficultés de gestion, Mimi a vendu l'expoitation à Louis Necketopoulis, dit Nicky, et à sa compagne June Gelish en 1983.

Pour le vingtième anniversaire, Nicky et June avaient prévu d'organiser une manifestation sur le site, mais n'ont jamais pu obtenir les autorisations nécessaires. Et Nicky est décédé quasiment la veille des concerts prévus. 30 000 personnes s'étaient déjà rassemblées et c'est un festival spontané et gratuit qui s'est déroulé du 15 au 17 août 1989. Au moins deux anciens du Woodstock de 1969 étaient présents, Wavy Gravy et Melanie.

Ci-dessus : le groupe Green Day au festival du 25ᵉ anniversaire de Woodstock en 1994. Ci-dessous : les bâtiments de la ferme Yasgur en 1999. Page ci-contre : incendie et traces des émeutes du festival de Woodstock 1999.

Avant cette édition de 1989, une commémoration avait eu lieu en 1979 au Madison Square Garden à New York, pour le dixième anniversaire. Plusieurs musiciens et groupes de 1969 s'y étaient produits : Richie Havens, Country Joe and The Fish, Canned Heat, Paul Butterfield et Rick Danko, membre de The Band.

C'est pour le 25e anniversaire qu'a eu lieu la première commémoration officielle, « Woodstock '94 », organisée par Woodstock Ventures, entreprise toujours composée de Lang, Roberts et Rosenman. Grâce aux leçons du passé, l'organisation a cette fois été plus professionnelle : autorisations obtenues plusieurs mois à l'avance, vente des billets par l'intermédiaire d'une agence, stands, notamment alimentaires, sponsorisés par des marques commerciales.

Woodstock Ventures s'était enrichie d'un nouvel associé, John Scher, qui venait de la maison de disques Polygram, et dont l'influence était visible dans la programmation, avec des groupes qui ont attiré des jeunes de plusieurs générations au cours du quart de siècle écoulé depuis 1969. Bob Dylan, Joe Cocker, Country Joe et Santana y côtoyaient Nine Inch Nails, Metallica et Sheryl Crow. Initialement prévu sur deux jours, les 13 et 14 août, cette manifestation a bénéficié d'une journée supplémentaire en commençant le vendredi 12. Comme en 1969, des orages ont éclaté le samedi et réduit le site à un bourbier, et la presse a aussitôt rebaptisé le festival « Mudstock ». De 250 000 à 300 000 personnes se sont rassemblées le samedi soir.

Organisé pour le 30e anniversaire, « Woodstock III » a lieu sur une ancienne base aérienne de l'aviation américaine, située sur la commune de Rome, dans l'État de New York. Michael Lang participe de nouveau à l'organisation, avec John Scher et Ossie Kilkenny, comptable irlandais spécialisé dans la musique.

Plus de 200 000 personnes assistent à ce festival qui, comme en 1994, réunit plusieurs styles musicaux. Du 23 au 25 juillet 1999 se succèdent James Brown, légende de la soul, Elvis Costello, le rappeur Ice Cube, Counting Crows, les vedettes du métal Megadeth, Willie Nelson, pionnier de la country music, et Parliament/Funkadelic, experts en soul/funk. Trois scènes accueillent ces styles variés, mais la confusion gagne le public à mesure que les spectateurs passent d'une scène à l'autre. Le dimanche soir, c'est la confrontation, avec bagarres entre bandes et incendie de stands. Une grande partie de ces incidents est diffusée en direct sur MTV. On est bien loin de l'optimisme pacifique que symbolisait Woodstock à la fin des années 1960.

À Bethel même, le site original accueille divers rassemblements, renaissances et commémorations tout au long des années 1990, mais ce sont des événements beaucoup plus modestes que les deux festivals organisés par Woodstock Ventures en 1994 et 1999.

Une autre commémoration du 25e anniversaire aurait dû avoir lieu en même temps que Woodstock II en 1994, au profit de l'Association américaine de lutte contre la sclérose en plaques. Cependant, en raison de problèmes de billetterie, dus à un arrêté municipal limitant strictement la taille de ce type de rassemblement sur la commune de Bethel, cet événement est annulé. 12 000 personnes se réunissent tout de même pour un festival beaucoup plus spontané (comme en 1989), dans l'esprit du Woodstock de 1969. Melanie se souvient de l'ambiance de cette commémoration : « Il y a eu une cérémonie avec des rituels indiens – au sens d'amérindiens – et des bénédictions des champs. C'était très beau. »

À cette époque, la ferme de Max Yasgur – mais pas le terrain du festival – appartient à Jeryl Abramson et Roy Howard qui y accueillent des rassemblements plus ou moins officiels pendant plusieurs années. Ils laissent les pèlerins de Woodstock camper sur leurs terres et profiter d'un week-end de musique et des spectacles en plein air.

En 1996, Alan Gerry, pionnier de la télévision par câble et originaire du comté de Sullivan, achète le site du festival, ainsi que plus de 800 hectares de terrains environnants, pour construire ce qui deviendra le Centre artistique de Bethel Woods (inauguré en 2008). Avant ce projet, Gerry y a organisé deux manifestations anniversaires, en 1998 et 1999.

« 1999, c'était une période de tensions. J'étais persuadé qu'il fallait que la programmation en soit le reflet et c'était une époque très tendue. Le public était bien plus "MTV" que "Woodstock". Je crois que c'est pour ça que ce festival a été tendu. La plupart des gens y ont pris beaucoup de plaisir, mais il y a eu ces incidents qui étaient moins drôles et dont nous regrettons évidemment qu'ils aient eu lieu. [...] Avec le recul, je crois que les choix de programmation de 1999 n'étaient pas les bons. On aurait dû s'en tenir aux *jam bands* et à l'esprit de Woodstock. On y était arrivés en 1994. » MICHAEL LANG

Sous l'appellation «A Day in the Garden» [Une journée au jardin], allusion au «jardin» de la chanson de Joni Mitchell «Woodstock», ces deux festivals sont très différents par leur ampleur et leur contenu. En 1998, ce sont trois jours qui rappellent un peu le festival d'origine, avec des anciens comme Pete Townshend, Melanie, Richie Havens et Ten Years After, ainsi que Joni Mitchell en personne. Mais ce sont les nouveaux groupes qui attirent une grande partie des 30 000 spectateurs : les Goo Goo Dolls, Third Eye Blind, Joan Osborne et Marcy Playground.

Pour le 30e anniversaire en 1999, «A Day in the Garden» est un événement beaucoup plus modeste, d'une journée seulement, qui réunit environ 13 000 visiteurs dans un esprit certainement plus fidèle à celui de Woodstock, où les vétérans sont plus nombreux que les quelques groupes contemporains : Country Joe, Melanie, Rick Danko, Garth Hudson de The Band, Leslie West, chanteur et guitariste de Mountain, Richie Havens, Arlo Guthrie, David Crosby et Johnny Winter.

En 2009, les médias s'intéressent massivement, et de manière prévisible, au 40e anniversaire de Woodstock. Créé en 2008, le Centre artistique de Bethel Woods accueille la plus grande réunion d'anciens de 1969. Présenté par Country Joe McDonald, ce concert de huit heures voit se succéder sur la scène Canned Heat, Ten Years After et Mountain, ainsi que des groupes dans lesquels se produisent d'anciens membres de Grateful Dead, The Band et Jefferson Starship. Quelques semaines plus tôt, Crosby, Stills & Nash et Arlo Guthrie avaient fêté cet anniversaire à Bethel, de même que Richie Havens la veille du festival principal. Après le décès de Havens en avril 2013, ses cendres ont été dispersées conformément à sa demande au-dessus du site du festival original le 18 août 2013, jour du 44e anniversaire de la fin de Woodstock.

En 2016, l'association pour la préservation des sites historiques de l'État de New York a demandé l'inscription du lieu et des zones de campement adjacentes au registre national des lieux d'histoire.

Bien entendu, le 50e anniversaire du festival est marqué par une importante couverture médiatique dans le monde entier. Le Musée de Bethel Woods organise une projection gratuite du film de Michael Wadleigh, *Woodstock: The Director's Cut*, sur le terrain même du rassemblement historique. Certains musiciens de 1969 y donnent des concerts intimistes et le musée propose une exposition interactive sur Woodstock et sur les désirs qu'avait la jeunesse de 1969 pour le monde, afin de situer le festival dans le contexte des changements sociaux positifs qu'il a déclenchés. Des reproductions grandeur nature des participants de 1969 racontent leur histoire et montrent pourquoi Woodstock est le produit naturel des turbulentes années 1960, à l'aide de vidéos, de sons, de photographies, d'images et d'objets. Cette exposition illustre de façon exceptionnelle la signification de Woodstock et la manière dont cet événement a mobilisé toute une génération.

« Au début, on a eu dans les 10 000 spectateurs et puis, il y a eu de moins en moins de monde. [...] Gérer plus de 5 000 personnes, c'était trop pour nous. Aux guichets, il y avait surtout mes copines – tous nos gosses étaient à la ligue de base-ball pour enfants – elles ont adoré. On a fait passer le groupe du lycée du coin. On avait deux scènes simultanées, c'était génial, et il y avait aussi bien des bébés que des octogénaires. [...] On a fait venir de grands noms. » JERYL ABRAMSON, DE LA FERME YASGUR

Page ci-contre, en haut à gauche : « A Day in the Garden » à Bethel en 1999.
Page ci-contre, en haut à droite : le Levon Helm Band au concert « Heroes of Woodstock »,
le 15 août 2009.
En haut, à droite : David Crosby. Ci-contre : Melanie. Ci-dessous : Richie Havens.

WOODSTOCK AUJOURD'HUI

C'est par défaut que la petite ville de Woodstock est devenue célèbre dans le monde entier en 1969, puisqu'elle avait décliné la proposition d'accueillir le Festival musical et artistique qui porte son nom. Aujourd'hui, tout a changé. Cette modeste commune du comté d'Ulster s'est approprié le patrimoine hippie dont l'origine se situe pourtant à Bethel, à 75 kilomètres au sud-ouest.

La ville regorge de boutiques sur ce thème, qu'on appelait «head shops» à la fin des années 1960, où l'on trouve des objets en tout genre – affiches, tee-shirts, livres et même du matériel pour fumer de l'herbe – qui commémorent aussi bien le festival que la musique et la culture dont il est le symbole. Les panneaux et enseignes psychédéliques montrent que l'esprit *peace and love* n'a pas totalement disparu, du moins ici. Toutefois, Woodstock n'est pas qu'un attrape-touristes tirant profit de l'«Exposition du Verseau» de 1969, dont beaucoup de visiteurs pensent pourtant qu'elle a eu lieu dans la ville.

Les preuves que Woodstock est depuis longtemps un creuset artistique sont bien visibles, avec de nombreuses galeries d'art et librairies, nichées entre les magasins rock bariolés, dans le quartier de la rue Tinker. L'hôtel de ville néoclassique situé dans cette rue accueille toute l'année des spectacles, ainsi que le Festival de cinéma de Woodstock qui a lieu chaque année. Non loin de là, on peut découvrir le Musée et l'association des artistes de Woodstock et leur magnifique collection d'œuvres d'importants artistes américains ayant vécu et travaillé dans les environs de la ville.

La tradition de la plus ancienne colonie d'artistes et d'artisans d'Amérique, fondée en 1903 dans le district de Byrdcliffe, est perpétuée par la Woodstock Byrdcliffe Guild qui apporte son soutien à l'organisation d'expositions, de cours, de concerts et de représentations théâtrales. Le programme des «Maverick Concerts», qui se tient dans la pittoresque «chapelle musicale dans les bois» depuis 1916, constitue le plus ancien festival de musique de chambre des États-Unis. En outre, le théâtre de Woodstock propose des pièces et des spectacles musicaux depuis 1938.

Bien entendu, le rock était déjà présent à Woodstock bien avant le fol été 1969. Le choix initial d'y organiser le festival est lié aux musiciens qui y vivaient et travaillaient. Plusieurs vedettes du festival y ont élu domicile : Steve Knight, clavier de Mountain (deux fois conseiller municipal de 1999 à 2007, décédé en 2013), John Sebastian, ainsi que Garth Hudson et Levon Helm, anciens membres de The Band. Les célèbres concerts «Midnight Ramble», ainsi que d'autres spectacles, ont toujours lieu à Woodstock dans la maison-studio d'Helm, «The Barn», malgré la disparition du batteur en 2012.

Si le patrimoine culturel d'une petite ville comme Woodstock – qui comptait moins de 6 000 habitants au recensement de 2010 – est d'une grande richesse, le site proprement dit du festival à Bethel ne possède rien de comparable. Jusqu'à la fin des années 2000, les livres d'histoire ne faisaient guère état de la place unique qu'occupe cette ville. Ce n'est plus le cas depuis juin 2008, grâce à l'ouverture du Musée et du Centre artistique de Bethel Woods.

Ci-dessus : boutique «hippie» à Woodstock aujourd'hui.
Double page : un des concerts «Midnight Ramble» organisé par Levon Helm à Woodstock, en septembre 2008. Le batteur est visible en bas à droite.

Le Musée de Bethel Woods

Lorsqu'il acquiert le site du festival de Woodstock en 1996, Alan Gerry, pionnier de la télévision par câble, se lance dans un projet de centre artistique qui abritera également un musée consacré à cet événement de légende. Au terme d'une construction qui aura coûté 100 millions de dollars, le Centre artistique de Bethel Woods ouvre ses portes au public en 2006. Son attraction principale est alors l'amphithéâtre en plein air, d'une capacité de 17 000 places, qui a depuis accueilli régulièrement plusieurs concerts de grands noms de la musique et relancé l'économie d'une région qui en avait grandement besoin. En juin 2008, c'est au tour du Musée de Bethel Woods d'ouvrir ses portes : il s'agit du premier espace d'exposition dédié à l'histoire des années 1960, au Festival musical et artistique de Woodstock et au patrimoine culturel de cette époque.

Le Musée comprend un théâtre, des salles accueillant des conférences, une boutique et d'autres équipements, ainsi qu'une exposition permanente, pièce maîtresse de l'institution. Cet environnement immersif met en jeu à la fois les techniques pédagogiques traditionnelles d'un musée et ce qui se fait de mieux en matière de design, de multimédia et de technologie. Sur plus de 800 mètres carrés, cette exposition propose des installations interactives, plus de vingt films, près de 200 objets et plus de 300 photographies.

Dans la salle « Années 1960 », on peut voir *The Sixties Timeline*, film qui retrace en images et en sons cette décennie tumultueuse ; quatre courts-métrages consacrés à divers aspects de la culture populaire de l'époque (mode et style, radio, télévision, culture des banlieues résidentielles) ; un documentaire de dix minutes, produit par la chaîne de télévision américaine History et consacré aux graves événements sociaux et politiques de 1968 ; et *A Musical Revolution*, film portant sur l'évolution du rock jusqu'aux années 1960.

L'espace consacré au festival présente quatre courts-métrages décrivant les préparatifs et la naissance de Woodstock, une rétroprojection sur le pare-brise d'un ancien car scolaire aux couleurs psychédéliques (semblable à celui qui avait amené les Merry Pranksters à Bethel), qui relate les nombreux changements du lieu du festival, et quatre autres films consacrés à divers aspects de la manifestation : la communauté de la Hog Farm, la sécurité, des histoires du champ de Woodstock, les habitants observateurs.

Un impressionnant documentaire de vingt et une minutes, intitulé *Woodstock: The Music* et projeté en haute définition dans une salle spéciale, sur un écran de 6,70 × 4 mètres, permet de voir et d'entendre certaines des plus belles prestations, dont beaucoup n'ont jamais été vues ou rarement. Les images et les sons sont commentés par certains des artistes qui ont joué à Woodstock et par des musiciens contemporains.

Mais l'attraction de l'exposition est sans conteste *The Festival Experience*, installation audiovisuelle en son immersif, diffusée par neuf vidéoprojecteurs sur quatre écrans de 19 mètres de base et 15 mètres de haut. Un paysage visuel continu à 270 degrés, comprenant un « ciel » qui passe du jour à la nuit, avec nuages d'orage annonciateurs du déluge, transforme les visiteurs en festivaliers et leur fait vivre les images et les sons des trois jours de Woodstock.

Le Centre a également présenté plusieurs expositions temporaires, notamment *Remembering Woodstock*, consacrée aux commémorations et aux renaissances du festival pendant 45 ans, et *America Meets the Beatles!* (l'une et l'autre en 2014), ainsi qu'en 2015, *The Rise of Electronic Music Culture in America* et *Threads: Connecting 60s & Modern Rockwear*. La « Crossroads Gallery » a présenté *The Birth of the Music Festival: Magic Mountain, Monterey and Beyond* pour célébrer le 50ᵉ anniversaire du « Summer of Love » en 1967, les festivals de rock organisés avant Woodstock et l'influence de ces manifestations sur les festivals qui ont suivi.

Dans un geste digne de sa vocation muséale, le Centre a contribué, en juin 2018, à des travaux de fouilles archéologiques sur le site du festival afin de localiser précisément la scène, les clôtures, les tours de sonorisation et d'éclairage, etc. Les résultats de ces fouilles, effectuées par le service public d'archéologie de l'université de Binghamton, sont mis à profit pour la réalisation de sentiers d'interprétation dans le cadre de la commémoration du 50ᵉ anniversaire en 2019.

En plus des photographies et objets souvenirs, réunis par le personnel du musée au fil des ans, les témoignages visuels et les entretiens enregistrés constituent l'une des ressources les plus précieuses du lieu ; des extraits de ces témoignages sont présents dans toute l'exposition, dans les films et sur les cartels. Enrichis en permanence, ils comprennent des entretiens détaillés avec tous ceux qui ont participé au festival : musiciens, organisateurs, personnel de sécurité, techniciens, membres de la Hog Farm, habitants et, bien sûr, spectateurs. Conservés dans les archives du musée, ces entretiens ont été extrêmement précieux pour la réalisation de ce livre.

Ci-dessous : la façade du Musée de Bethel Woods.
Page ci-contre, de haut en bas : l'une des bornes interactives ; un drapeau orné du symbole de la paix de 1969 dans la salle « Années 1960 » ; le bus « psychédélique » du musée.
Pages suivantes : différentes vues de l'exposition permanente.

"Let the word go forth from this time and place, to friend and foe alike, that the torch has been passed to a new generation of Americans."

PRESIDENT KENNEDY

THE 1968 THEATER

LABOR
ASSEM
FOR
PEACE

WORLD
PEACE

OUT
VIETNAM
NOW

COMING APART

"There's battle lines
being drawn"

BUFFALO SPRINGFIELD, FOR WHAT IT'S WORTH

The events of 1968 challenged many
Americans' faith in the power of
idealism and the promise of peaceful
change. When civil rights leader
Martin Luther King was assassinated
on April 4th, riots broke out in more
than 100 cities across the country. In
June, Americans lost another
emblematic leader when Robert F.
Kennedy was shot and killed while
campaigning for president. In response
to the escalating war in Vietnam,
student activists seized campus
buildings and clashed with police at
increasingly violent demonstrations.

que sont-ils devenus ?

Joan Baez (née en 1941)

Avec plus de trente albums à son actif, Joan Baez enregistre et fait des tournées régulières depuis soixante ans. Parmi ses plus grands moments, on compte l'album *Diamonds and Rust*, disque d'or en 1975, le concert Live Aid à Philadelphie en 1985 et un Grammy Award pour l'ensemble de son œuvre en 2007. L'année suivante, elle sort *Day After Tomorrow* et passe au festival de Glastonbury, ainsi qu'au festival de jazz de Montreux. Elle s'est produite au 50e festival folk de Newport en 2009 et est entrée au Rock and Roll Hall of Fame [panthéon et musée du rock, situés à Cleveland] en 2017.

The Band

Fondé au début des années 1960, sous le nom de The Hawks, pour accompagner Ronnie Hawkins, chanteur de rockabilly, The Band a connu une première période de 1967 à 1976, puis s'est reformé de 1983 à 1999, mais sans Robbie Robertson (né en 1943). Trois de ses membres sont morts, Richard Manuel (1943-1986), Rick Danko (1942-1999) et Levon Helm (1940-2012). Résidant toujours dans la région de Woodstock, Garth Hudson est entré au Juno Hall of Fame canadien en 1984 et au Rock and Roll Hall of Fame américain en 1994. En 2011, Robbie Robertson a été admis au panthéon des auteurs-compositeurs du Canada et fait officier de l'ordre du Canada la même année.

Page ci-contre : Joe Cocker sur scène à Sydney, Australie, 2006.
Ci-dessous : Joan Baez lors d'une tournée européenne en juillet 2008.

Blood, Sweat & Tears

Créé en 1967, ce groupe multiforme – qui a connu trois périodes différentes avec son chanteur vedette David Clayton-Thomas (né en 1941) – comprend aujourd'hui, entre autres, Bobby Colomby (né en 1944) à la batterie, et le chanteur Bo Bice, révélé par l'émission télévisée « American Idol ».

Paul Butterfield (1942-1987)

Toujours sur la route de 1963 à 1970, le Paul Butterfield Blues Band a beaucoup influencé la scène du blues. Au milieu des années 1970, Butterfield renouvelle entièrement la formation. Au tournant des années 1970 et 1980, il mène une carrière en solo jusqu'à une crise cardiaque fatale, provoquée par une overdose d'héroïne en 1987, à quarante-quatre ans. En 2006, Butterfield est entré dans le Blues Hall of Fame à titre posthume, ainsi que dans le Rock and Roll Hall of Fame en compagnie de membres de la première formation.

Canned Heat

La composition initiale de Canned Heat, qui a fait ses débuts au festival pop de Monterey en 1967, a connu sa conclusion avec la mort d'Alan Wilson, dit Blind Owl (Chouette aveugle) (1943-1970) et la disparition de Bob Hite, dit The Bear (l'Ours) (1943-1981). Les membres du groupe actuel – le batteur Adolfo de la Parra, dit Fito (né en 1946), le bassiste Larry Taylor, dit The Mole (la Taupe) – étaient tous sur la scène de Woodstock.

Joe Cocker (1944-2014)

Au cours des années qui ont suivi Woodstock, Joe Cocker a connu de très nombreux succès, dont un numéro un dans les meilleures ventes classées

par *Billboard* pour son duo avec Jennifer Warnes, «Up Where We Belong», en 1982 et son album *Cocker* en 1986, disque de platine en Europe. S'il a effectué quelques tournées, il s'est surtout consacré à son ranch du Colorado, baptisé «Mad Dog», où il s'occupait, avec sa femme, de sa fondation pour les enfants défavorisés, Cocker Kids Foundation. En 2007, il a été décoré de l'ordre de l'Empire britannique pour ses services rendus à la musique. *Fire It Up*, son ultime album, est sorti en 2012. À l'occasion du soutien qu'il apporte à Cocker pour son entrée dans le Rock and Roll Hall of Fame – grâce à une version de «With a Little Help From My Friends» –, Billy Joel annonce, depuis la scène du Madison Square Garden à New York, que Cocker n'est «pas très en forme en ce moment.» Joe Cocker est mort d'un cancer du poumon à Crawford, dans le Colorado, le 22 décembre 2014, à l'âge de soixante-dix ans.

Country Joe & the Fish

Après la dissolution du groupe en 1971, Country Joe McDonald (né en 1942) a reformé celui-ci de façon sporadique avec son cofondateur Barry Melton, dit The Fish (né en 1947). En 2004, avec une formation baptisée Country Joe Band, McDonald effectue une tournée sur la Côte ouest des États-Unis, dans l'État de New York, ainsi qu'au Royaume-Uni pour dix dates. Il se consacre également à une carrière en solo et au militantisme politique. En 2005, McDonald a notamment protesté contre les réductions budgétaires en Californie, quand Arnold Schwarzenegger en était le gouverneur, et contre la guerre en Irak. Parmi ses albums en solo, on compte *A Tribute to Woody Guthrie* en 2008 et *50* en 2017, sortis sur son propre label Rag Baby.

Creedence Clearwater Revival

Peu après son passage à Woodstock, CCR rencontre un énorme succès avec «Travellin'Band» en janvier 1970, suivi de ce que beaucoup considèrent comme leur meilleur album, *Cosmo's Factory*, en juillet de la même année. Habitué des têtes de hit-parades, le groupe se sépare pourtant en 1972. John Fogerty, son fondateur, enregistre toujours aujourd'hui et fait régulièrement des tournées dans le monde entier. En 2005, il est entré au Songwriters Hall of Fame. À l'occasion de son 68e anniversaire en 2013, il sort un album intitulé *Wrote a Song For Everyone*, ensemble de chansons enregistrées avec des artistes invités. CCR est entré dans le Rock and Roll Hall of Fame en 1993.

Crosby, Stills, Nash & Young

David Crosby (né en 1941), Stephen Stills (né en 1945) et Graham Nash (né en 1942) mènent tous d'illustres carrières en solo, tout en se réunissant de temps à autre, parfois avec Neil Young (né en 1945), dont la réputation de chanteur-compositeur est quasiment légendaire. Parmi les fréquentes retrouvailles du quatuor, on peut citer le concert Live Aid à Philadelphie en 1985, les albums *American Dream* (1988) et *Looking Forward* (2000), de grandes tournées en 2000, 2002 et 2006, ainsi qu'une tournée de Crosby, Stills & Nash en 2008. Ce trio est entré dans le Rock and Roll Hall of Fame en 1997. En octobre 2013, les quatre musiciens se sont produits pour une prestation acoustique, lors du 27e concert organisé au profit de Bridge School, association caritative fondée par Young. C'était leur dernière apparition ensemble, mais ils n'excluent pas de jouer à nouveau tous les quatre.

Rona Elliot (née en 1948)

Depuis l'époque de Woodstock, Rona Elliot est devenue une journaliste et intervieweuse spécialisée dans la musique. Elle a collaboré à *USA Today*, été coach pour l'émission télévisée «American Idol» et assuré un cours sur l'industrie musicale à l'université UCLA, à Los Angeles. Elle est aussi membre du conseil d'administration des prix Grammy. En 2010, elle a été nommée au conseil d'administration de la fondation du Rock and Roll Hall of Fame, dont le musée conserve ses archives à Cleveland.

Stanley Goldstein (né en 1939)

«Chasseur de têtes» de Woodstock, Stan Goldstein a travaillé dans les domaines de la musique et du cinéma comme consultant, mixeur, directeur de production et de projets, producteur exécutif, organisateur de spectacles,

de festivals et d'événements. Il poursuit son activité dans la production de films documentaires. On peut le voir dans *Woodstock: Now and Then*, documentaire de 2009.

Grateful Dead

Après la mort de Jerry Garcia (1942-1995), fondateur et leader du groupe, les autres membres de Grateful Dead se sont officiellement séparés, mais ont rejoué ensemble au fil des ans pour des retrouvailles et des concerts ponctuels. En 1998, Bob Weir (né en 1947), Phil Lesh (né en 1940) et Mickey Hart (né en 1943) reforment un groupe appelé The Other Ones, avec Bruce Hornsby, collaborateur de Grateful Dead. En 2000, Lesh quitte cette formation, que rejoint quant à lui Bill Kreutzmann (né en 1946), autre ancien de Woodstock. Après des changements successifs dans sa composition, le groupe prend le nom de The Dead. En 2015, Weir, Lesh, Kreutzmann et Hart se réunissent le temps de cinq concerts, sous le titre « Fare Thee Well: Celebrating 50 Years of the Grateful Dead » [Adieu et portez-vous bien : 50 ans de Grateful Dead], qui ont lieu à Santa Clara (Californie) et à Chicago. Pourtant, à l'automne 2015, Weir, Lesh, Kreutzmann et Hart créent le groupe Dead and Company et effectuent quatre tournées, en 2015, 2016, 2017 et 2018.

Arlo Guthrie (né en 1947)

Grande figure de la musique folk américaine, Guthrie a réalisé plus de trente albums depuis ses débuts en 1967. Après son passage à Woodstock, son premier grand succès est « City of New Orleans », chanson écrite par le chanteur-compositeur Steve Goodman. Dans les années 1970 et 1980, il enregistre et fait des tournées avec son groupe Shenandoah et, en 1991, crée le Guthrie Center, forum interconfessionnel situé dans le Massachusetts. Son fils, Abe, est également musicien, de même que ses deux filles, Annie et Sarah Lee. Ancien clavier du groupe de folk-rock Xavier, Abe se produit désormais avec son père. Le fils d'Abe, Krishna, membre du groupe Modest Me, était batteur lors de la tournée d'Arlo en Europe en 2006, et guitariste pour la tournée de son grand-père en 2009-2010.

Bill Hanley (né en 1937)

À la suite du festival de Woodstock, Bill Hanley s'est imposé comme l'un des grands maîtres mondiaux de la sonorisation, avec plusieurs réalisations de grande ampleur à son actif, notamment d'importants concerts au Madison Square Garden à New York. En 2006, il a été récompensé par le prix Parnelli pour les services qu'il a rendus durant toute sa carrière dans le domaine de la sonorisation. De nombreuses personnes militent pour qu'il ait sa place au sein du Rock and Roll Hall of Fame.

Tim Hardin (1941-1980)

Malgré plusieurs albums bien reçus par la critique au cours de la décennie qui a suivi Woodstock – *Suite for Susan Moore and Damion*, *Bird on a Wire* et *Painted Head*, entre autres, tous chez Columbia –, la vie agitée qu'a menée Hardin l'a empêché de connaître le succès commercial dont il bénéficiait dans les années 1960. En 1980, il succombe à une surdose d'héroïne et de morphine. Après sa mort sortiront les albums *Unforgiven* (1981), resté inachevé, *The Homecoming Concert* (1981), enregistré en public dans sa ville natale d'Eugene (Oregon), et la compilation *Through the Years 1964-1966*, sortie en 2007.

Keef Hartley (1944-2011)

Hartley a enregistré des albums jusqu'à la fin des années 1990, notamment *Lancashire Hustler* en « solo » (1973) et *Dog Soldier*, avec son groupe du même nom, en 1975. Publiée en 2007 sous le titre *Halfbreed (A rock and roll journey that happened against all the odds)* [Métisse (Un voyage rock'n'roll

contre vents et marées)], son autobiographie relate sa carrière de batteur jusqu'aux années qui suivent le passage de son groupe à Woodstock. C'est dans sa ville natale de Preston, dans le nord-ouest de l'Angleterre, qu'il passe ses dernières années, au cours d'une retraite marquée par quelques apparitions musicales. Il est mort à l'âge de soixante-sept ans en novembre 2011, à l'hôpital royal de Preston.

Richie Havens (1941-2013)

Après le succès remporté au festival et grâce au film *Woodstock*, Havens sort en 1971 *Alarm Clock*, son premier album à être classé parmi les trente meilleures ventes. C'est l'un des artistes de Woodstock qui se consacrent le plus aux tournées – en particulier en Amérique du Nord et en Europe – et à l'enregistrement de nouveaux albums en studio. En 2007, il participe au film de Todd Haynes *I'm Not There*, dans lequel on l'entend chanter « Tombstone Blues » de Bob Dylan. Il s'est produit au festival qui a rendu hommage à Woodstock en 2009, à Ramsey (New Jersey). À la suite d'une opération des reins en 2010, Havens annonce qu'il met un terme à ses tournées après quarante-cinq ans d'activité. Il a succombé à une crise cardiaque chez lui à Jersey City, en avril 2013.

Jimi Hendrix (1942-1970)

Peu de temps après son concert de Woodstock, Hendrix crée le groupe Band of Gypsys, composé du même bassiste, Billy Cox (né en 1941), et du batteur Buddy Miles (1947-2008), et sort un album enregistré sous ce nom en avril 1970. Associant funk, R&B et hard rock, ce disque est généralement considéré comme précurseur du funk rock. Cinq mois plus tard, le 8 septembre 1970, Jimi Hendrix est retrouvé mort dans une chambre d'hôtel à Londres. L'autopsie révèle qu'il a succombé à une surdose de barbituriques. Membre du groupe Experience et de la formation du guitariste à Woodstock, le batteur Mitch Mitchell (1947-2008) est mort dans un hôtel de Portland (Oregon), durant la tournée « Experience Hendrix » en 2008.

The Incredible String Band

Deux mois après Woodstock, The Incredible String Band sort *Changing Horses* en novembre 1969, puis *I Looked Up* en avril 1970, mais aucun de ces albums ne connaît le succès critique ou public de ses disques précédents. Après la dissolution du groupe en 1974, ses leaders, Mike Heron (né en 1942) et Robin Williamson (né en 1943), créent une nouvelle formation le temps de deux concerts en 1997. Le groupe se reforme de 1999 à 2003, puis Heron continue d'en porter l'étendard jusqu'en 2006. Membre fondateur, le banjoïste Clive Palmer (né en 1943) décède en 2014. La chanteuse Licorice McKechnie devient membre de l'Église de scientologie en 1974, mais on en a perdu toute trace depuis la fin des années 1980. La chanteuse Rosie Simpson a quitté le groupe en 1971. Par la suite, elle est devenue mairesse honoraire de la ville galloise d'Aberystwyth quand son mari en a été élu maire.

Jefferson Airplane

Sorti en novembre 1969, *Volunteers*, ultime album de Jefferson Airplane, est numéro 13 au hit-parade de *Billboard* au début de 1970. Après leur passage à Altamont, où Marty Balin (né en 1942) s'est fait assommer, le batteur Spencer Dryden (1938-2005) quitte le groupe en février 1970. Son départ précipite la dissolution progressive de la formation. Après la séparation totale en 1973, Balin, Grace Slick (née en 1939), Paul Kantner (1941-2016), Jack Cassady (né en 1944) et Jorma Kaukonen (né en 1940) participent à des reformations ponctuelles du groupe au fil des ans, avec Jefferson Starship, KBC Band et Hot Tuna. En 1996, Jefferson Airplane, dans sa composition initiale de 1966

Page ci-contre : Graham Nash, Stephen Stills, Neil Young et David Crosby, au Sound Advice Amphitheatre à West Palm Beach (Floride), en août 2006.

à 1970, est entré dans le Rock and Roll Hall of Fame. En 2005, Spencer Dryden est mort d'un cancer du côlon. À l'occasion du 50e anniversaire du groupe en 2015, Kaukonen et Cassady ont joué au festival Lockn' en Virginie. Jefferson Airplane a reçu un prix Grammy pour l'ensemble de son œuvre en 2016. Paul Kantner est décédé le 20 janvier 2016 à l'âge de soixante-quatorze ans, des suites d'une défaillance multiviscérale provoquée par une crise cardiaque quelques jours auparavant.

Janis Joplin (1943-1970)

Le Kozmic Blues Band de Janis Joplin se dissout peu après un dernier concert donné au Madison Square Garden à New York, le 17 décembre 1969, où la chanteuse a partagé la scène avec Paul Butterfield et Johnny Winter, également vedettes de Woodstock. Au début de 1970, elle crée le Full Tilt Boogie Band avec lequel elle commence à tourner en mai. Le 4 octobre 1970, elle est retrouvée morte à Los Angeles, victime d'une surdose d'héroïne. Avant sa mort, elle avait enregistré un nouvel album, *Pearl*, au studio Sunset Sound avec son nouveau groupe. Sorti après son décès, ce disque a réalisé les plus grosses ventes de sa carrière (tête de liste au classement de *Billboard*) et comprend le titre du 45-tours (également numéro un) « Me and Bobby McGee », reprise d'une chanson de Kris Kristofferson.

Artie Kornfeld (né en 1942)

Après Woodstock, Kornfeld a poursuivi ses activités comme producteur de disques et remporté plus de cent disques d'or et de platine au cours d'une carrière marquée par de nombreux succès. Lorsque la ferme de Max Yasgur change de propriétaire, il intervient pour empêcher toute construction sur le site du festival de Woodstock.

Eddie Kramer (né en 1941)

Après avoir été ingénieur du son pour l'enregistrement des concerts de Woodstock, Kramer a travaillé avec de très nombreux groupes et musiciens, comme Kiss, Anthrax, Buddy Guy, Sting, Brian May et, en 2006, Red Hot Chili Peppers. En 2011, il présente la cérémonie des prix techniques Grammy. Plus récemment, il collabore avec Digital Theatre Systems (DTS), entreprise spécialisée dans le son immersif high-tech, destiné aux particuliers comme aux salles de spectacle.

Michael Lang (né en 1944)

Depuis le début des années 1970, Lang a été tour à tour manager de musiciens – dont Joe Cocker et Rickie Lee Jones –, producteur de cinéma, propriétaire d'une maison de disques (celle de Billy Joel notamment) et producteur de manifestations diverses. En 2009, il a monté un événement pour commémorer le 50e anniversaire du Lincoln Center à New York. En 2014, il s'est dit à la recherche de sites afin d'organiser un concert pour le 50e anniversaire de Woodstock en 2019.

Chris Langhart (né en 1940)

Scénographe, directeur technique de Woodstock, Langhart a créé le Rainbow, salle de spectacle londonienne, avec John Morris, en compagnie duquel il a également organisé divers festivals et tournées de groupes rock en Europe. Il enseigne actuellement l'éclairage et la scénographie à l'école Solebury en Pennsylvanie, dont il est aussi le directeur technique du théâtre.

Mel Lawrence (1935-2016)

Directeur des opérations du festival de Woodstock, Mel Lawrence s'est installé en 1970 au Nouveau-Mexique où il a été nommé directeur du développement du Musée Wheelwright de l'Amérindien, institution consacrée à la conservation et à la mise en valeur de l'art amérindien. Par la suite, il a

produit et réalisé de nombreux films documentaires. Il a également participé à la création du festival de musique country « Jamboree in the Hills » en 1977, qui a lieu depuis plus de quarante ans. Mel Lawrence est mort en novembre 2016.

Melanie (née 1947)

Au cours de l'été 1970, « Lay Down (Candles in the Rain) », chanson inspirée à Melanie par Woodstock, est classée parmi les dix premiers titres de *Billboard*. D'autres succès suivront, comme une reprise de « Ruby Tuesday » des Rolling Stones la même année, et « Brand New Key », numéro un des hit-parades en 1971, avec trois millions de disques vendus dans le monde entier. Melanie remporte un prix Emmy en 1989 pour les paroles de « The First Time I Loved You » que l'on peut entendre dans la série télévisée *La Belle et la Bête*. Melanie continue d'enregistrer et de se produire dans le monde entier. En octobre 2007 sort le DVD *Melanie: For One Night Only*, capture de son concert donné au Royal Albert Hall à Londres, à l'occasion du festival Meltdown. En 2015, elle reçoit le prix Sandy Hosey pour l'ensemble de son œuvre à la cérémonie des Heritage Awards de la Guilde musicale des artistes. La même année sort *1984*, son album enregistré en public trente ans plus tôt.

Chip Monck (né en 1939)

Après Woodstock, Chip Monck dirige l'éclairage de nombreux événements prestigieux, dont le Concert pour le Bangladesh, le « Rocky Horror Show » dans sa version pour la scène à Broadway, et les Jeux olympiques de Los Angeles en 1984. Depuis 1988, il vit à Melbourne, en Australie. Il a reçu le prix Parnelli pour l'ensemble de sa carrière en 2003. Monck possède une collection de photographies et d'objets souvenirs de l'époque où il accompagnait les Rolling Stones en tournée. En 2012, il est directeur de production du festival « One Great Night on Earth », destiné à recueillir des fonds au profit des victimes de catastrophes naturelles.

John Morris (né en 1940)

Au début des années 1970, Morris réédite le succès de sa gestion de la salle du Fillmore East à New York en créant le célèbre Rainbow à Londres. Depuis les années 1990, il se consacre à l'organisation de salons d'antiquaires itinérants dans tous les États-Unis. Il a également participé à la promotion de Sticky Pistil, l'un des tout premiers groupes à s'être fait connaître uniquement *via* Internet, ce qui lui a valu d'être à l'affiche de Woodstock '99.

Mountain

Quelques mois après Woodstock, *Climbing!*, le premier album de Mountain, paraît en mars 1970, alors que le batteur N. D. Smart (né en 1947) a été remplacé par Corky Laing (né en 1948). Il est classé dans les vingt meilleures ventes et la chanson « Mississippi Queen » est dans le Top 40. En 1971, l'album *Nantucket Sleighride* se classe lui aussi parmi les vingt meilleures ventes. En 1971, le guitariste Leslie West (né en 1945) dissout le groupe avant de le reformer brièvement en 1974, puis une seconde fois en 1985 après la mort de Felix Pappalardi (1939-1983). Mountain enregistre et effectue des tournées jusqu'en 2010. Le groupe figure même dans l'édition 2007 du jeu vidéo *Guitar Hero III: Legends of Rock*. Leur dernier album, *Masters of War*, sort en 2007, avec des reprises de Bob Dylan, et Ozzy Osbourne en guest star. Steve Knight (né en 1935), clavier du groupe, qu'il a quitté en 1972, est décédé des suites de la maladie de Parkinson en 2013.

Wes Pomeroy (1920-1998)

Après s'être chargé de la sécurité à Woodstock, Pomeroy collabore à plusieurs tournées de groupes rock aux États-Unis, dont Led Zeppelin, avant de retourner à son métier d'origine dans la police, notamment comme préfet de police à Berkeley, en Californie, de 1974 à 1977. Il a longtemps été membre de l'Union américaine pour les libertés civiles (ACLU). Pomeroy prend sa retraite en 1995, mais succombe à des complications cardiaques en 1998, à l'âge de soixante-dix-huit ans.

Quill

Après Woodstock, Quill sort un album éponyme autoproduit, distribué par le label Cotillion d'Atlantic Records (maison avec laquelle le groupe a signé durant l'été 1969). Mais ce disque ne rencontre pas le succès et, quelques mois plus tard, Jon Cole quitte la formation groupe qu'il a cofondée. Au printemps 1970, les quatre membres restants décident de se séparer. Jon Cole dirige aujourd'hui Light on the Earth Systems, entreprise de promotion de l'énergie solaire. Toujours parolier et producteur, son frère Dan possède son propre studio d'enregistrement numérique. Le batteur Roger North a ensuite été membre des Holy Modal Rounders et mis au point la batterie North, unique en son genre, devenue objet de collection parmi les batteurs.

John Roberts (1945-2001)

Bien qu'il ait participé à l'organisation du festival du 25e anniversaire de Woodstock en 1994, Roberts s'est éloigné du monde de la musique au cours des années qui ont suivi la manifestation de 1969. Il est mort d'un cancer en 2001, à l'âge de cinquante-six ans.

Joel Rosenman (né en 1942)

Toujours actif dans le monde de l'investissement, Rosenman déclarait en 2011 dans un entretien qu'il étudiait chaque semaine une poignée de projets : « Je continue de faire la même chose qu'en 1968. » Avec John Roberts, il a co-signé *Young Men with Unlimited Capital*, récit de leurs exploits de producteurs du festival de Woodstock. Rosenman a ensuite géré le fonds d'investissement Source Financing Inverstors, organisme ayant fait une avance de 40 millions de dollars à l'entreprise Components Ltd de Norman Hsu, contributeur du Parti démocrate. Cette somme a été détournée par Hsu qui a ensuite reconnu avoir falsifié des documents et escroqué Rosenman et d'autres investisseurs.

Santana

Sorti peu après la prestation sensationnelle du groupe à Woodstock, *Santana*, son premier album, est classé numéro 4 dans les hit-parades américains. Un an après, le disque *Abraxas* est numéro un, succès réédité en 1971 avec *Santana III*. Au cours de la décennie suivante, onze albums du groupe sont classés par les trente meilleures ventes. Depuis, Carlos Santana (né en 1947) alterne entre carrière en solo et leader du groupe qui porte son nom. En 2013, il annonce qu'il va reconstituer sa formation des années 1970, dont la plupart des membres ont joué à Woodstock. En mai 2014, il sort l'album *Corazón*, suivi la même année d'un album en public, *Corazón – Live From Mexico: Live It to Believe It*. Deux albums sortent en 2016, *Santana IV* et *Santana IV: Live at the House of Blues Las Vegas*. En 2003, *Rolling Stone* classe Carlos Santana au 15e rang de sa liste des cent meilleurs guitaristes de tous les temps.

Swami Satchidananda (1914-2002)

Durant les années qui suivent son apparition à Woodstock, ce sage indien a donné de nombreuses conférences et écrit beaucoup d'ouvrages consacrés au yoga et à l'illumination spirituelle. En 1980, il a fondé l'Institut de yoga intégral à l'ashram de Yogaville, à Buckingham (Virginie), puis le sanctuaire LOTUS (Light of Truth Universal Shrine), également à Yogaville en 1986. C'est dans son Inde natale qu'il est mort en 2002.

John Sebastian (né en 1944)

Sa longue carrière en solo a été marquée par un 45-tours numéro un dans les hit-parades, « Welcome Back » en 1976, et plus récemment par des concerts avec des groupes improvisés sous le nom de « John Sebastian and the

J-Band ». Depuis 2008, Sebastian enregistre et se produit régulièrement avec David Grisman, célèbre musicien de bluegrass. Il travaille aussi beaucoup pour le cinéma et la télévision. Il a notamment signé le thème musical de la série *Les Bisounours* et de l'émission pour enfants « That's Cat » (1976-1979). Il a également présenté plusieurs séries documentaires musicales, parmi lesquelles *The Golden Age of Rock and Roll* (1991), ainsi qu'une émission consacrée au groupe Lovin' Spoonful, diffusée sur la chaîne américaine PBS en mars 2007. En 2016, il a participé au disque du chanteur et guitariste Richard Barone, *Sorrows and Promises: Greenwich Village in the 1960s*.

Sha Na Na

Après Woodstock, le succès est immédiat pour ce groupe qui fait revivre les belles heures du rock'n'roll des années 1950. Ses membres animent notamment une émission de télévision diffusée dans tous les États-Unis de 1977 à 1982. Leur album *The Golden Age of Rock 'n' Roll* se classe dans les quarante meilleures ventes en 1973. Dans le célèbre film *Grease* (1978), avec John Travolta et Olivia Newton-John, ils interprètent une formation des années 1950 qui répond au nom de « Johnny Casino and the Gamblers ». Sha Na Na se produit encore de temps à autre, mais, de la formation de Woodstock, ne subsistent que le chanteur Donny York (né en 1949) et le batteur Jocko Marcellino (né en 1950).

Ravi Shankar (1920-1912)

Lauréat de nombreux prix prestigieux, Shankar a reçu en 1977 la médaille Bharat Ratna, la plus haute récompense indienne. Il a été également récompensé par cinq Grammy, dont un pour l'ensemble de son œuvre en 2013. À l'occasion du concert en mémoire de George Harrison en 2002, il a composé un morceau pour sitar interprété par sa fille Anoushka (née en 1971). Celle-ci l'a également accompagné lors du dernier concert donné par Shankar au Terrace Theater à Long Beach (Californie), en novembre 2012. Ravi Shankar est mort un mois plus tard après une opération destinée à remplacer une valve cardiaque artificielle. Il est aussi le père de la chanteuse et pianiste de jazz Norah Jones (née en 1981).

Arnold Skolnick (né en 1937)

L'auteur de l'affiche du festival de Woodstock a été graphiste pendant plusieurs années avant de se consacrer à l'édition. Au cours des années 1980, il collabore également avec la cinéaste Linda Yellen, comme assistant storyboarder sur ses téléfilms *Playing for Time* (1980) et *Le Prisonnier* (1985). Il dirige actuellement sa propre maison d'édition, dont le siège est à Chesterfield (Massachusetts).

Sly & the Family Stone

À l'époque de Woodstock, le groupe est numéro deux dans les hit-parades avec le 45-tours « Hot Fun in the Summertime », puis en janvier 1970, avec « Thank You (Falettinme Be Mice Elf Agin) », classé numéro un. Malgré d'autres succès, comme le 45-tours « Family Affair » et l'album *There's a Riot Goin' On* – numéro un en 1971 –, le groupe se sépare en 1975. Sly Stone (né en 1943) se lance dans une carrière en solo, tout en collaborant avec certains membres de Family Stone de temps à autre. En 2003, la formation se reconstitue en partie, sans Sly ni le bassiste Larry Graham (né en 1946), pour enregistrer un album. Sly les rejoint en 2007 pour une tournée en Europe. Un hommage leur est rendu en 2006 lors de la cérémonie des Grammy Awards : c'est le premier concert en public de Sly depuis 1987. Après son album *Ain't But the One Way* de 1982, il faut attendre 2011 pour que Sly sorte *I'm Back! Family and Friends*. Les temps sont parfois difficiles, comme le révèle un documentaire en 2009 selon lequel Sly vit des allocations dans un camping-car. Les apparitions en public les plus récentes de Sly ont eu lieu avec The Family Stone dans le New Jersey et à Tampa (Floride), respectivement en août et novembre 2015.

Bert Sommer (1949-1990)

Au début de 1970, Sommer sort son deuxième album, *Inside Bert Sommer*, puis *Bert Sommer* la même année. Le dernier morceau d'*Inside Bert Sommer*, « We're All Playing in the Same Band », sort aussi en 45-tours et se voit classé 48ᵉ des cent meilleures ventes de *Billboard* en septembre 1970. Après son quatrième album en solo, également intitulé *Bert Sommer*, en 1977, le chanteur rejoint son ami Johnny Rabb au sein de The Fabulous Newports, groupe d'Albany, dans l'État de New York. Il a succombé à une longue maladie respiratoire en 1990.

Sweetwater

Après l'accident de voiture dans lequel la chanteuse Nancy Nevins (née en 1949) a failli perdre la vie en décembre 1969, le groupe sort deux albums en attendant la fin de sa convalescence, *Just For You* en 1971 et *Melon* l'année suivante. Le violoncelliste August Burns fait une chute mortelle d'un ascenseur de chantier en 1979, le batteur Alan Malarowitz meurt dans un accident de voiture en 1981 et le flûtiste Albert Moore décède d'un cancer du poumon en 1994. Le groupe s'est reformé en 1994 pour le festival Woodstock '94, avec les trois membres restants : Nevins, le bassiste Fred Herrera et le clavier Alex Del Zoppo. Sweetwater est le sujet d'un documentaire réalisé pour la télévision en 1999, *Sweetwater: A True Rock Story*.

Ten Years After

Après Woodstock et le film consacré au festival, la notoriété de Ten Years After explose. Quatre albums sont classés dans les meilleures ventes : *Cricklewood Green* et *Watt* en 1970, *A Space in Time* en 1971 et *Recorded Live* en 1973. De plus en plus encombré par l'image de *guitar hero* attribuée à Alvin Lee, le groupe se dissout en 1974, puis se reforme en 1988, le temps de quelques concerts et d'un album, *About Time* (1989), puis se sépare à nouveau. En 2003, les autres membres – Leo Lyons (né en 1943), Chick Churchill (né en 1946) et Ric Lee (né en 1945) – remplacent Alvin Lee (1944-2013) par Joe Gooch (né en 1977) et enregistrent l'album *Now*. Durant la tournée qui suit en 2005, ils enregistrent en public des morceaux qui composent le double album *Roadworks*. Alvin Lee continue de se produire et d'enregistrer en solo jusqu'à sa mort tragique en mars 2013, à la suite de complications lors d'un protocole médical banal. En 2014, Gooch et Lyons quittent le groupe en même temps et sont remplacés par le bassiste Colin Hodgkinson et le chanteur et guitariste Marcus Bonfanti. Ric Lee et Churchill restent dans le groupe, tandis que le premier est aussi leader de son propre groupe, Ric Lee's Natural Born Swingers. Dans sa composition la plus récente, Ten Years After a sorti l'album *A Sting in the Tale* en septembre 2017.

Elliot Tiber (1935-2016)

Écrivain, scénariste et enseignant, Tiber est l'auteur de plusieurs livres dans lesquels il évoque le rôle qu'il a joué dans le festival de Woodstock. L'un d'eux, *Hôtel Woodstock*, a été adapté au cinéma par Ang Lee en 2009. *Rue Haute*, son roman écrit en français, a été adapté pour le grand écran dans les années 1970 et publié en anglais sous le titre de *High Street*. Tiber a aussi enseigné dans plusieurs institutions new-yorkaises : l'écriture à la New School University, l'art au Hunter College, l'histoire de l'art et du design à l'Institute of Technology.

Ci-contre : Roger Daltrey (à gauche) et Pete Townshend sur la scène de l'Izod Center, The Meadowlands, East Rutherford (New Jersey), le 29 octobre 2008.

Michael Wadleigh (né en 1939)

À la suite de son *Woodstock*, le cinéaste a réalisé deux autres films musicaux, l'un consacré à Janis Joplin (*Janis*, 1974), l'autre à Jimi Hendrix (*Jimi Hendrix: Live at Woodstock*, 1999), ainsi qu'un film d'horreur, *Wolfen* (1981). Plus récemment, il a collaboré avec une organisation de défense des droits de l'homme dans la région du Darfour, au Soudan, et produit un documentaire portant sur les Turkana, peuple du Kenya et du sud du Soudan.

Wavy Gravy (né en 1936)

C'est deux semaines après Woodstock que Hugh Romney, fondateur de la Hog Farm, est surnommé Wavy Gravy par le musicien de blues B. B. King, pendant le festival pop international du Texas. En 1978, il est le cofondateur de la Fondation Seva, organisation internationale à but non lucratif pour la santé, dont le siège est en Californie. Avec sa femme Bonnie Beecher, il crée « Camp Winnarainbow », camp de vacances et de formation aux arts du cirque et du spectacle vivant. Au fil des ans, Wavy a continué de se consacrer à son double rôle de militant pacifiste et de bouffon de la contre-culture.

The Who

Tout au long des années 1970, les Who signent une série d'albums à succès : *Live at Leeds* (1970), *Who's Next* (1971) – numéro 4 dans les meilleures ventes aux États-Unis, avec ses effets novateurs au synthétiseur –, *Quadrophenia* (1973), opéra rock ayant pour thème l'angoisse adolescente (suivi en 1979 d'un film devenu culte) et *Who Are You?* en 1978, malheureusement marqué par la mort de Keith Moon (1946-1978). Depuis la disparition de Moon, puis celle de John Entwistle (1944-2002), Pete Townshend (né en 1945) et Roger Daltrey (né en 1944) continuent d'enregistrer et d'effectuer quelques tournées. Kenney Jones a été le premier remplaçant de Moon. Mais Townshend est fatigué des tournées et le groupe se dissout en 1982. Ils se produisent ensuite occasionnellement : au concert Live Aid en 1985, pour la tournée du 25e anniversaire en 1989 et la tournée *Quadrophenia* en 1996-1997. Le batteur Zak Starkey prend la relève en 1999. Après la mort d'Entwistle en 2002, le projet d'un nouvel album est suspendu. En 2005 sort pourtant le disque *Endless Wire*. Townshend et Daltrey poursuivent les tournées dans les années 2010.

Johnny Winter (1944-2014)

Au début des années 1970, Johnny Winter est dépendant de l'héroïne, mais parvient à s'en défaire en 1973, année durant laquelle il sort un album au titre approprié, *Still Alive and Well* [Toujours vivant et en bonne santé], classé dans le Top 10 do *Billboard* (pour la quatrième fois de sa carrière). Il réalise ensuite un désir de toujours en produisant trois albums de Muddy Waters, son héros de la guitare. Les albums de blues de Winter sont régulièrement sélectionnés pour les Grammy Awards. Le guitariste entre au Blues Foundation Hall of Fame en 1988 et se produit dans le monde entier pour des concerts et des festivals jusqu'à sa mort à Zurich en juillet 2014, peu après son passage au Cahors Blues Festival en France.

Max Yasgur (1919-1973)

Moins de deux ans après Woodstock, Yasgur vend son exploitation laitière en 1971, mais conserve les bâtiments de la ferme et part s'installer à Marathon, en Floride. Dix-neuf mois plus tard seulement, il succombe à une crise cardiaque à l'âge de cinquante-trois ans. Cas unique pour un modeste exploitant agricole, le magazine *Rolling Stone* publie un article nécrologique en pleine page. Son fils Sam est l'auteur du livre *Max B. Yasgur: The Woodstock Festival Famous Farmer*, publié en 2009.

Ci-contre : Johnny Winter en juillet 2008.

Bibliographie

Baez, Joan, *And a Voice to Sing With: A Memoir*, Signet, 1990 ; *Et une voix pour chanter. Mémoires*, trad. par Danielle Michel-Chich, Presses de la Renaissance, 1988.

Bell, Dale (dir.), *Woodstock: An Inside Look at the Movie that Shook up the World and Defined a Generation*, Michael Wiese Productions, 1999.

Bennett, Andy (dir.), *Remembering Woodstock*, Ashgate Publishing, 2004.

Bonds, Ray (dir.), *The Vietnam War: The Illustrated History of the Conflict in Southeast Asia*, Crown Publishers, 1979 ; *Histoire des guerres du Vietnam*, ad. par Paul Henry Carlier, Elsevier Séquoia, 1980.

Bowman, John S. (dir.), *The Vietnam War: An Almanac*, World Almanac Publications, 1985.

Boyd, Joe, *White Bicycles*, Serpent's Tail, 2006.

Clarke, Donald (dir.), *The Penguin Encyclopedia of Popular Music*, Viking, 1989.

Crosby, David et Carl Gottlieb, *Long Time Gone: The Autobiography of David Crosby*, Doubleday, 1988.

Echols, Alice, *Scars of Sweet Paradise: The Life and Times of Janis Joplin*, Henry Holt, 1999.

Evers, Alf, *Woodstock: History of an American Town*, The Overlook Press, 1987.

Farber, David, *et al.*, *The Sixties Chronicle*, Publications International, Ltd., 2004.

Hajdu, David, *Positively 4th Street*, Bloomsbury, 2001.

Havens, Richie et Steve Davidowitz, *They Can't Hide Us Anymore*, Spike, 1999.

Helm, Levon et Stephen Davis, *This Wheel's on Fire: Levon Helm and the Story of The Band*, William Morrow & Company, 1993.

Henderson, David, *'Scuse Me While I Kiss the Sky: Jimi Hendrix*, Doubleday, 1978.

Hoffman, Abbie, *Woodstock Nation*, Vintage/Random House, 1969.

Hoskyns, Barney, *Across the Great Divide: The Band and America*, Hyperion, 1993.

Landy, Elliott, *Woodstock 1969, The First Festival*, Square Books, 1994.

Lang, Michael, avec Holly George-Warren, *The Road to Woodstock*, Ecco/HarperCollins, 2009.

Lang, Michael et Jean Young, *Woodstock Festival Remembered*, Ballantine Books, 1979.

Lewis, Dave, *Led Zeppelin: The Concert File*, Omnibus, 1997.

Lytle, Mark Hamilton, *America's Uncivil Wars: The Sixties Era from Elvis to the Fall of Richard Nixon*, Oxford University Press, 2006.

Makower, Joel, *Woodstock: The Oral History*, Doubleday, 1989.

Marsh, Dave, *Before I Get Old: The Story of The Who*, Plexus, 1983.

McDonough, Jimmy, *Shakey: Neil Young's Biography*, Random House, 2002.

McNally, Dennis, *A Long Strange Trip: The Inside History of the Grateful Dead*, Broadway Books, 2002.

Miles, Barry, *Hippie*, Cassell, 2003 ; *Hippie*, trad. par Denis Montagnon, Octopus, 2004.

The Nuclear Age: TimeFrame AD 1950-1990, Time-Life, 1990.

Perone, James E., *Woodstock: An Encyclopedia of the Music and Art Fair*, Greenwood Press, 2005.

Rosenman, Joel, John Roberts, et Robert Pilpel, *Young Men with Unlimited Capital: The Behind-the-Scenes Story of Woodstock*, Bantam Books, 1989 (édition mise à jour).

Rotolo, Suze, *A Freewheelin' Time: A Memoir of Greenwich Village in the 60s*, Broadway, 2008 ; *Le Temps des possibles : Greenwich Village, les années 1960*, trad. par Raphaëlle Dedourge, Naïve, 2009.

Selvin, Joel, *On the Record: Sly & the Family Stone*, Simon & Schuster, 1997.

Shaar-Murray, Charles, *Crosstown Traffic: Jimi Hendrix and Post-war Pop*, Faber & Faber, 1989 ; *Jimi Hendrix : vie et légende*, trad. par François Gorin, Lieu commun, 1993.

Shankar, Ravi, *Raga Mala*, Welcome Rain, 1999 ; *Raga Mala : ma vie en musique*, trad. par Catherine Baldisserri, Intervalles, 2010.

Shapiro, Harry et Caesar Glebbeek, *Jimi Hendrix: Electric Gypsy*, St. Martin's Press, 1990.

Shapiro, Marc, *Carlos Santana: Back on Top*, St Martin's Press, 2000.

Smith, Joe, *Off the Record: An Oral History of Popular Music*, Warner Books, 1988.

Sounes, Howard, *Down the Highway: The Life of Bob Dylan*, Grove Press, 2001.

Tamarkin, Jeff, *Got a Revolution! The Turbulent Flight of Jefferson Airplane*, Atria Books, 2003.

Tiber, Elliot, *Woodstock Delirium*, Knock on Woodstock, Derilium Press, 2001.

Tiber, Elliot et Tom Monte, *Taking Woodstock*, Square One Publishers, 2007 ; *Hôtel Woodstock*, trad. par Christophe Magny, Alphée/Jean-Paul Bertrand, 2009.

Ward, Ed, Geoffrey Stokes et Ken Tucker, *Rock of Ages: The Rolling Stone History of Rock & Roll*, Rolling Stone Press/Summit Books, 1986.

Whitburn, Joel, *Top Pop Singles, 1955-2002*, Record Research, 2003.

Zinn, Howard, *A People's History of the United States, 1492–Present*, HarperCollins, 1999 ; *Une histoire populaire des États-Unis, de 1492 à nos jours*, trad. par Frédéric Cotton, Agone, 2002.

De très nombreux articles ont été consultés dans les périodiques suivants : *Billboard*, *Business Week*, *Life*, *The New York Times*, *The New Yorker*, *Newsweek*, *Rolling Stone*, *Time* et *Variety*.

Sources

14 Suze Rotolo, *A Freewheelin' Time: A Memoir of Greenwich Village in the 60s*, Broadway, 2008 ; *Le temps des possibles : Greenwich Village, les années 1960*, Naïve, 2009 ; 16 Dick Gregory, comique, au Playboy Club, Chicago, 1961, extrait du film documentaire inachevé *Color of Funny* ; 20 Isabel Stein, entretien avec Mike Evans ; 21 Mike Heron, entretien avec Mike Evans ; 25 Extrait de la déclaration de Port Huron des Students for a Democratic Society, 1962, avec l'autorisation du sénateur Tom Hayden ; 27 Paul Kantner, dans Barry Miles, *Hippie*, Sterling, 2003 ; Octopus, 2004 ; 28 Bill MacAllister, *Jazz on a Summer's Day*, texte de la jaquette du DVD, Charly Licensing APS, 2001 ; 29 George Wein, dans David Hajdu, *Positively 4th Street* by, Bloomsbury, 2001 ; 30 Lou Adler, dans Joe Smith, *Off the Record: An Oral History of Popular Music*, Warner Books, 1988 ; 32 Michael Lang, dans *Woodstock Festival Remembered*, Ballantine, 1979 ; 34 George Quinn, habitant de Woodstock, dans expectingrain.com/dok/atlas ; 36 John Roberts, *The Woodstock Diaries*, 1994, prod. Alan Douglas, Warner Bros./Time Warner Entertainment ; 37 Michael Lang, entretien avec Paul Kingsbury ; 40 John Roberts, The Woodstock Diaries, 1994, prod. Alan Douglas, Warner Bros./Time Warner Entertainment ; 41 à gauche Louis Calta, « Peaceful Rock Fete Planned Upstate », *New York Times*, 27 juin 1969 ; 41 à droite Howard Mills, Jr., propriétaire d'un terrain à Wallkill, témoignage filmé, The Museum at Bethel Woods ; 43 Michael Lang, entretien avec Kingsbury ; 44 Richard F. Shepard, « Pop Rock Festival Finds New Home », *New York Times*, 23 juillet 1969 ; 45 Richard Gross, témoignage filmé, The Museum at Bethel Woods ; 46 Sam Yasgur, témoignage filmé, The Museum at Bethel Woods ; 50 Rona Elliot, entretien avec Paul Kingsbury ; 51 Michael Lang, entretien avec Paul Kingsbury ; 52-53 Arnold Skolnick, entretien avec Mike Evans et Colin Webb ; 57 Bill Hanley, entretien avec Paul Kingsbury ; 59 Michael Lang, entretien avec Paul Kingsbury ; 60-61 Eddie Kramer, témoignage filmé, The Museum at Bethel Woods ; 62 « 346 Policemen Quit Music Festival », *New York Times*, 15 août 1969 ; 64 Cecelia, citée dans www.woodstock69.com ; 65 Barnard L. Collier, « 200,000 Thronging to Rock Festival », *New York Times*, 16 août 1969 ; 67 Barnard L. Collier, « 300,000 at Folk Rock Fair », *New York Times*, 17 août 1969 ; 69 Richie Havens, cité dans www.classicrockpage.com ; 72 Richie Havens, témoignage filmé, The Museum at Bethel Woods ; 75 Diana Thompson, témoignage filmé, The Museum at Bethel Woods ; 78 Fred Herrera, entretien avec Paul Kingsbury ; 79 Alex Del Zoppo, entretien avec Paul Kingsbury ; 81 en haut Rona Elliot, entretien avec Paul Kingsbury ; 81 en bas Michael Lang, dans *Woodstock Festival Remembered*, Ballantine, 1979 ; 82 Bert Sommer, cité dans www.inkui.com ; 83 Ira Stone, cité dans www.bertsommer.com ; 85 Michael Lang, dans *Woodstock Festival Remembered*, Ballantine, 1979 ; 89 Ravi Shankar, *Raga Mala*, Welcome Rain, 1999 ; *Raga Mala : ma vie en musique*, Intervalles, 2010 ; 90-91 Melanie, entretien avec Mike Evans ; 93 Arlo Guthrie, entretien avec Steve Lane, journal en ligne BrooWaha, 31 mars 2008. Copyright © 2009 BrooWaha LLC ; 95-97 Joan Baez, *And a Voice to Sing With: A Memoir*, Signet, 1990 ; *Et une voix pour chanter. Mémoires*, Presses de la Renaissance, 1988 ; 99 en haut « How You Gonna Keep Em Down In The Town », *Variety*, 20 août 1969 ; 99 en bas Isabel Stein, entretien avec Mike Evans ; 102 Lisa Law, *The Woodstock Diaries*, 1994, prod. Alan Douglas, Warner Bros./Time Warner Entertainment ; 104 en bas Joel Rosenman, *The Woodstock Diaries*, 1994, prod. Alan Douglas, Warner Bros./Time Warner Entertainment ; 108 Lisa Law, entretien avec Mike Evans ; 110 Lisa Law, *The Woodstock Diaries*, 1994, prod. Alan Douglas, Warner Bros./Time Warner Entertainment ; 111 Jean Young, dans *Woodstock Festival Remembered*, Ballantine 1979 ; 112 Eric Stange, témoignage filmé, The Museum at Bethel Woods ; 115 Michael J. Fairchild, texte de la pochette de *The Woodstock Diary*, Atlantic Records, 1994 ; 118 Country Joe McDonald, témoignage filmé, The Museum at Bethel Woods ; 120 Jerry Gilbert, *Zig Zag*, décembre 1974 ; 121 John Sebastian, témoignage filmé, The Museum at Bethel Woods ; 124 à gauche « Farmer With Soul », *New York Times*, 18 août 1969 ; 124 à droite Max Yasgur, au public de Woodstock, 16 août 1969 ; 125 Sam Yasgur, témoignage filmé, The Museum at Bethel Woods ; 126 Carlos Santana, dans Marc Shapiro, *Carlos Santana: Back on Top*, St Martin's Press, 2000 ; 128 Carlos Santana, entretien avec David Sinclair, *Q*, octobre 1990 ; 131 Joe Boyd, dans *White Bicycles*, Serpent's Tail, 2006 ; 132 Mike Heron, entretien avec Mike Evans ; 134 Bob Hite, entretien avec Steven Rosen, *Sounds*, 2 mars 1974 ; 137 en haut Lisa Law, entretien avec Mike Evans ; 137 en bas Diana Thompson, témoignage filmé, The Museum at Bethel Woods ; 139 à gauche Michael Lang, *The Woodstock Diaries*, 1994, prod. Alan Douglas, Warner Bros./Time Warner Entertainment ; 139 en haut Abbie Hoffman, *Woodstock Nation*, Vintage/Random House, 1969 ; 139 en bas Joel Rosenman, The Woodstock Diaries, 1994, prod. Alan Douglas, Warner Bros./Time Warner Entertainment ; 141 en haut Steve Knight, entretien avec Mike Evans et Paul Kingsbury ; 141 en bas Leslie West, entretien avec www.classicrockpage.com ; 142 Mickey Hart, cité dans www.classicrockpage.com ; 144-145 Bob Weir, dans David Fricke, « Woodstock Remembered », *Rolling Stone*, 24 août 1989 ; 147 John Fogerty, dans James Henke, « Twentieth Anniversary: John Fogerty », *Rolling Stone*, 10 décembre 1987 ; 150 Bill Hanley, entretien avec Paul Kingsbury ; 151 John Byrne Cooke, entretien avec Mike Evans ; 153 Mike Jahn, *New York Times*, 18 août 1969 ; 154 Ian Gibson, entretien avec Mike Evans ; 155 Barnard

L. Collier, « 300,000 at Folk Rock Fair », *New York Times*, 17 août 1969 ; 158 Joel Rosenman, *The Woodstock Diaries*, 1994, prod. Alan Douglas, Warner Bros./Time Warner Entertainment ; 160-162 Joel Selvin, *On the Record: Sly & the Family Stone*, Simon & Schuster, 1997 ; 163 Carlos Santana, dans David Fricke, « Woodstock Remembered », *Rolling Stone*, 24 août 1989 ; 165 en haut Pete Townshend, cité dans www.alternativereel.com ; 165 en bas Roger Daltrey, cité dans www.wikiquote.org ; 167 Pete Townshend, dans Mark Wilkerson, *Amazing Journey; The Life of Pete Townshend*, lulu.com, 2006 ; 168 à gauche Pete Townshend, *San Francisco Examiner*, 24 juillet 2002 ; 168 à droite Ellen Willis, *New Yorker*, 6 septembre 1969 ; 169 « How You Gonna Keep Em Down In The Town », *Variety*, 20 août 1969 ; 170 Marty Balin, entretien avec Paul Kingsbury ; 172 Jack Cassady, cité dans www.classicrockpage.com ; 173 en haut Grace Slick, dans Jeff Tamarkin, *Got a Revolution! The Turbulent Flight of Jefferson Airplane*, Atria Books, 2003 ; 173 en bas Marty Balin, entretien avec Paul Kingsbury ; 177 Bobbi Ercoline, témoignage filmé, The Museum at Bethel Woods ; 179-180 Joe Cocker, entretien avec Mike Evans ; 181 Joe Cocker, cité dans www.classicrockpage.com ; 182 « Tired Rock Fans Begin Exodus », *New York Times*, 18 août 1969 ; 183 Mark Koslow, témoignage filmé, The Museum at Bethel Woods ; 185 Susan Cole, témoignage filmé, The Museum at Bethel Woods ; 186 Barry Levine, entretien avec Mike Evans ; 188 Rowland Scherman, entretien avec Mike Evans ; 190 Country Joe McDonald, entretien avec Greg Shaw, *Mojo Navigator*, 22 novembre 1966 ; 193 en haut Alvin Lee, entretien avec John Ingham, *Sounds*, 11 octobre 1975 ; 193 au centre Leo Lyons, entretien avec Mike Evans ; 193 en bas Alvin Lee, dans Barbara Charone, « Alvin Lee's Long Road to Freedom », *Rolling Stone*, 13 février 1975 ; 194 Levon Helm et Stephen Davis, *From This Wheel's on Fire: Levon Helm and the Story of The Band*, 1993, reproduit avec l'autorisation de HarperCollins Publishers ; 195 Rick Danko, entretien avec Richard Williams, *Melody Maker*, 29 mai 1971 ; 196 Robbie Robertson, dans David Fricke, « Woodstock Remembered », *Rolling Stone*, 24 août 1989 ; 199 Johnny Winter, entretien avec Sean McDevitt, *Guitar World*, mars 2007 ; 200 James Perone, *An Encyclopedia of the Music and Art Fair*, Greenwood Press, 2005 ; 204 David Crosby et Carl Gottlieb, *From Long Time Gone: The Autobiography of David Crosby*, Doubleday, 1988 ; 205 Neil Young, dans Jimmy McDonough, *Shakey: Neil Young's Biography*, Random House, 2002 ; 206 en haut Lisa Law, entretien avec Mike Evans ; 206 en bas Barbara Hahn, témoignage filmé, The Museum at Bethel Woods ; 207 en haut Lisa Law, *The Woodstock Diaries*, 1994, prod. Alan Douglas, Warner Bros./Time Warner Entertainment ; 207 au centre Robert Kirkman, récit personnel pour The Museum at Bethel Woods ; 207 en bas Wavy Gavy (Hugh Romney), entretien avec Paul Kingsbury ; 213 Joe Witkin, cité dans www.woodstock69.com ; 217 Billy Cox, entretien avec Paul Kingsbury ; 219 Michael Lang, dans *Woodstock Festival Remembered*, Ballantine, 1979 ; 220 en haut Duke Devlin, entretien avec Mike Evans ; 220 en bas Lisa Law, entretien avec Mike Evans ; 222 Michael Lang, *The Woodstock Diaries*, 1994, prod. Alan Douglas, Warner Bros./Time Warner Entertainment ; 223 Joe Scarda, témoignage filmé, The Museum at Bethel Woods ; 224-225 Alistair Cooke, « Grooving on the Sounds », *The Guardian*, 19 août 1969 ; 227 « Tired Rock Fans Begin Exodus », *New York Times*, 18 août 1969 ; 228 Peter Grant, dans Dave Lewis, *Led Zeppelin: The Concert File*, Omnibus Books, 1997 ; 230 en haut à gauche Joni Mitchell, dans Chet Flippo, livret du coffret de CD *Crosby, Stills & Nash*, Atlantic Records, 1991 ; 230 en haut à droite David Geffen, dans David Crosby et Carl Gottlieb, *From Long Time Gone: The Autobiography of David Crosby*, Doubleday, 1988 ; 230 au centre à droite Graham Nash, dans Joe Smith, *Off the Record: An Oral History of Popular Music*, Warner Books, 1988 ; 230 en bas David Geffen, dans *Atlantic Records: The House that Ahmet Built*, réalisé par Susan Steinberg, Rhino/WEA, 2007 ; 232 Bob Dylan, dans Kurt Loder, « Bob Dylan: The Rolling Stone Interview », *Rolling Stone*, 21 juin 1984 ; 233 Bob Dylan, avec Jim Jerome, 10 novembre 1975, dans Jimmy McDonough, *Shakey: Neil Young's Biography*, Random House, 2002 ; 235 Jan Hodenfield, « It Was Like Balling For the First Time », *Rolling Stone*, 20 septembre 1969 ; 240 « Nightmare in the Catskills », éditorial du *New York Times*, 18 août 1969 ; 241 en haut « The Big Woodstock Rock Trip », *Life*, 29 août 1969 ; 241 en bas « Age of Aquarius », *Newsweek*, 25 août 1969 ; 242 à gauche Steve Lerner, « The 10th Largest City in the United States », *Village Voice*, 21 août 1969 ; 242 à droite John « The Swede » Hilgerdt, *East Village Other*, 20 août 1969 ; 243 Andrew Kopkind, « I Looked at My Watch… », *Rolling Stone*, 20 septembre 1969 ; 244 Ahmet Ertegun, dans *Atlantic Records: The House that Ahmet Built*, réalisé par Susan Steinberg, Rhino/WEA, 2007 ; 246 Martin Scorsese, entretien avec Richard Schickel ; 247 Barry Z. Levine, entretien avec Mike Evans ; 248 Susan Steinberg, entretien avec Mike Evans ; 249 Eddie Kramer, témoignage filmé, The Museum at Bethel Woods ; 255 Christopher Logue, *The Times*, 13 septembre 1969 ; 257 Mark Hamilton Lytle, *America's Uncivil Wars: The 60s Era from Elvis to the Fall of Richard Nixon*, Oxford University Press, 2006 ; 259 Keith Richards, John Burks, *London Evening Standard*, 7 février 1970 ; 260 Melanie, entretien avec Mike Evans ; 263 Michael Lang, entretien avec Paul Kingsbury ; 265 Jeryl Abramson, entretien avec Mike Evans et Paul Kingsbury.

Index

Les mots et chiffres en **gras** renvoient à un musicien, un groupe ou un sujet. Les mots et chiffres en *italiques* renvoient aux *illustrations*.

Remerciements

Ce livre est dédié à
Michael Lang,
fondateur et âme
de Woodstock

Le Musée de Bethel Woods

Les ressources et documents utilisés pour cet ouvrage ont été fournis par le Musée de Bethel Woods (État de New York), espace d'exposition multimédia et immersif qui réunit bornes interactives, textes muraux et objets, afin de découvrir le festival de Woodstock, son importance au terme d'une décennie de transformations culturelles radicales, ainsi que l'héritage du festival et des années 1960. En 2008, le musée a été récompensé par deux prix MUSE pour ses réalisations exceptionnelles dans le domaine du multimédia muséal. Visitez le musée en ligne sur www.bethelwoodscenter.org.

Les auteurs de cet ouvrage souhaitent remercier les personnes et institutions suivantes pour l'aide et le soutien qu'ils ont apportés à sa publication :

Jerryl Abramson ; Marty Balin ; Gary Burr ; John Byrne Cooke ; Joe Cocker ; Billy Cox ; Alex Del Zoppo ; Duke Devlin ; Alan Douglas ; Rona Elliot ; Peter Golding ; Michael Gray ; Fred Herrera ; Mike Heron ; Bill Hanley ; Roy Howard ; Steve Knight ; Michael Lang ; Lisa Law ; Barry Levine ; Bill Lloyd ; Leo Lyons ; Jeff Manzelli ; Marc Margolis ; Rick McNamara ; Anthony Pomes ; Hugh Romney ; Melanie Safka ; Daryl Sanders ; Rowland Scherman ; Richard Schickel ; Martin Scorsese ; Arnold Skolnick ; Isabel Stein ; Susan Steinberg ; Elliot Tiber ; Jeff Weinstein.

Bibliothèque de l'université Belmont University, Nashville ; Country Music Hall of Fame & Museum ; librairie The Golden Notebook, Woodstock ; Nashville Public Library ; Vanderbilt University Library, Nashville ; et Michael Egan ; Wade Lawrence ; Robin Green ; Rosie Vergilio ; Elaine Muscara ; Paul Hein ; Alan Gerry au Musée du Centre artistique de Bethel Woods.

Remerciements du traducteur : La version française de cet ouvrage a été réalisée *with a little help from his friends* par le traducteur qui tient à remercier, pour l'aide linguistique, technique et musicale qu'ils lui ont apportée, Thomas Brard, David Cartwright, Oliver Craske, Corinne Faure-Geors, Hugues Guerrault, Nasreen Munni Kabir, Françoise Le Boëdec, Brigitte Lescut et Yann Mens.

Crédits